LA SABIDURÍA DE LOS CHISTES

MITOS BOLSILLO

Alejandro Jodorowsky
LA SABIDURÍA
DE LOS CHISTES
Historias iniciáticas

grijalbo mondadori

LA SABIDURÍA DE LOS CHISTES
Historias iniciáticas

Títulos originales en fracés: *La Sagesse des blagues*;
                    Le doigt et la lune;
                    Les histoires de Mulla Nasrudin.

Traducción: Agustín Bárcena Montañez
             y Argelia Castillo Cano
             de las ediciones de
             Editions Vivez Soleil y
             Editions Albin Michel.
             Ginebra, 1994; París, 1997.

© 1994, 1997, 1998, Alejandro Jodorowsky

D.R. © 2001 por EDITORIAL GRIJALBO, S.A. de C.V.
        (Grijalbo Mondadori)
        Av. Homero núm. 544,
        Col. Chapultepec Morales, C.P. 11570
        Miguel Hidalgo, México, D.F.

www.grijalbo.com.mx

ISBN 970-05-1303-3

IMPRESO EN MÉXICO

Índice

HISTORIAS ZEN Y JAPONESAS

KOANS

LAS HISTORIAS DE MULLA NASRUDIN

Prólogo

A fines de los años cincuenta, el maestro zen Yamada Mumon envió de Japón a su discípulo Ejo Takata a que visitara a un zendo norteamericano, localizado en San Francisco, si es que la memoria no me falla. Llegado al lugar, y siempre obediente de las órdenes de su maestro, buscó un sitio en el cual fundar una escuela de zen rinzai. Su método para buscarlo —sólo hablaba japonés— consistió en no buscarlo. Se plantó a la orilla de un camino e hizo la señal de "pedir aventón", decidido a establecer la escuela donde lo dejara el vehículo que lo recogiese. Un camión que transportaba naranjas lo dejó en la ciudad de México. Ahí se encontró, sin otra vestimenta que su *koromo*, con diez dólares en el bolsillo. En esta inmensa ciudad de veinte millones de habitantes, caminó al azar durante una hora, hasta que un psicoanalista, discípulo del doctor Erich Fromm, detuvo su automóvil y lo invitó a subir, muy sorprendido o, más exactamente, maravillado de toparse con un monje japonés zen paseándose tranquilamente por las calles de México. Erich Fromm, autor —entre otros libros— de *Ética y psicoanálisis*, acababa de descubrir el zen por medio de las obras de D.T. Suzuki; por ello, consideró la llegada de Ejo Takata como un acontecimiento de la mayor importancia para su escuela y, con un grupo de médicos y psicoanalistas, instaló a quien —andando el tiempo— llegaría a ser mi maestro en un zendo situado en los alrededores de la capital.

En aquel entonces, sólo conocíamos el zen por medio de algunos libros mal traducidos al español. Los *koans* eran considerados por nuestro espíritu lógico como misterios sin solución. Y nos imaginábamos a un maestro zen "iluminado", como a un mago capaz de resolver todas nuestras dudas metafísicas e incluso de transmitirnos el poder de vencer a la muerte.

Después de pasar grandes dificultades para establecer contacto con el maestro, cierto día, temblando de emoción, finalmente llamé a su puerta. Un oriental con el cráneo rapado, muy sonriente, sin edad —podía tener veinte años o sesenta—, vestido con un hábito de monje, me abrió y de inmediato me trató como si yo hubiera sido amigo suyo desde siempre. Me tomó de la mano para conducirme a la sala de meditación, donde me mostró un trozo de tela blanca fijado al muro y sobre el cual estaba escrita con tinta negra una sola palabra en japonés, que él se prestó a traducirme y pronunció con dificultad: "felicidad".

Así empezó mi experiencia con Ejo Takata. Ese mismo año, anoté en mi diario algunas impresiones que, aunque eran ingenuas y expresión de un adolescente idealista, no han dejado de ser valiosas ante mis ojos. Precisamente titulé a ese texto "Experiencia con Ejo Takata". Y es que cuando me mostró el signo "felicidad", me di cuenta de que me estaba enseñando el secreto del alma: ser feliz a pesar de miserias y fracasos; la vida es una fuente de felicidad y la curación es reconocer que por debajo de este contexto terrible en que vivimos, hay un río de increíble gozo. Luego tomó dos banquitos y me dijo: "Vamos a meditar afuera". Y a la mitad del camino se detuvo, me entregó uno de los bancos y pidió: "Ahora llévalo tú". Ahí entendí todo: durante la primera mitad del camino, el maestro guía al discípulo, pero la otra mitad debe hacerlo este último.

Los años han pasado, pero el amor impregnado de respeto que sentí por Ejo Takata jamás se ha esfumado de lo que podría llamar "mi alma". Mis interpretaciones de historias y de koans se originan en mi encuentro con este maestro tan grande como humilde. (De su vida en Japón sólo conozco esta anécdota: mientras los norteamericanos bombardeaban Tokio, en medio de la lluvia de bombas, él continuaba meditando.)

Más tarde comprendí que toda estructura narrativa (incluso la de los chistes) puede interpretarse: toda historia es iniciática, si se la contempla con detenimiento.

Experiencia con Ejo Takata

La primera vez que acudí al zendo, el maestro me mostró un poema que terminaba así:

El que tenga pies ayudará con sus pies
y el que tenga ojos ayudará con sus ojos
en esta magna obra espiritual.

Durante sus oraciones el maestro tose y estornuda. Yo, luchando por meditar, no me atrevo ni a respirar.

Es que el maestro ya no reza.
Esos cantos son él mismo.
Las oraciones tosen y estornudan.

Pero el alumno meditó en una esquina del zendo, temió habituarse a ella y se cambió a la esquina contraria.
   Viajó por las cuatro esquinas y también por todos los sitios donde se meditaba. El maestro siempre meditó en el mismo sitio; sin embargo, eso no era un hábito.

El discípulo insistió en quitarse los zapatos antes de entrar en el zendo, cuyo piso era de baldosas. Se ensució los pies. Al sentarse en la plataforma de madera, la manchó.
   El maestro sólo se quitó su calzado en el momento de sentarse en su sitio.

Al llegar a la casa del maestro, el discípulo se quitaba los zapatos para no ensuciar los pisos, pero cuando entraba en casa de sus amigos no se tomaba la molestia de frotar las suelas en el felpudo que se encontraba delante de la puerta.

El maestro lo invitó a sentarse en el jardín. Tomó dos sillas de paja y las cargó. Sin embargo, a medio camino entregó una de ellas al alumno para que éste la llevara.

Dijo el maestro "Si estamos en la ciudad de México, podemos ver el volcán Popocatépetl. Si estamos en el Popocatépetl, no lo podemos ver".

Cuando el maestro oraba, sus palabras producían una vibración que tenía un sonido musical. Ya no me importaban las palabras.
  Yo agradecía ese sonido porque hacía vibrar mis células ordenándolas, como un imán, en una sola dirección.

El maestro, antes de irse, me quiere regalar un bastón, el *keisaku*. He aquí cuáles fueron mis sentimientos:
  "Si tienes un bastón, te lo quito, y si no lo tienes, te lo doy. Oh, infinita piedad: no te lo agradezco. No lo tenía y has querido dármelo. Ahora que lo tengo, quítamelo para que de verdad me lo hayas dado. Permíteme que rechace tu regalo. Algún día florecerán mis manos y ya no necesitaré bastón, porque podré golpearte la espalda con mis palmas (y también con mis dedos)."

El maestro decía: "Si haces un bien y lo cuentas, pierdes todo lo que ganaste haciéndolo". Sin embargo, él se vanagloriaba de cada una de sus buenas acciones. Se hacía propaganda, no por vanidad, sino para impedirse incluso un beneficio interior.
  Él quería hacer el bien sin ganar nada por ello.

Un templo no es el lugar "exclusivo" de lo sagrado.
  Se va al templo para aprender el sentido de lo sagrado.
  Si la lección se ha comprendido, toda la tierra se vuelve un templo; cualquier hombre se convierte en sacerdote y ningún alimento deja de ser hostia.
  El maestro me golpeó dos veces la espalda con su *keisaku*. Más

que bastón, el *keisaku* es una paleta delgada. Tiene caracteres japoneses escritos por los dos lados. Le pregunté el significado.

En el lado que golpea, dice: "Yo no puedo enseñarte nada. Aprende por ti mismo: ¿Tú sabes?". En el reverso: "El pasto florece en primavera".

El maestro agrega: "Primero la meditación; luego viene la primavera y todo florece".

De pronto, el maestro se fija en la boca del discípulo y pregunta, señalándola: "¿Por qué está herida?". Él le responde: "Tuve un accidente".

Y el maestro dice: "Un día, tus ojos serán muy bellos".

México, 1961*

* Texto luego incorporado como prólogo a *Zen en México* de Ejo Takata (conferencia), ed. de autor, México, 1970. Reproducido en *Antología pánica*, Joaquín Mortiz, Col. Contrapuntos, México, 1996. [N. del editor.]

La
sabiduría
de los
chistes

Un bebé a sus espaldas

La inquilina de un gran inmueble situado en una gran ciudad va a la clínica a visitar a la conserje del edificio, quien acaba de dar a luz.

—Pero —dice sorprendida la inquilina—, si me lo permite, le voy a hacer una pregunta indiscreta: ¿es usted soltera, verdad?

—En efecto —responde la conserje.

—¿Y quién es el feliz papá de este encantador nene?

—Sobre eso —contesta la conserje— no sé nada en absoluto. ¡Usted sabe perfectamente que, cuando limpio las escaleras, estoy demasiado ocupada para voltear en cada ocasión!

Este chiste me recuerda una historia de Mulla Nasrudin, el héroe de muy bellas historias iniciáticas sufistas:

Mulla Nasrudin, sentado a la sombra, mira el camino, en tanto que su mujer, sentada a su lado pero vuelta de espaldas, mira hacia el otro lado. De pronto, ella le comenta a su marido:

—¡Cuánta belleza! Hay muchos pájaros y las nubes son maravillosas. En verdad, ¡es un paisaje espléndido!

—¡Yo no veo nada!... De mi lado no hay ni nubes ni pájaros.

Mulla Nasrudin no hace el menor esfuerzo por mirar hacia el lado de su mujer; se limita a ver su mundo.

Del mismo modo, la conserje no presta ninguna atención a lo que ocurre a sus espaldas. Eso no forma parte de su mundo y, por ese solo hecho, no le incumbe.

Yo me ocupo exclusivamente de mi pequeño universo y lo que ocurre a mi alrededor no me concierne. Sin embargo, yo sufro las consecuencias de ello.

Cuando alguien me dice "mi realidad", le respondo: "¿Cuál realidad? ¡Descríbemela!"

¿Cuál es la dimensión de mi mundo, si soy una conserje que limpio las escaleras y me encuentro encinta porque no volteo?

En este mundo donde hemos perdido la tradición religiosa y donde Dios representa una especie de complemento infantil que se nos inculca en nuestros primeros años de vida, pido siempre a mi interlocutor que describa a esa divinidad de la cual habla: "¿Cómo ves tú a Dios? ¿Qué representa para ti, puesto que hablas de él? ¡Descríbemelo! Al describir a Dios no harás otra cosa que describir tu realidad. Si Dios existe en alguna parte, está aquí. Si el infierno existe, también está aquí. Todo lo que es existe en el instante. Entonces, si en el instante todo está presente, ¡descríbeme lo que es el instante para ti!"

Como mi interlocutor es incapaz de contestar, le propongo otro juego. Le hago dos preguntas: Primera: "¡Partamos del principio de que eres completamente ateo! Si Dios no existe y debes inventarlo, ¿cómo lo inventas?"

En el caso de que mi interlocutor sea testarudo y no quiera jugar este juego respondiendo a la pregunta anterior, le formulo otra: "Si, para ti, Dios no existe, ¿en qué principio se basa tu realidad? ¿Cuál es la fuerza que la rige y qué consecuencias extraes de ella?"

Por tanto, quiero decir: "¿Quién es el bebé que llevas en el vientre? De una u otra manera te vas a encontrar con que llevas un bebé en tu vientre, producto de que no percibes toda la realidad, de que no volteas, de que no piensas lo que el otro piensa ni ves lo que la humanidad ve. Tú no ves nada, ni los millones y millones de años del pasado, ni los millones y millones de años del futuro. Tú no ves la extensión infinita de la materia. ¿Dónde te sitúas? ¡Respóndeme! ¿Cuál es tu realidad?"

Si Dios no existiera, habría que inventarlo. Habría que inventarlo como el ser más magnífico, más increíble, menos superficial, más tolerante, más amoroso, más bello, más poderoso. Sería accesible a todos, sin guerras de religión. Sin exclusividades. Una especie de ser total para todo el mundo.

Dado que día tras día inventamos nuestra realidad, así también podemos inventar nuestra divinidad.

El dragón y la doncella

Las historias de Mulla Nasrudin siempre han sido consideradas iniciáticas, pero ¿qué es una historia iniciática? Es una historia de la cual podemos extraer una lección de vida.

¿Dónde las encontramos? Por doquier. Todo es iniciático. Una carta del tarot es iniciática. ¿Por qué? No por la verdad que transmite, sino por las proyecciones, asociaciones de ideas y reflexiones que ella despierta.

Un iniciado es una persona que utiliza todo lo que le cae en las manos como símbolo y objeto de sabiduría.

En Irán y otros países islámicos, los niños se cuentan las historias de Mulla Nasrudin como si fueran meros chistes. Se divierten con ellas. En cambio, los sabios utilizan los mismos chistes como sendas hacia el conocimiento. Hace ya mucho tiempo que comprendieron que el chiste tiene profundidad.

He aquí un pequeño chiste que encontré ilustrado gráficamente en un "libro de estación de ferrocarril":

Desde lo alto de su castillo, un rey ve llegar a un caballero. Éste monta a caballo y, muy contento, lleva un dragón en los brazos. El rey le grita: "¡Estúpido, tu misión era matar al dragón y traer a la doncella!"

En el Tarot de Marsella, La Fuerza es la carta número once. El animal contra el cual lucha el personaje podría ser un perro o un león, pero también un dragón. El personaje, ¿lucha o baila? ¿Acaso colabora con la bestia? ¿Puede ser que se comprendan mutuamente?

¿Qué representan el dragón y la doncella? Una doncella es

una virgen. Para Jung, se trataría del ánima, la parte sagrada que llevamos en nosotros, nuestra alma. El lugar más virgen, lo más puro de nosotros mismos. Nuestro centro espiritual.

El dragón es nuestra parte oscura, nuestra porción de fuego, nuestro inconsciente misterioso que nos causa miedo. San Jorge hunde su lanza en el animal, de la misma manera en que el espíritu, para realizarse, debe penetrar profundamente en su misterio. Entra en su inconsciente para liberar a la doncella. Es decir, debe entrar profundamente en el carbón para tomar el diamante que está en su centro.

Nosotros somos a la vez el caballero, el rey, la doncella y el dragón. Independientemente de la parte de que se trate, nuestra voluntad nos dice: "¡Es preciso trabajar en nosotros mismos!"

Si tu padre está destruyendo tu vida con su campo de concentración, ¡a ti te corresponde salir de este campo! ¿Cuánto tiempo más vas a seguir atado a este Edipo, a esta pareja incestuosa en la cual tú eres la víctima y él es el verdugo, porque en el pasado él fue la víctima y Hitler fue el verdugo?

El rey te dice: "¡Basta! ¡Matemos al dragón!" Entonces tu espíritu se pone en marcha: tu inteligencia, tu ser, avanza con su caballo, con su fuerza, con su poder y enfrenta al dragón.

¿Pero qué significa matar al dragón? Significa penetrarlo profundamente con la lanza. Entrar profundamente en el misterio de tu inconsciente y preguntarle: "¿Qué quieres?"

—Temo ser homosexual. ¿Qué puedo hacer? —me preguntó alguien.

—¡Vive una experiencia homosexual! —le respondí—. Es lo más lógico: si no eres homosexual, lo sabrás; si lo eres, la experiencia te gustará. Siempre causa felicidad ser lo que somos. Así pues, ¡enfréntate! Pero no escojas como sujeto de la experiencia a un hombre feo que no te guste, porque en tal caso tú mismo te harías trampa. ¡Escoge a alguien que en verdad te guste! ¡Y cuidado con el sida! ¡Toma tus precauciones!

Entramos profundamente en el dragón y nos decimos: "¿Quiénes somos?" ¿Cuáles son nuestras pulsiones criminales, coprófagas, caníbales, homosexuales e incestuosas? ¿Cuáles son?

En cuanto vemos al dragón, lo encauzamos hacia la luz, hacia la virginidad, hacia el diamante, hacia la fe, hacia todo. Yo canalizo a mi animal hacia mi realización espiritual esencial.

Pero ¿qué hacen en general las personas? Quieren matar a su ánima y despertar a su dragón. Quieren arrellanarse en el dragón. Resultado: regresan con el monstruo que va a destruir el castillo.

Hay individuos que han matado a la doncella y que llenos de orgullo llevan a la bestia en sus brazos. Se les ve en el supermercado paseándose con su dragón y alimentándolo con carne falsa, con caviar falso...

Así, este pequeño chiste se convirtió en una buena historia iniciática. Todo puede convertirse en una historia iniciática.

¡Ternera otra vez!

Al regresar una noche a su casa, un hombre se encuentra con la sorpresa de hallarla vacía, abandonada por su mujer. De pronto, descubre en el tocador un sobre dirigido a él. Febrilmente lo abre y lee el mensaje siguiente: "Christian, ya me harté de ti y de tu sucia cara. Me voy con tu amigo León. Para cenar, encontrarás ternera fría en el refrigerador".

"¡Oh, no!", gime el desdichado. "No es posible... ¡No quiero cenar ternera otra vez!"

Este chiste se parece a la fábula de Esopo en que aparecen un buey y un mosquito:

Un mosquito se instala en la oreja de un buey y le dice:
"Me vengo a vivir aquí".
El buey sigue trabajando y llevando el mismo tipo de vida sin preocuparse por este nuevo inquilino.
Un buen día, el mosquito le anuncia con un tono categórico: "¡Ya me harté de ti! ¡Me largo!"
Impasible, el buey escucha esta nueva declaración y continúa viviendo del mismo modo y haciendo su trabajo sin cambiar en absoluto sus hábitos.

Lo anterior me recuerda a aquellos que escogen a una persona en función de las proyecciones que hacen de ella. Esta persona hace su trabajo y nosotros le anunciamos que hemos llegado a su vida, que queremos seguir sus enseñanzas, etc. Al cabo de un momento, entramos en crisis... el mosquito no logra desviar al buey de su trabajo. Llenos de despecho, le decimos: "Me largo"... y el buey sigue trabajando.

Esto me hace pensar en la meditación. En ésta, yo soy un buey que trabaja sin saber adónde va. El buey avanza centímetro a centímetro para pulir su perla, para llegar a ser él mismo, pero de pronto llegan los mosquitos. Son pensamientos que vienen a perturbar el silencio de la meditación: "bzzz bzzz bzzz... esta noche iré al cine... bzzz bzzz bzzz, las elecciones, la situación mundial... mi papá... mi mamá... el dinero... los impuestos... etc.". Pese a lo cual, el buey continúa trabajando... Al ver que no les prestas ninguna atención, los mosquitos se cansan y se van. Después de su partida, tú continúas como antes. Su paso no te afectó en absoluto.

En la vida sucede lo mismo. Somos como el buey. Hacemos un trabajo en nosotros mismos. Tratamos de encontrarnos. Cruzamos por la vida. Progresamos. Hacemos todo lo que debemos hacer y las molestias, tales como los mosquitos, nos llegan por todos lados y provocan una negatividad continua.

Si persistimos en nuestra larga progresión, los mosquitos también se cansan. Ésta exige una paciencia infinita, inseparable del amor a la obra. El perfeccionamiento de nosotros mismos es una obra que merece todo nuestro amor.

—Tú hablas de perfeccionamiento de uno mismo, pero ¿dónde están los otros? —me dijo alguien.

—No hablemos de los otros —le contesté—. ¡Hablemos del otro! Todo el trabajo que hago para perfeccionarme está destinado al otro y tiene por finalidad llegar a él... llegar a quien no soy yo, a pesar de ser yo.

Éste es el trabajo de la gota. Una vez que llega a la cumbre, se deja caer, luchando contra todas las corrientes de aire y otros obstáculos, para llegar finalmente al océano original donde se va a sumergir.

Tal es el trabajo que efectúa la conciencia para hundirse, sin ningún temor, en el inconsciente. Penetrar en el inconsciente no es un acto irracional. No consiste en volverse fascista o destructor. En el inconsciente hay fuerzas oscuras, pero también hay fuerzas inmensamente luminosas que nos asustan tanto como la oscuridad. Debemos obligarnos a encontrar nuestra luz, porque *a priori* no deseamos hacerlo. Luchamos. Estamos en contra. No podemos. Pero trabajamos y nos comprometemos profundamente. Se trata del resultado de una búsqueda obstinada y tesonera.

Un modelo que no se debe imitar

A la salida de un espectáculo, una dama suplica a una corpulenta cantante:

—¡Me gustaría muchísimo tener una foto suya de cuerpo entero!

—¡Se la daré de inmediato! —responde, halagada, la cantante—. ¿Es para un álbum?

—No —contesta la dama—. La voy a colocar en la puerta de mi refrigerador para incitarme a seguir mi dieta.

A continuación otro ejemplo de puntos de vista diferentes. Antes de dictar una conferencia, me encontraba en un café donde otras personas y yo hacemos lecturas del tarot. Entonces me abordó una mujer.

—¿Se encuentra la dama de cabello cano que lee el tarot? —me preguntó la recién llegada.

—¿Se refiere a Muriel? —repuse.

—No.

—¿A Christiane?

—Tampoco. La persona que busco es bajita y de pelo corto.

—No está aquí. Espere usted diez o quince minutos, aún es muy temprano. No se preocupe, en cuanto la vea, le diré que le lea el tarot.

—No quiero que me lea el tarot. La busco porque debe devolverme una pluma.

Escuché con atención a esta mujer. En verdad yo quería que se le leyera el tarot, que se le ayudara a progresar... En virtud de que creí que su problema era espiritual, en seguida me puse en "estado de santidad"... lo cual resultó inútil. Lo único que ella quería era recuperar su pluma. Me sentí frustrado. No podía hacerle ningún bien. Estaban involucrados puntos de vista diferentes.

He aquí otro caso más de puntos de vista diferentes:

Dos amigos se encuentran después de muchos años de no haberse visto:

—Y qué, ¿sigues casado con aquella gorda imbécil? —pregunta el primero.

—¡No digas eso! Si la vieras ahora no la reconocerías —contesta el segundo.

—¿En serio?... ¿Acaso se volvió inteligente?

—No, pero ha adelgazado muchísimo.

La clase de manejo

Se trata de un mal día para Jacob, porque debe impartir la primera clase de manejo a su hijo Abraham, quien no está muy bien dotado.

En una bajada, fallan los frenos del vehículo.

—¡Papá! ¡Papá! ¡Qué desgracia! ¡Qué hago, Dios mío, no puedo detener el coche! —grita Abraham.

—¡Cálmate, hijito, cálmate! —exclama angustiado el padre—. Para detenerlo, intenta estrellarte contra algo que no sea muy caro.

¿Por qué digo que una cosa es sagrada?

Según la tradición judía (a la que me refiero en este caso preciso), las cosas en sí mismas no son sagradas, pero permiten que la santidad divina se manifieste a través de ellas. Así, digo que un libro no es sagrado, pero si ofrece la posibilidad de que lo sagrado se manifieste, se le llama sagrado dentro de esta tradición.

El objeto "sagrado" no existe, pero nosotros lo cargamos de una interpretación santa.

El tarot no es sagrado. Le atribuyo una interpretación personal. Ésta es sólo una entre las miles posibles que le podría dar. Toda persona que conozca el tarot puede proponer otras. De todo ello estoy completamente seguro.

Por ejemplo, al observar la carta de la Rueda de la Fortuna alguien podría decir: "Veo una maravillosa bola roja en el centro de la rueda que gira a toda velocidad y de la cual surge algo." He aquí un canto posible.

Sin duda, otra persona interpretará de manera diferente la

misma carta, pero esta lectura será también justa. Un símbolo verdadero es un *flou* (una imagen deliberadamente desenfocada, poco nítida) que ofrece la oportunidad de colocar ahí el mensaje que se quiera proyectar.

Si fuera violinista y tuviese un violín a mi disposición, podría tocar una música sublime; pero sin instrumento, no hay música. Del mismo modo, mi violín podría ser un Stradivarius, valer una fortuna; pero si no sé tocarlo, tampoco habría música. El encuentro de un espíritu con un instrumento produce la música.

El encuentro de mi espíritu con cualquier cosa que me ayude a reflexionar produce cierto efecto, según el nivel en el cual me halle.

Hace poco, al pasar frente al Instituto Árabe, donde se exhibía una colección de objetos del Egipto faraónico, me di cuenta de que esta exposición estaba a punto de concluir. También me percaté de que no había asistido a ella, porque en el fondo consideraba que yo conocía perfectamente el simbolismo egipcio. "Está bien, creo conocerlo muy bien, pero quizá encuentre ahí una estatua que nunca antes haya visto y que haga vibrar mi espíritu. Si la exposición pone un instrumento a mi disposición, ¿por qué no utilizarlo?"

En ocasiones, nos privamos de descubrir cosas. Consiguientemente, nos privamos de instrumentos.

Para un espíritu evolucionado, una anécdota o un chiste es un instrumento. El de la clase de manejo puede analizarse como se analiza un texto sagrado. Puedo sacar de ahí una lección. En mi opinión, no se trata de un simple chiste. Admiro al padre de este muchacho. Ambas personas están en peligro, pero una de ellas es capaz de conservar la calma, de no pensar en la muerte, sino en el modo de salir de la situación lo menos desplumado posible.

El padre guía al hijo, a fin de que éste sólo cause un mínimo de estragos. Ello significa que, en un periodo de crisis, debemos mantener la conciencia completamente abierta, con objeto de minimizar los daños. Bella lección de filosofía.

Al considerar que todo se desploma, algunas personas en crisis se ponen a destruir todo. Sin embargo, hasta el último momento, tenemos siempre la posibilidad de hacer alguna cosa que salve la situación. Todos los campeones de karate nos dirán: "Al caer, todavía no has perdido. En la caída, aún puedes propinar una patada que tal vez te lleve a obtener la victoria".

Se trata de uno de los casos en que nos debemos entregar totalmente a la crisis, porque en lo más profundo de ella se encuentra la solución. Es necesario entrar ahí esforzándonos por tener la mayor calma posible, pensando que nuestro inconsciente y ser esencial no están contra nosotros, sino a nuestro favor.

"*Déjà vu*"

Un francés y un belga están en el cine.

—Te apuesto cien francos a que el vaquero que monta el caballo blanco se va a caer —dice el francés.

—De acuerdo —acepta el belga.

Diez minutos más tarde, se cae el vaquero.

—¡Muy bien! —concede el belga—. ¡Te ganaste cien francos!

—Ya había visto la película —confiesa el francés.

—Yo también, pero nunca me habría imaginado que el vaquero se iba a caer también en esta segunda ocasión que veo la película.

Me preguntaba qué lección podía extraer de este chiste cuando de repente, me di cuenta de que con frecuencia me topaba con situaciones como ésta. En verdad, las veo por todas partes.

El ejemplo típico es el individuo que declara: "Me casé con una mujer que no me amaba y que me abandonó".

Cinco años más tarde, el mismo hombre señala: "Me casé con una segunda mujer. No me amaba, me ha abandonado".

Diez años después, ese mismo sujeto dice: "Nadie me ama; pues mi tercera esposa acaba de irse".

Se diría que él cree que la película, que está grabada en su cerebro, va a cambiar; mientras tanto, no hace más que repetir y repetir emocionalmente el mismo acto. Se trata de algo común: los ciclos repetitivos.

Conocí a un escritor que estaba enamorado de una mujer. Continuó enamorado de ella durante siete años, al término de los cuales ella se casó con un escritor célebre. Esto lo deprimió muchísimo. Dejó de escribir y se puso a pintar. En seguida, se enamoró de otra mujer. Se trataba de un amor imposible, como el anterior, porque ella nunca se le entregó y esta situación duró también siete años, a cuyo término la mujer se casó con un pintor célebre. Él se sintió acomplejado y dejó de pintar. Poco después, comenzó a estudiar flauta. Encontró a una mujer. Siguió enamorado de ella durante siete años, pero la mujer se fue con un director de orquesta.

¡Veintiún años de amor imposible! ¿Debido a que él se escapaba de qué?... De su ano.

Cuando un amor imposible se repite veintiún años seguidos, esto indica que se odia a las mujeres. ¡Así de sencillo! ¡Dios me guarde de las personas que viven amores imposibles! Hablar de amor imposible es hablar de odio, porque el amor es posible o no es.

Tal vez alguien piense que estoy loco. No lo estoy... Estoy demente, eso es todo.

En el amor hay un hombre, una mujer, la hormona y los perfumes... y todo flota en el aire... Las razones que reúnen a una pareja son misteriosas. La atracción es espontánea. Entonces, cuando un hombre no obedece los efluvios es porque no ama. En otras palabras, cuando el efluvio llega, el hombre dice: "¡Fuchi! Yo prefiero el amor ideal". Y se queda con este amor ideal. Es decir, que se queda aferrado a su madre.

Después de una sesión de gritos, el hermano de este hombre fue directamente a la casa de su madre. Tomó una escopeta, se metió el cañón en la boca y se voló los sesos en el lecho de ésta...

Una madre me llama y me dice:

—¿Qué puedo hacer por mi hijo? Se droga y sufro mucho al verlo en ese estado...

—¡Pero, por supuesto, señora! Precisamente por eso se droga, para hacerla sufrir. Lo que quiere es pedirle lo que usted jamás le dio. Se destruye ante sus propios ojos, a fin de mostrarle cómo usted misma lo ha destruido.

—¡Es verdad!... Jamás debí hacerle tal o cual cosa...

—¡Ahí tiene! Pero nunca es demasiado tarde. Hay que tomar conciencia. Hay que ir a ver a su dragón y buscar cuáles son las pulsiones de muerte que se han alimentado en contra de su hijo.

Esta mujer habría podido decir: "Quise matar a mi hijo. Ahora, él se mata ante mis ojos para mostrarme que siempre quise matarlo".

Una cuestión de puntos de vista

Dos mujeres de costumbres ligeras se encuentran:
—¿Qué te pasa? Te ves contrariada.
—¡Vaya que lo estoy! Tenía dos amantes y los dos me han abandonado. Jean-Pierre porque yo le costaba mucho, y Jojo porque yo no le daba mucho.

Uno considera que la mujer le cuesta mucho, en tanto que el otro piensa que no recibe mucho de ella... ¡Se trata de la misma cantidad de dinero!

Tenemos puntos de vista diferentes en relación con el dinero. La noción de riqueza es muy subjetiva. Valoramos el precio de las cosas en función del nivel de nuestras cuentas bancarias. Si nuestro bolsillo está lleno de billetes y nuestra cuenta prospera, las cosas nos parecerán baratas y nos preguntaremos por qué la gente se queja y tiene problemas. Por el contrario, si nuestra cuenta y bolsillo están vacíos, consideramos que la vida es excesivamente cara y nadaremos en mil dificultades.

Cierto día, durante un fin de semana, un hombre me telefoneó para hablar de su problema. Le propuse que me lo planteara en ese momento, pero él prefirió hacerlo personalmente. A su juicio, la situación era demasiado compleja para explicarla por teléfono. Lo cité entonces el miércoles siguiente, en el café donde leo el tarot antes de dictar mi conferencia semanal.

—Yo soy el que le telefoneó el otro día —se presentó.

—¡Ah, sí!... No me parece que esté tan deprimido como el día en que me llamó por teléfono.

—Estoy muy bien. De hecho, después de nuestra conversación, el problema se arregló.

Ignoro de qué tipo era su problema. Con todo, lo cierto es que cuando nuestro "bolsillo" está vacío de riquezas materiales o emocionales, el mundo nos parece terrible y cerrado. Y a partir de que nuestro bolsillo está lleno de nuevo, de emociones o de otras cosas, el mundo vuelve a parecernos sonriente y maravilloso.

La conclusión que saco de esta historia es que el mundo depende de la actitud que tengamos ante él y que, si queremos cambiarlo, será necesario que primeramente cambiemos nuestra actitud.

El hueso

Un perro hambriento encuentra un hueso. Éste está tan viejo, duro y lleno de esquirlas, que le hiere las encías, las cuales sangran abundantemente. Saciado, el perro piensa: "¡Qué delicioso hueso! Es un regalo". Y cuánto más come, más sangra.

Para el perro, el hueso es delicioso, a pesar de que se está alimentando con su propia sangre.

La "moraleja" de esta historia es clara... En ocasiones pensamos que nos estamos alimentando aunque, de hecho, al igual que el perro, estamos perdiendo nuestra energía.

Un médico maravilloso

Dos madres judías charlan:

—Mi hijo es un médico maravilloso —afirma la primera—. ¡Es absolutamente necesario que vayas a verlo!

—Pero es que yo no tengo nada —responde la otra—. ¿Por qué debo ir?

—Es un médico tan bueno —explica muy orgullosa la primera—, que aunque no tengas nada te encontrará algo.

A veces tratamos de servir; pero al hacerlo, quizá hagamos daño al obligar al otro a recibir algo que no ha pedido.

El trabajo de curación exige una delicadeza extrema. No es ésta una ocupación que permita resaltar el ego del que cura, ni pulir su celebridad y renombre. Cuando se quiere curar a alguien, hay que hacerlo con todo respeto, intervenir discretamente y jamás obligarlo a recibir nuestro servicio. En cuanto intentamos probar que somos una maravilla como curanderos, causamos un enorme perjuicio.

¡Dios nos guarde de las personas que hacen profesión de curar con objeto de afirmarse a sí mismas! "Yo no soy nada, no valgo nada: es necesario que haga algo." Gurdjieff decía: "Son tan perezosos consigo mismos, que quieren ayudar a los otros".

Es por pereza, por no haber podido ayudarme a mí mismo que me ocupo de los demás. En ese preciso momento, se presenta la catástrofe: quiero afirmarme y lo hago con base en el otro. ¿Cómo? Creándole problemas que no existen.

Sin tormento no hay placer

Abraham y Samuel se encuentran:
—¿Cómo te va? —pregunta Abraham.
—Muy bien —responde Samuel.
—¿En verdad bien? —insiste Abraham.
—¡Sí, claro! Mi casa es vetusta. En invierno, me muero de frío; en verano, me ahogo. Con los años, mi mujer se ha vuelto un monstruo y yo la tengo que soportar. Estoy sin un céntimo. Y, debido a mi edad, tengo cada vez más enfermedades. Salvo eso, estoy bien.

Este chiste es terrible, pero contiene una idea básica: Samuel se siente bien, a pesar de todo. Es preciso admitir que ciertas personas se sienten bien dentro de su sufrimiento. Si su calvario terminara, se sentirían tremendamente mal. Esto corresponde a su propia trampa. ¿Qué sucedería si sus problemas se solucionaran?

Presentación

Un antisemita convencido camina por la calle y se cruza con un judío.

—¡Puerco inmundo! —le grita.

—Joseph Goldenberg. Mucho gusto —responde, afable, el judío.

Es como si una persona nos enviara una carta llena de insultos que nosotros no recibiéramos y que le fuera devuelta... Esa persona se quedaría con su carta.

Cuando alguien nos agrede, podemos responder a su carta, es decir, mediante insultos, pero también podemos eludirlo y dejar que su carta nos roce sin tocarnos, tal como hace el matador con el toro.

Veamos la lección del matador: no escapa, esquiva. Un matador jamás huye ante el toro que ataca. Lo encara. Nada de cobardía. Sin embargo, no se expone de frente. Con elegancia, presenta su muleta al toro y el animal pasa a su lado. La agresión es desviada. No la toma. No la engulle. No la absorbe.

El fumador y sus vapores

A bordo de un tren, un hombre y una mujer viajan en el mismo compartimento. En el camino, el hombre empieza a sentir calor. Se quita la corbata. Un poco después, debido a que experimenta más calor, se despoja de la chaqueta. Luego se quita la camisa e incluso, el pantalón y los calcetines. En cosa de un instante, está completamente desnudo y la pasajera, más que disgustada, se halla al borde de un ataque. Es entonces cuando el hombre saca un cigarrillo de la bolsa de su pantalón y, antes de encenderlo, se dirige cortésmente a su compañera de viaje: "Señorita, ¿le molesta el humo?"

En verdad no sé por qué, pero esta historia me parece profunda... Versa sobre la calidad de la comunicación entre nosotros... Sucede que nos conducimos de un modo totalmente inconsciente y de pronto, por acto reflejo, por costumbre, decimos una cosa tan banal como: "¿Le molesta el humo?"
Es como si todas las torpezas, las faltas, las metidas de pata, etc., que hubiésemos cometido antes ya no existieran... No tenemos conciencia de la manera en que nos comunicamos.

La provocación

Dos judíos, Samuel y Moshé, son llevados ante el pelotón de ejecución. Se les acusa de espionaje y por ello se les va a fusilar. Justo antes de la ejecución, el oficial que dirige a la tropa se acerca a Samuel.

—¿Quieres un cigarrillo? —le pregunta.

—¡Sí, sí, claro! —responde Samuel, muy contento de haber ganado algunos minutos.

En seguida el oficial se aproxima a Moshé:

—Y tú, ¿qué quieres? —indaga.

Por toda respuesta, Moshé le escupe en la cara.

—¡En verdad no es éste el mejor momento de hacer provocaciones! —interviene Samuel—. ¡Tus tonterías pueden ocasionar que nos pase algo malo!

Se trata de una historia un poco filosófica. Me hace pensar en aquellas personas que me preguntan: "¿Debo o no debo arrojarme al agua? ¿Debo o no debo ser gentil? ¿Debo o no debo terminar esta relación?"

Están por quemarse y no hacen nada. No actúan, porque tienen miedo de actuar. Son como la ranita del experimento científico.

Cualquier persona podría realizar dicho experimento en su propia cocina. Tomar una linda ranita y ponerla en agua fría. En seguida, encender el fuego y, gradualmente, aumentar la temperatura del agua... La ranita cantará y seguirá cantando, incluso cuando el agua comience a hervir. De hecho, sólo se callará en el momento en que esté cocida.

Somos como la ranita. Imperceptiblemente las cosas se van deteriorando, pero como el cambio es mínimo, no salimos de la situación en que estamos metidos. Nos encontramos a punto de quemarnos, de hervir, de perder la piel... Nos hallamos embarcados en una relación de pareja que no nos corresponde; ahí estamos y ahí nos quedamos. Estamos a punto de sufrir y de naufragar, pero ahí seguimos.

O bien, nos encontramos finalmente a punto de vivir una relación, pero no tomamos el barco. Tenemos un pie en el barco y el otro en el muelle, y no nos embarcamos jamás... Nos da miedo embarcarnos. Nunca vivimos el momento y el momento pasa.

Los piojos

—Estoy invadido de pulgas y de piojos —confía delirante un paciente a su psicoanalista.

—¡No se los sacuda encima de mí! —replica en seguida el psicoanalista.

El enfermo hace proyecciones. Vive en lo no real. Lo que ve en su exterior, las pulgas y los piojos, son sus propios problemas. Esto significa que en su interior algo le pica y lo perturba.

La contestación del psicoanalista muestra que se trata de una persona sensible a la proyección del otro.

Si alguien proyecta sobre mí, puedo responder a esta proyección. Y si el otro proyecta sobre sí mismo, puedo dejarme influir por esta proyección y juzgarlo, no en función de lo que es en realidad, sino en función de la manera en que se ve a sí mismo.

El modo de percibirnos es primordial. Muy rara vez nos ven y juzgan por lo que somos, sino más bien por la manera en que nos vemos a nosotros mismos.

Una buena noticia

Ésta es la historia de un viejo cantante que ha fracasado en su carrera. Siempre en espera de un contrato eventual, vive con su mujer en un departamento más que vetusto y apenas amueblado; con todo, no falta una mesa y un teléfono para el caso de que alguien lo llame a fin de contratarlo.

Un día, suena el teléfono:

—¿Hablo a la casa del cantante X?

—Sí.

—Soy el empresario Z. El cantante Y acaba de sufrir una crisis cardiaca. Es probable que no pueda presentarse a cantar en el concierto del Olympia mañana en la noche. Es absolutamente necesario que usted tome su lugar. ¿Tiene un repertorio listo?

—¡Sí, claro que sí! Tengo todo un programa —responde, estupefacto por esta buena fortuna, el viejo cantante.

—¡Bien, preséntese mañana a las 18 horas en el Olympia!

—¡Ahí estaré! ¡Puede usted contar conmigo!

—Escuche —agrega el empresario—, todavía esperamos que se restablezca nuestro divo. De modo que si antes del mediodía de mañana no recibe usted un telegrama de contraorden, ¡puede considerar firmado su contrato!

—¿A mediodía?

—¡Sí, justo al mediodía! A partir de ese momento, todos sabremos exactamente a qué atenernos —concluye, antes de colgar, el empresario.

Excitado como un insecto, el cantante repite incansablemente todo su repertorio. No deja de verse en el espejo del armario, confirmando cada vez que su traje esté bien colgado. Toda la noche es un suplicio, durante la cual hace votos por la muerte de su rival. Al amanecer, el hombre se encuentra agotado, tras haber pasado la noche en vela. Ruega que el teléfono no suene. No bebe ni come.

Pasan diez horas. Once horas... Cuarto para el mediodía... Cinco minutos para el mediodía... Cuatro... Tres... Un minuto... Justo al mediodía alguien toca a su puerta. El viejo cantante va a abrir, con lágrimas en los ojos. Es un telegrama. Con las manos temblorosas, lo lee bajo la mirada catastrófica y ansiosa de su mujer... Al terminar de leerlo, exclama con aire triunfal: "¡No te inquietes! ¡Gracias a Dios, no es nada! ¡Simplemente sucede que mi mamá acaba de morir!"

Este hombre no piensa más que en sí mismo. Hay ahí un desfase entre el mundo de lo emocional y la realidad. Ésta es desplazada por aquél que adquiere mayor peso.

En ocasiones, la creación de las personas que trabajan en una obra maravillosa con un espíritu claro, queda repentinamente bloqueada por un desfase emocional. El pasado interfiere y les impide imaginar positivamente su futuro, al que ven negro en el presente.

El hombrecillo rojo

Un hombre llega llorando al consultorio del psicoanalista.

—¿Qué tiene usted? —le pregunta el especialista.

—Todas las noches sueño que un hombrecillo de chaqueta y sombrero rojos me viene a visitar y me propone: "¿Hacemos pipí juntos?" ¡Y yo me hago pipí en la cama todas las noches!... ¡Ya no puedo más! —gime el paciente.

—Su caso no es grave —comenta el psicoanalista—. Le voy a dar una solución que lo va a liberar rápidamente. La próxima vez que el hombrecillo se le aparezca, respóndale "¡ya hice!", y no lo volverá a molestar.

—¿Eso es todo?

—Sí. Repítase todo el día "ya hice", a fin de condicionar su mente a esta contestación.

El hombre repite la frase a lo largo del día, en el tren, en el metro, en la oficina, etc., y también cuando se acuesta en la noche antes de quedarse dormido.

A la mañana siguiente, regresa llorando con el terapeuta.

—¿Qué pasó? ¿Hizo lo que le aconsejé? —indaga el especialista.

—¡Sí, lo hice! —responde, entre sollozos, el paciente.

—Vamos a ver... cuénteme con toda calma qué ocurrió.

—Me dormí y, durante mi sueño, el hombrecillo de chaqueta y sombrero rojo se presentó como de costumbre; me dijo: "¿Hacemos pipí juntos?" Yo le respondí: "Ya hice".

—¿Y luego? —pregunta el terapeuta.

—Luego el hombrecillo me dijo: "Entonces, ¿hacemos caca juntos?"

En esta historia, mi inconsciente me interpela. Si tengo un problema de incontinencia, el responsable de éste no es el hombrecillo rojo. Mi incontinencia es la manifestación de un

47

problema real que está en mí. Entonces me dirijo a un "gurú" o a cualquier curandero, a fin de que me dé una solución. Busco a alguien que me diga cómo suprimir este síntoma, pero en realidad yo me escudo detrás del mismo. No quiero saber qué me ocurre.

Por ejemplo, mi matrimonio va mal. No quiero que me digan por qué va mal. Únicamente quiero que mi mujer regrese. Quiero que las cosas vuelvan a ser como antes. No quiero cambiar. No quiero hacer el trabajo de introspección. No quiero evolucionar. ¡Ningún cambio!

Cuando acepto seguir los métodos del "gurú", el mal que consigo suprimir por un lado, reaparece por otro. En verdad no he mejorado fundamentalmente mi estado. No resuelvo el problema cambiando un síntoma, sino trabajando en mí mismo.

A continuación incluyo un ejemplo de cómo trabajar en uno mismo:

Una joven trajo al mundo a un hijo prematuro de siete meses. Yo le aconsejé que lo mantuviera pegado a su piel durante varias horas al día. Ella siguió mi recomendación.

—Esto le ha hecho bien al bebé, pero ¿por cuánto tiempo lo voy a tener junto a mí? —me preguntó.

—Por dos meses —le respondí—, el tiempo para que complete el ciclo que no vivió en tu vientre.

Tiempo después, la joven me contó que el bebé empezaba a estar mejor, pero que su hermano de tres años reaccionaba mal.

—¡Supongo que su comportamiento es normal! —añadió—. No se trata de rechazarlo o de regañarlo diciéndole: "No seas celoso". Este niño sólo tiene tres años. Y sufre.

—¡Hazlo participar! —sugerí.

—¿Primero el bebé y luego el niño?

—No, de ninguna manera. Compartan. En una familia, no hay problemas que se vivan aisladamente. Los problemas se comparten. Los problemas son colectivos. Por consiguiente, cuando acerques al bebé a tu pecho, aproxima al niño a tu lado izquierdo. Así, éste escuchará también los latidos de tu corazón y entrará en ese paraíso.

Entonces se presentó otro problema. El hermano mayor estaba incluido, pero ¿dónde quedaba el padre?... Aconsejé a la jovencita: "¡Sitúa al padre al lado del niño!"

La relación con la piel de la madre es benéfica, pero ¿qué ocurre con la piel del padre? Todo el psicoanálisis contemporáneo habla de la piel de la madre, pero no hay un solo renglón que se refiera a la del padre. Sin embargo, la mayoría de las mujeres conoce muy bien el olor del sobaco de su padre. Durante la infancia ellas se acurrucan en los brazos del padre, con la nariz pegada a su axila. Aunque ésta oliera mal, para ellas es una especie de perfume divino. Cuando tenemos un padre, su olor es divino. La piel del padre y su presencia física son tan importantes como las de la madre. Por consiguiente, en familia, con los hijos, tengamos contactos de piel a piel.

Al principio, tal vez hubo problemas en el parto. Después, la madre no tuvo contacto de piel a piel con su hijo y ahora ya no quiere tenerlo. El trabajo por hacer es vencer este rechazo. Rechazar el contacto es una cosa. Darse cuenta de que se rechaza este contacto es otra. Y el decidir no ceder a este rechazo (que no corresponde a nuestra verdadera esencia) es otra cosa más. Por tanto, ella adquiere conciencia de su rechazo al contacto, pero lo vence. Es posible que al obrar de este modo, al combatir sus pulsiones, la mujer se sienta mal. Con todo, en cuanto se supera este malestar, todo se resuelve.

Y si esta madre agrega a otros miembros de su familia, construirá una gran pila... A mí me gustaría ver a las familias como grandes bolas desnudas donde todo el mundo se tomaría del brazo y permanecería inmóvil, semejando un racimo. Una familia completa unida por brazos. Un árbol genealógico completo, con los abuelos, los bisabuelos, el padre, la madre, los hijos, los tíos, las tías... ¡Todos tomados de los brazos entre sí, al descubierto!

El feliz incontinente

—Antes estabas triste todo el tiempo, pero hoy te veo muy alegre.

—¡Claro! Antes estaba triste y ahora estoy contento.

—Me acuerdo de que te hacías pipí en la cama todas las noches. ¿Qué ha pasado con eso?

—Fui a consultar a un psicoanalista.

—¿De veras?... ¿Y te curó?

—No, sigo siendo incontinente, pero ahora me enorgullezco de serlo.

Podría decirse que la curación consiste en el reconocimiento de lo que uno es.

50

Somos lo que comemos

He aquí un chiste tomado de dos grandes iluminados, Coluche y Reiser:

—Doctor, tengo un problema —explica un muchacho al médico—. Cuando como zanahorias, cago zanahorias. Cuando como coles, cago coles. Cuando como espárragos, cago espárragos.
—¡Mire! —exclama el galeno—. Yo no veo más que un solo remedio en su caso: ¡coma mierda!

Literalmente, el excremento nos da una lección increíble: no todo, en materia de alimentación, es para nosotros.

Si conservo toda la comida dentro de mí, acumulo todos los excrementos y reviento. Tengo el derecho de comer una parte de la Realidad, pero debo restituir una parte de ella a la Tierra, a fin de hacerla vivir. El excremento alimenta la Tierra. El excremento no existe por error. En el ciclo cósmico, cada cosa que se hace alimenta otra cosa.

En el dominio espiritual, al igual que en el dominio material, soy lo que como. Mi acción con respecto a los demás dependerá de la manera en que me alimente. Si ingiero la sexualidad ordinaria, voy a llenar al mundo de esta sexualidad ordinaria. Si me alimento de sentimientos confusos, penosos y decadentes, voy a excretar y a llenar al mundo de sentimientos confusos, penosos y decadentes. De la misma manera, si me nutro de pensamientos negativos voy a nutrir al mundo de pensamientos negativos. En resumen, voy a producir un mundo que se corresponderá exactamente con lo que yo sea en el momento de comer.

Ahora bien, si me alimento de conciencia, daré conciencia al mundo.

En el lenguaje alquímico, "excremento" significa oro, riqueza. Si me alimento de riqueza, devolveré riqueza. Si desarrollo mi conciencia, la transmitiré. ¡Seré un canal!

La oreja

Un niño entra en su casa y, llorando, se precipita hacia los brazos de su madre. Tiene un rasguño pequeño en la cara.

—¡Ese maldito escuincle se me echó encima y me golpeó! —se queja, entre sollozos, el niño.

—Mi pobre pequeñito, ¿sabes cómo se llama el que te golpeó? —pregunta, conmovida por el dolor de su hijo, la madre.

—No, no lo conozco.

—Entonces, ¿cómo vamos a hacer para identificarlo?

—No lo sé, pero tal vez nos ayude esto: tengo su oreja en mi bolsillo.

Son muchas las personas que se consideran víctimas, pese a que han arrancado la oreja de su enemigo. Cuando se vienen a quejar conmigo, me pregunto si son tan víctimas como pretenden y entonces busco en sus bolsillos. Ahí encuentro en ocasiones orejas, testículos, senos..., ¡muchas cosas! Los bolsillos están llenos de cosas terribles.

Sé que existen víctimas de verdad. Sin embargo, en el plano psicológico, no siempre es víctima aquel que pensamos que lo es. Nos esgrimen montones de reproches; pero cuando queremos tocar nuestra oreja, nos damos cuenta de que ya no la tenemos.

Para aclarar ciertas situaciones de verdugo-víctima, he aquí una meditación: preguntémonos si tenemos contacto con personas que posean un pedazo o toda nuestra oreja en el bolsillo... Hagamos una lista y observemos a nuestro alrededor quién está a punto de descuartizarnos, quién tiene exigencias en relación con nosotros y quién no nos permite vivir plenamente.

Todas ellas son preguntas que debemos plantearnos.

El milagro

Tres cristianos discuten a propósito de los milagros:
  —¿Qué es un milagro? —pregunta el primero.
  —¡Pues bien! —contesta el segundo—. Un milagro ocurre cuando Dios hace exactamente lo que nuestro sacerdote le pide.
  —¿En verdad? —interviene el tercero—. Yo creo que un milagro ocurre cuando nuestro sacerdote hace exactamente lo que Dios le pide.

Encontré este chiste en un libro escrito por un sacerdote, quien ha reunido en dos volúmenes historias chuscas relacionadas con la iglesia y el catolicismo.

Con respecto al chiste que nos ocupa, ¿cómo se puede definir en realidad un milagro? ¿Qué es un milagro? ¿Podemos hablar de milagros cuando Dios hace exactamente lo que le pedimos? Con base en tal definición, ¿podríamos sentirnos tentados de querer utilizar a Dios en nuestro provecho? O bien, ¿habría un milagro cuando hacemos exactamente lo que Dios nos pide? Por mi parte, prefiero esta segunda solución.

Prefiero que un milagro no sea lo que *yo* quiero, lo que *yo* pido. Me gustaría que el milagro ocurriera en mi vida cuando obedeciese a mis pulsiones profundas, las cuales siempre están en resonancia con el Universo y se corresponden con las necesidades reales de mi ser.

Cuando acepto mi verdadera naturaleza, confiando en ella y reconociendo su pureza (sería bueno definir qué entiendo por "pureza"), el milagro se realiza.

El milagro podría ser la aceptación de las fuerzas universales que se manifiestan en nosotros, contrariamente a lo que yo llamaría la "catástrofe" o negación de tales fuerzas. Rechazadas o reprimidas, éstas estallan de un modo negativo.

El precio de la experiencia

—¡Buenos días, Abraham!...

—Buenos días, Moshé. ¿Cómo te va?

—Muy bien. ¿Qué hay de nuevo?

—Me he asociado con el señor Dupont, un individuo cuyo origen no es judío —confía Abraham.

—¿De veras? ¿Sobre qué bases?

—Sobre la base de un acuerdo de tres años. Él aportará el dinero y yo mi experiencia.

—¡Ah! —exclama Moshé, entre sorprendido e interesado—. ¿Y qué sucederá en tres años?

—Bueno, yo tendré el dinero y él la experiencia —concluye, satisfecho, Abraham.

Este chiste no es tan negativo como parece. Muestra que el conocimiento tiene un precio. Me recuerda una anécdota contada por Lacan:

Una persona quería, a toda costa, psicoanalizarse con Lacan. Éste aceptó, pero puntualizó:

—Le costará muy caro. Fije usted mismo el precio.

—No sabría cómo hacerlo —se excusó el interesado.

—Entonces, ¡invíteme a cenar! —propuso el maestro.

Ambos fueron a un magnífico restorán y, por supuesto, la cuenta fue muy elevada. En el momento en que el futuro paciente pagó, se dio cuenta de que acababa de fijar el precio de su sesión.

Comprendo esto perfectamente. Podemos invertir en nuestro espíritu lo que invertimos en nuestra comida.

En el chiste que nos ocupa, el socio debe pagar por ganar experiencia. Si no consideramos a Abraham un estafador, sino una persona que tiene un verdadero conocimiento de los negocios, resulta normal que se le remunere su experiencia, puesto que al cabo de tres años, el señor Dupont tendrá la experiencia que le permitirá ganar mucho dinero.

Existe otra historia sobre una persona que quería psicoanalizarse con Lacan:

> Un hombre, que ya acudía a sesiones de psicoanálisis, fue a ver a Lacan para que le hiciera una evaluación de su análisis (estaba convencido de que éste era un genio). El trabajo con Lacan le resultaba muy costoso, veinte veces más que con su psicoanalista. Sin embargo, tras dos o tres sesiones decidió continuar con Lacan, a pesar del precio, y le escribió a su antiguo psicoanalista anunciándole que daba por terminada su terapia porque le salía demasiado cara.

Pagar poco por nada le parecía caro.

Cuando pagamos poco a cambio de no avanzar, tal cosa nos resulta muy cara. Pero cuando pagamos mucho a cambio de progresar, tal cosa nos parece barata. Nos corresponde a nosotros decidir el precio de lo que aprendemos.

En las anécdotas de Lacan, el dinero no es algo malo. Para hacerse un psicoanálisis con él, es necesario pagar.

La historia de Abraham y de su socio parece ser antisemita. Pero al mismo tiempo es muy sabia: la experiencia tiene un valor.

El viejo verde

Un viejo llega a un hotel de lujo, se sienta al borde de la piscina y contempla a las bellas mujeres que ahí se bañan.

De pronto, ve que llega otro viejo. Éste no se queda en la orilla de la alberca como él, sino que se reúne con las mujeres que se hallan en el agua y luego las acompaña al bar.

Posteriormente, el primer viejo se da cuenta de que el otro es un fenomenal juerguista que tiene muchas aventuras y que nunca duerme solo. Todas las mañanas, lo encuentra acodado en el bar muy bien acompañado y a punto de beber un último coctel antes de irse a dormir.

Al cabo de tres meses, el primer viejo se aproxima al otro y, lleno de una inmensa curiosidad no exenta de admiración, se dirige a él:

—¡Verdaderamente, lo envidio! —exclama—. Tiene usted una salud a toda prueba. Querido colega, aquí entre viejos, puedo afirmar que usted es una maravilla de la naturaleza. ¿Cuántos años tiene?

—No comprendo de qué habla —responde el otro—. Tengo treinta y seis años.

Tenemos a nuestra disposición cierta cantidad de energía que no es ilimitada. Podemos compararla con una vela que se consume a mayor o menor velocidad según las condiciones en que la utilicemos.

Si fumas un cigarrillo, acortas tu vida un minuto. A ti te corresponde decidir si quieres sacrificar ese minuto. ¡Allá tú!

Si bebes alcohol, o si te drogas, te expones también a disminuir tu vida. A ti te corresponde administrar tu energía.

Tal vez argumentes lo siguiente: "¿Pero de qué sirve vivir mucho, si de todas maneras vamos a morir? ¡Qué importa morir hoy o mañana!"

¿En verdad crees que las cosas son tan sencillas?... Si todos los árboles pensaran como tú, no darían frutos. Se conformarían con tener un tronco pequeño y ningún fruto. Se dirían: "¿Por qué debo producir frutos, si un día me voy a secar? Prefiero terminar con todo de una vez".

¿Quién puede afirmar que no tengamos un ciclo por cumplir y respetar?

Las esferas energéticas

Dos psiquiatras charlan. Uno es muchos años mayor que el otro, pero se halla en forma. En contraste, su colega está fatigado en extremo.

—No comprendo —plantea el psiquiatra más joven— cómo se puede escuchar a enfermos medio locos durante todo el día sin que uno resulte afectado.

—¿Y quién los escucha? —replica el psiquiatra de mayor edad, al tiempo que remueve sus esferas energéticas.*

El psiquiatra veterano nos da una lección. En términos generales, la gente no pide otra cosa que una presencia. En el fondo, la persona que te habla se habla a sí misma. No exige que la escuches, siempre y cuando hagas acto de presencia y estés en plena calma. Mientras el otro te habla de sus problemas, ¡piensa en las personas que te interesan y vuela! ¡Introdúcete en el estado eterno! Ante la eternidad, ¿qué te puede importar que te digan lo que te dicen?

A los cincuenta años, mi carrera cinematográfica había llegado a su fin. Pero a los sesenta recomenzó, cuando un hombre me propuso hacer una película. Aunque no lo pedí, ¡él me pagó dicho filme! Por mi parte, me limito a ver venir todo esto. Ante la eternidad y en el momento en que me encuentro ahora, eso casi no me afecta. Éxito, fracaso... tengo a la mano las esferas energéticas.

* Esferas chinas de metal, también llamadas esferas de *chi*, que se hacen girar y alternar en la palma de una mano con fines terapéuticos o de meditación y relajamiento.

Alguien me dijo: "¿Por qué debo ganar más dinero? ¡Sólo puedo comer dos bisteces al día!"

Con la película o sin ella, yo ya tengo con qué vivir decorosamente.

La vida ofrece muchos cambios sorprendentes y no hay que hacerse el sordo ante todas las oportunidades que surgen de improviso... Por ejemplo: mi mujer me anuncia que me abandonará en diciembre. Lo acepto. Saco mis esferas energéticas: detengo el estrés y la preocupación. ¿Qué día es hoy? Ocho de octubre. Me quedan noviembre y diciembre, además de tres semanas de octubre. Casi dispongo de tres meses, durante los cuales no habrá ningún problema. Tres meses sin problemas, ¡qué maravilla! La tengo, ella está aún en casa.

Padecía una angustia increíble en relación con la muerte. Era una locura. Hasta los cuarenta años jamás pude aceptar la idea de que mi vida pudiera detenerse. Pero cierto día me dije: "¡Estoy harto! Esta historia ya no es para mí. ¿Qué es lo que amo más en el mundo? La vida, y sufro porque voy a perder lo que tengo. Estoy dispuesto a dar todo, absolutamente todo, por vivir, lo cual significa que tengo lo que más amo en el mundo. Por consiguiente, voy a vivir, voy a estar contento cada segundo. A partir de ahora, cada segundo será un regalo, una joya, y lo viviré como tal". Ya no hago caso de aquella angustia. ¿De qué me servía? Aunque poseemos un lado negro en nuestro interior, yo no le concedo la palabra. Tomo lo que puedo vivir. Lo vivo y punto. Si triunfo o no: esferas energéticas; si ocurre esto o aquello: esferas energéticas... Vivo con deleite los segundos que tengo a mi disposición.

Si adoro a una mujer, pasar un minuto con ella será una eternidad, y una hora, una maravilla. Cruzo el océano para vivir 24 horas con ella (si soy mujer, soy capaz de hacer lo mismo por un hombre).

Tú puedes atravesar el planeta entero para pasar 24 horas con la persona que amas. Ahora bien, ¡cuentas con tres meses por delante! ¡Es mucho! Durante esos tres meses todo puede suceder, ya que el ser a quien amas está a tu lado.

La aglomeración

Dos compadres están sentados a la mesa en la terraza de un café y observan a lo lejos una inmensa aglomeración de gente. Uno de los dos, Marcelo, va a ver qué pasa.

—¡Oiga, señor!, ¿podría explicarme qué está mirando? —pregunta Marcelo a uno de los curiosos.

—¡Oh, caballero! —responde el mirón—. ¿Acaso cree usted que yo lo sé? ¡El último que supo por qué estaba aquí se fue hace por lo menos un cuarto de hora!

Los espectadores están ahí, sin saber por qué. Nosotros estamos aquí y no sabemos por qué... Con esto, he descrito toda la filosofía... Ciertas personas hablan de la verdad, pero quienes la poseían desaparecieron hace muchísimo tiempo. Aquéllas, las que hablan de la verdad, crean escuelas y enseñan secretos, un conocimiento que ignoran.

Es preciso tener cuidado con la persona con la cual nos vinculamos. ¿Hablaremos con alguien que en verdad haya visto algo o con alguien que diga que otra persona ha visto algo, pero que ignora qué?

Las luces de la ciudad

Una pareja de enamorados se encuentra en Argel. La noche es clarísima y a sus pies se despliega la magnífica bahía, con su agua muy oscura y el gran arco formado por las luces de la ciudad.

—¡Mira, querido, todas esas luces! —exclama la joven mujer—. Son otras tantas personas que viven, aman, comen, ven la televisión, hablan, duermen...

—Bueno —interviene su acompañante—: yo creí que todos esos pequeños puntos luminosos eran simplemente focos.

Estas dos personas observan exactamente la misma realidad, pero hacen de ella dos lecturas completamente diferentes.

Los chistes son iguales para todo el mundo, pero cada persona los entiende e interpreta como quiere. Esto mismo es aplicable a los libros sagrados... son iguales para todo el mundo, pero cada persona los interpreta como puede y quiere. En este chiste, la percepción del hombre es menos rica que la de la mujer.

Con base en mi sensibilidad, el mundo es rico o pobre. Puedo ver un aspecto de la realidad o puedo ver el otro.

No es importante que el mundo sea más pobre para mí. Lo que importa es que mi visión no sea la tuya y que, en lugar de discutir a este respecto o de convertir el asunto en cuestión de "no dar el brazo a torcer", compartamos nuestras visiones.

La relación amorosa, amistosa o familiar no tiene por finalidad una visión común. Se trata del lugar donde deberían compartirse visiones diferentes.

—Lamento que fumes. Tal es mi visión. Si tú lo haces, peor para ti.

—Lamento que tú no fumes. Te privas de este placer, peor para ti.

Todos tenemos el derecho de pensar lo que queramos, pero tenemos el derecho de decírnoslo. Nos decimos las cosas. No combatimos por una visión.

Una pareja armoniosa es una pareja que comparte sus diferencias, en la que ninguno de los dos tiene la hipocresía de desempeñar un papel según el cual sea semejante al otro en todos los aspectos.

Sin duda, en términos generales, son las mujeres las que desempeñan ese papel, dado que los hombres son demasiado narcisistas, "egomaniacos".

—¡Vaya! ¡Así es el mundo! —afirma el varón.

—¡Oh, querido mío, tienes absolutamente toda la razón! —agrega la mujer.

Pero la mujer piensa lo contrario. Para ella, él es así y no de otro modo. Para vivir con este hombre, lo imita y cae en la trampa. O viceversa:

—Quiero un hombre espiritual —sostiene la mujer.

—Yo lo soy —confirma el varón.

—¡Escríbeme un poema!

—¡Aquí lo tienes!

Me hago pasar por poeta, aunque no lo sea.

Al principio, cuando una pareja no ha evolucionado todavía, hay una gran neurosis: sus dos miembros usan máscaras para hacerse mutuamente agradables. Pero llega el momento en que perciben sus diferencias, porque caen sus máscaras. Y como no pueden tolerar la diferencia, sobreviene la catástrofe: "Yo había pensado que tú eras de este modo, pero eres de tal otro. Te creía semejante a mí y, de repente, me doy cuenta de que eres diferente. ¡No lo puedo admitir!"

Antes, jugábamos a los hermanos gemelos, lo cual no fue nada real. Ahora, nuestra unión va mal, ha llegado el momento de mejorarla y de vernos sin máscara, de reconocer la voluntad de uno y la voluntad del otro, y de ponernos de acuerdo para evitar que haya perdedores. Como decía un psicoanalista: "Aquella solución en que haya un perdedor no es una solución".

Cuando en una pareja una de las partes se sacrifica, no es una pareja en verdad. Cuando en una familia alguien habla de sacrificio, no es en verdad una familia. Una familia verdadera es el gozo completo.

Un problema sexual particular

Un anciano va a consultar a un sexólogo.

—¿Qué edad tiene usted? —pregunta el especialista.

—Ochenta y cinco años —responde el paciente.

—¿Por qué viene a consulta?

—Creo que empiezo a envejecer.

—¿Y por qué lo cree?

—Porque esta mañana comencé a acariciar a mi mujer y ella me preguntó: "¿Qué quieres?" Le respondí: "Pero... ¿es que no comprendes? Quiero hacer el amor". Entonces, ella me dijo: "¡Pero Gerardo! Ya hicimos el amor ayer en la tarde y dos veces en la noche". Por mi parte agregué: "¡Ah, cierto! ¡Lo había olvidado!" ¿Se da usted cuenta, doctor? Estoy perdiendo la memoria.

En ocasiones, nos preocupamos por cosas a las que no les deberíamos dar importancia.

Un absceso brotó en mi pecho... Durante seis meses dije para mis adentros: "Me preparo a morir. Se trata de un cáncer de piel". Mis allegados sugerían: "¡Pero no! ¡Vamos a ver a un médico!" Yo respondía: "¡No! ¡Basta! Me preparo a morir".

Hice todo lo que debía hacer: me despedí del mundo... Transmití mis mejores lecciones, mi último mensaje, etc. Un día, mi hija me arrastró hasta el consultorio del doctor Mouton. Su apellido me complació, porque el primer médico que me atendió en la infancia se apellidaba Cordero, que es el significado de *mouton* en español.

En cuanto vio mi absceso, el médico se asombró: "¿Pero por qué se inquieta usted tanto? ¡Mire!" Al apretarlo, el absceso quedó vacío... ¡y yo me curé! No era más que una bola de grasa. Aun así, había que ver cómo mi ego me hizo reaccionar en esa ocasión.

¿Cuántas veces hemos arruinado porciones enteras de nuestra vida creándonos un problema inútil?

Conocí a una mujer que era diez años mayor que su compañero y que, por ello, sufría enormemente. No dejaba de repetirse: "Como le llevo diez años, me va a abandonar".

No obstante, el muchacho estaba muy enamorado. Se puede estar enamorado de una mujer que nos lleve diez años, al igual que se puede estar enamorada de un hombre diez, veinte o treinta años mayor... ¿Por qué? Le expliqué a esta mujer: "Estás echando a perder tu vida y la de tu compañero por creer que tal vez un día te va a abandonar. ¡Vive tu momento! ¿Por qué te preocupas de este falso problema? ¿Quién te dice si el día de mañana, mueren los dos al mismo tiempo? ¿O si él mismo fallece antes que tú como resultado de un accidente automovilístico? ¿Acaso sabes de qué está hecho el futuro? No hay más que un solo tiempo: el presente. El futuro no lo conocemos".

Biológica y lógicamente, la persona de mayor edad está expuesta a morir primero... ¿Pero quién sabe qué nos reserva el destino? En este terreno todos tenemos la misma edad.

¡Mira más arriba!

Un hombre entra en un baño público. Empieza a orinar cuando, de repente, ve al nivel de sus ojos un letrero que dice: "Mira más arriba".

El hombre levanta la mirada y ve escrito: "Mira un poco más arriba".

Entonces inclina ligeramente hacia atrás la cabeza para poder leer: "¡Aún más alto! Al nivel del techo".

El hombre, con la cabeza totalmente inclinada hacia atrás, lee en el techo: "Estás meando en tus zapatos".

Cuando comenzamos a buscar más arriba, hasta el grado de perder de vista nuestros pies, acabamos orinándonos encima. En verdad, poseemos un mecanismo de escape de la realidad hacia lo mental. Y cuanto más huimos hacia lo mental, lo espiritual, más nos orinamos en los pies. Cuando las olvidamos, nuestras necesidades instintivas (primarias) se vuelven desbordantes.

Hablando de pipí, Gurdjieff dijo un día a Lanza del Vasto: "Yo, pipí lejos. Tú, pipí cerca". No sé qué le quiso decir. Tal vez: "Yo orino lejos, en tanto que tú orinas cerca". Quizá simplemente quiso dar a entender: "Tú trabajas por el presente, mientras que yo trabajo por el presente y el porvenir".

Los tres barcos

En sueños, un hombre ve a san Pedro, quien le dice: "¡Ten confianza en mí! Cuando te encuentres en peligro, di: San Pedro, ¡ayúdame!, y yo te ayudaré".

Un poco más tarde, nuestro hombre va en un barco, el cual zozobra. Se encuentra en un bote salvavidas, remando en medio del océano. Pero el bote tiene un agujero, por el cual el agua se cuela inevitablemente y le llega a los tobillos. Grita: "San Pedro, ¡ayúdame!"

No bien acaba de decirlo cuando un buque pasa muy cerca del bote sin verlo. El barco desplaza tal cantidad de agua, que el bote se llena todavía más aprisa y el hombre se queda sumergido hasta la cintura. Repite su súplica: "San Pedro, ¡ayúdame!"

Un segundo buque roza el bote, pero tampoco lo ve. Ahora se encuentra con el agua hasta el cuello. Dominado completamente por el pánico, el hombre grita: "San Pedro, ¡¡¡ayúdame!!!"

Por toda respuesta, un tercer barco pasa y lo sumerge totalmente. Muere ahogado y luego se encuentra con san Pedro.

—¡Caramba! —exclama descorazonado—. Tuve confianza en ti. ¡Habías prometido ayudarme y, ahora, mira dónde estoy!

—¿Por qué esos reproches? ¡Te envié tres barcos! —responde, resentido, san Pedro.

En esta historia hay tres barcos. Simbólicamente, el primero corresponde al sexo, el segundo a lo emocional y el tercero al intelecto.

Estás a punto de ahogarte y lleno de angustia, pides ayuda y te llega la ayuda. ¡Toma el buen barco! No te ahogues en la perturbación. ¡Enfréntala!

Comencemos por el intelecto: ¡calmémoslo! ¡Pero no! Tú no

tomas el barco. Prefieres atenerte a una ayuda divina y no hacer tu trabajo. Más tarde, llega el barco emocional. ¿Qué haces con tus emociones? Estás en conflicto. ¿Cómo salir de la situación conflictiva? El barco, la ayuda verdadera, se presenta: los sentimientos superiores, los sentimientos verdaderos. No los tomas. En seguida pasa la nave de los deseos correctos, pero tampoco los tomas y te ahogas. Y luego, le echas la culpa a tu ser esencial:

—¡¡¡No me ayudaste!!! —le dices.

—Ego estúpido. Estuve ahí llamándote continuamente y jamás me escuchaste. No me obedeciste —te responde.

Interpretado de esta manera, este chiste ya no hace reír.

Un plátano de más

Una mujer lleva un gran paquete de plátanos en los brazos. Está en el metro. En una estación entra muchísima gente en el vagón. Zarandeada, se esfuerza por conservar su paquete. Mal que bien, logra hacerlo colocando un brazo debajo del paquete y el otro por encima. La mano que queda debajo del paquete agarra con firmeza un plátano. Al cabo de varias estaciones en esta postura, oye la voz de un hombrecillo, que le dice: "Señora, ¿podría soltarme? ¡Me bajo en la próxima estación!"

En ocasiones, llevamos mal que bien nuestro paquete de plátanos y todo empieza a caerse. Como nos resistimos, nos aferramos a falsos trucos. Creemos que nos agarramos de Dios y, en realidad, nos agarramos del sexo, de la pasión. Sin darnos cuenta, nos tranquilizamos al agarrarnos de una cosa que es una aproximación de lo que queremos.

Esto mismo ocurre cuando, por ejemplo, quieres comprar un suéter violeta.

—¡Aquí tiene un suéter violeta! —ofrece el comerciante.

—Pero no, es azul... —señalas tú, el comprador.

—Es la luz la que le da esa impresión. ¡Es casi violeta! Lo cierto es que no tenemos uno violeta... Por otra parte, ¡vea este amarillo! Le va muy bien. ¡Lléveselo! ¡Para el frío, un suéter violeta o amarillo da lo mismo!

Resultado: tú querías una cosa y sales con otra, una aproximación. Yo me he propuesto tomar siempre *la* cosa, nunca la aproximación. Y tú, ¿buscas la aproximación o *la* cosa? El trabajo que haces, la meditación, el trabajo espiritual, material, corporal, etc., ¿corresponde verdaderamente a lo que deseas?

¿Comes el pastel que te apetece o el que se le parece? Aunque estés a sólo diez milímetros del centro, lo cierto es que no te hallas en el centro y, por consiguiente, no te encuentras en el camino.

Otro aspecto de la misma trampa reside en tomar la aproximación como la cosa misma. Así lo ejemplifica la historia siguiente:

Un monje se vanagloriaba de que siempre daba con la flecha en el blanco, cualesquiera que fueran las condiciones prevalecientes.

—¡Pero si eso no es posible! —exclamaron, incrédulos, los otros.

—Sí... Aunque esté de espaldas, en la oscuridad o no importa en qué posición, cada vez que disparo, la flecha va a dar siempre en el centro —afirmó, jactancioso, el monje.

Los otros le pidieron entonces una demostración. En seguida, el monje disparó una flecha. Se estrelló contra el muro. La segunda se dirigió hacia el techo. La tercera terminó en un sofá.

—Pero... no diste para nada en el centro —dijeron los otros.

—Por supuesto que sí, ¡vean! Es muy fácil —explicó el monje, que tomó un poco de pintura y trazó con ella un círculo alrededor de cada flecha.

Esta historia está dirigida a las personas que creen que, independientemente de lo que hagan, siempre están en el centro. Realicemos acciones que verdaderamente estén en el centro o pensemos del modo siguiente: "Dado que yo lo hago, esto no puede ser sino perfecto".

Una petición interesada

Una jovencita, que se ha quedado para vestir santos, dirige a Dios la oración siguiente:

"Señor, yo no te pido nada para mí. Pero si tuvieras la amabilidad de enviarle un yerno a mi madre, me daría muchísimo gusto".

Este chiste me confirma una idea formidable, la cual he desarrollado sin cesar. Cuando encuentro a una persona enferma, le digo: "Si quieres sanar, comienza por cuidar a los demás". Y a una persona necesitada, le recomiendo: "Si quieres tener, comienza por dar".

Un jovencito a quien yo había concedido una beca (asistía gratuitamente a todos mis cursos), me dijo un día, desesperado: "Mi padre se va y me deja sin un céntimo". Le respondí: "A partir de ahora, pagarás todos los cursos".

Cuando no tenemos nada, hay que ponerse a dar. Es importante saberlo. Hacemos el bien a alguien y recibimos en seguida. Cuando queremos hacernos el bien a nosotros mismos, debemos hacer el bien al mundo.

Si la muchachita de esta historia hubiera dicho con crudeza: "¡Haz que quede encinta! ¡Encuéntrame un hombre!", los santurrones, con sus prejuicios, se habrían horrorizado. Por el contrario, el hecho de pedir un yerno para su mamá, psicológicamente no es mal visto: darle a su madre el hombre que ella, la hija, ha querido tener siempre. En seguida vendrá el combate por el hombre entre la madre y la hija... pero esto es harina de otro costal.

Tres copas de champaña

Durante un coctel, una pareja charla.

—¡Es increíble cómo tres copas de champaña te pueden transformar! —dice con ternura el marido.

—Pero... ¡yo no he bebido! —comenta, sorprendida, la esposa.

—Yo sí.

Este chiste en el que se beben tres copas y la realidad luce de un modo diferente me recuerda la máxima *In vino veritas*. Si hacemos un trabajo psicológico y espiritual, nuestra realidad y nuestra visión del otro cambian (las tres copas de champaña simbolizan el trabajo intelectual, el trabajo emocional y el trabajo sexual profundos).

Aunque esta mujer era probablemente perfecta desde antes, su esposo tuvo la necesidad de beber tres copas de champaña para ver la verdad.

En una ocasión, un terapeuta fue a buscarme:

—Mis negocios van mal. No sé qué hacer —expuso.

—El dinero como tal no existe —le planteé, luego de recordar el chiste recién mencionado—. Es una invención. Trabajamos con una "materia prima". Si tú tratas de encontrar diamantes en las horrendas minas de Brasil, te puedes comportar como un sinvergüenza. Si te dedicas a la prostitución, puedes actuar muy fríamente en las relaciones humanas. Si eres un mal tendero, puedes comerciar vulgarmente o ser prosaico. Si juegas a la bolsa, puedes arreglártelas como un pirata. Tu "materia prima" te va a dar el dinero y la actitud que te corresponden. Pero si trabajas en el dominio psicológico, haciendo terapias, interpretando el tarot o realizando cualquier cosa de tipo terapéutico, y las personas te exponen sus problemas humanos, no te puedes comportar como un mercader de diamantes, ni como una prostituta, ni como un mal tendero, ni como un corredor de bolsa. La situación cambia por completo. Es menester ganarse la confianza de la gente y no pensar en ganancias ni en clientes. Es necesario beber las tres copas, hacer el trabajo en los tres niveles... En una palabra, ¡cambiar!

Conozco a un terapeuta que siguió un curso de capacitación en materia de publicidad. Ahora, cuando elabora sus anuncios para difundir sus cursos psicológicos, agrega siempre al margen del texto observaciones tales como: "¡Gran novedad!", "¡Un verdadero regalo!", "¡Oportunidad única!", "¡Aproveche de inmediato nuestras ventajas!", etc. Yo no sé qué tipo de alumnos va a atraer... Más bien, ¡debería abrir una cadena de supermercados de la terapéutica!...

Entonces, ¡cuidado, cuidado, cuidado!

¿Objetaría usted algo?

De entrada, una jovencita advierte a un muchacho con el cual sale por primera vez:

—Mi madre me hizo jurar que responderé con un enérgico "no" a todo aquello que me propongas.

—Muy bien. ¿Tendrías alguna objeción de que te abrace?

—No.

El muchacho aprovecha la orden de la madre para obtener lo que quiere. Yo llamo a esto una "trampa sagrada". Sucede que la trampa, y la mentira, pueden ser sagradas.

A lo largo de mi vida, sobre todo con el tarot, he hecho muchos trucos-embustes "sagrados"... A fuerza de manipular las cartas, llegamos a saber cuál de ellas aparecerá ante nuestros ojos. Disponemos al respecto de la intuición. En ocasiones, cuando el consultante elige una carta, percibimos una pizca de ésta. Aunque la percepción sea mínima, basta para saber de qué arcano se trata.

Cierta vez, leí el tarot a una jovencita que se drogaba con heroína. Dibujé una jeringa y coloqué a un lado, boca abajo, la carta que ella misma había seleccionado. En virtud de que yo sabía que era el arcano XIII, le predije: "Si sacas el arcano XIII, ten mucho cuidado, porque esta carta habla de la muerte".

La joven volteó la carta, que resultó ser el arcano XIII. Se estremeció por completo... Tres días más tarde, su hermano murió de una sobredosis. Todo concordó. Ella dejó de drogarse. Se trató de una trampa sagrada.

Otro caso: los padres le dicen a su hija que quieren ayudarla en sus estudios, sin que por esto ella deba sentirse demasiado dependiente. "Podemos subvencionarte porque, gracias a ti, pagamos menos impuestos. El ayudarte no nos pone en ningún apuro económico. Además, la sola idea de que nos conviene ayudarte debería liberarte de todo escrúpulo con respecto a nosotros".

Esta muchacha encontró un alivio para su espíritu. Por lo que respecta a mí, estoy convencido de que los suyos son padres "sagrados". Ellos la ayudan a estudiar, sin mostrar que la están ayudando.

Hay de mentiras a mentiras: la mentira egoísta y, por otra parte, la mentira sagrada, aquella que permite ayudar a alguien.

El automovilista misógino

Un automovilista, furibundo por haberse visto obligado a frenar para evitar un choque con el vehículo que le precede, exclama: "¡No vale la pena preguntarse si es una dama la que conduce!"
Para su gran sorpresa, se trata de un hombre. Entonces grita: "¡Seguramente fue su madre la que lo enseñó a manejar!"

Se puede decir que el automovilista es misógino. Para él, son siempre las mujeres quienes conducen mal.
Pero al profundizar un poco, podemos decir que intentamos hacer concordar la realidad con nuestras opiniones. Todo el santo día interpretamos lo que nos ocurre de modo tal que no tengamos que cambiar ni una jota de nuestras opiniones.
¡Veamos a los políticos! Son todos iguales. Sacan provecho de cada cosa que sucede. Jamás tienen la culpa. Siempre es culpa de los demás.
Nosotros nos parecemos a ellos. El ego transforma todo para su beneficio.

Hace algún tiempo dije a uno de mis hijos:
—Ha llegado el momento de traducir mi más reciente novela. Me gustaría que hicieras una traducción rápida, para darle una base al traductor, a fin de que el libro esté impreso en octubre. Yo te pagaría, digamos, unos tres mil francos por ciento cincuenta páginas.
Mi hijo, después de haber consultado con alguien, me expuso:
—El asunto no me gusta. Ese traductor te estafa. Le van a pagar no menos de cuarenta francos por página y, además, tendrá

un porcentaje sobre la venta. ¡No debes permitir que te manejen de ese modo!

—En primer lugar, el traductor no recibirá porcentaje alguno —le respondí—. En segundo, fui yo quien decidió que se hicieran dos traducciones, con objeto de darte un trabajo. En tercero, yo te puedo regalar tres mil francos. Ahora bien, ¿aspiras a ganar cuarenta francos por página? ¡Te los doy!

—¡No cuarenta! ¡Veinte!

—De acuerdo, ¡veinte! No importa que hayas ido a buscar todas las razones posibles para transformar el placer de un trabajo que yo te ofrecí en una tentativa de explotación. Tú crees que te quiero explotar, ¿verdad? Pues es falso.

Es falso pensar que todo el mundo nos explota, se trata de una opinión que arrastramos en nuestro interior.

Uno de los empleados de un editor me dijo:

—Tengo un problema con mi jefe. Es demasiado mandón y eso es algo que yo no tolero.

Me pidió que le leyera el tarot. Sacó las cartas siguientes: El Sumo Sacerdote, al derecho, que representaba a su jefe; El Juglar, al revés, que lo representaba a él, y El Ermitaño, también invertido.

—Tal vez tengas razón —le expliqué—, pero el problema es que si tú abandonaras a este patrón, reproducirás la misma situación con otro y volverás a entrar en conflicto. Creo que El Ermitaño que aparece de cabeza es el ejemplo que te dio tu padre, porque tú (El Juglar) lo sigues... Tu padre debió ser un iconoclasta, alguien que no aceptaba en verdad permanecer en el mismo lugar. Quizá estuvo ausente... Tú reproduces la imagen de tu padre. ¡Endereza tu carta! ¡Ponte de pie!

Tú eres un poeta y estás enojado porque tu patrón no te menciona en los libros políticos que publica. Tú dices que él te roba... En realidad, te está haciendo un bien enorme, porque tu trabajo actual es un trabajo alimenticio: tu medio de ganar el pan. ¿Qué necesidad tienes de firmarlo? ¡Conténtate con firmar tu poesía! Este hombre es tu cómplice, participa en tu desarrollo. Toma las cosas de este modo.

Hay momentos en que el mundo te explota. Hay momentos en que alguien maneja mal porque es un mal conductor, y no porque sea una mujer. Es necesario aceptar que un hombre puede ser un mal chofer. Dejemos de deformar constantemente la realidad para encontrar excusas.

Con el freno apretado

Un marido se indigna cuando su mujer le cuenta que su auto se quedó parado esa mañana a causa del frío:

—¡Vaya!... ¡Ese mecánico exagera! ¡Cobrarte esa fortuna por remolcarte mil quinientos metros!... ¡No es posible!

—Sí, tienes razón... pero sabes, mi amor, no le regalé nada. ¡Mantuve apretado el freno durante todo el recorrido!

En el café donde leo el tarot antes de mi conferencia semanal, una persona se sienta enfrente de mí y me pide que le haga una lectura. La invito a barajar las cartas. Sólo le digo eso. Ahora bien, ¿qué hace ella? Las mezcla y les da vueltas en todas direcciones, de tal forma que algunas quedan al derecho y otras invertidas. En seguida, le pido que me pase la baraja. Entonces, en lugar de hacerlo de manera que las cartas queden a lo largo entre ella y yo, es decir, haciendo una unión entre nosotros, las pone transversalmente. De manera inconsciente, crea una barrera. Luego, en vez de dar vuelta a las cartas como lo haría con las páginas de un libro, lo hace tomándolas por arriba. Esto da por resultado invertir por completo toda la lectura.

—¿Por qué quieres que te lea el tarot? —le pregunto.

—Alguien, en otra mesa, me leyó uno —responde—, pero no estoy de acuerdo con lo que me dijo. Busco otra respuesta.

Al igual que la mujer del automóvil, ella quiere ser remolcada mil quinientos metros sin dejar de apretar el freno, porque no acepta ni la respuesta ni el error, ni la duda.

—Tú preguntas si estás bien ubicada en tu trabajo —le planteo—. En el fondo, lo que pides son aclaraciones sobre la relación con tu jefe. A éste último le has deslizado la figura de tu padre.

—Mi padre acaba de morir.

—Claro. Por eso te encuentras actualmente en medio del conflicto. En lugar de dejarte aplastar por tu jefe, ¡encuentra un arquetipo paterno que te eleve!... Cuando somos niños, pueden sucedernos dos cosas: ser destruidos por los adultos o encontrar adultos solícitos que nos ayuden a crecer. Busca maestros que te ayuden y no maestros que te aplasten o rebajen como lo hizo tu padre.

Queremos curarnos, pero no facilitar la tarea del terapeuta.

En las querellas de pareja, cuántas veces nos han sugerido que mejoremos nuestra relación, pero no dejamos de apretar el freno. Nadie hace concesiones. Permanecemos meses y años sin hacerlas, hasta el día en que "la hormona" nos arrastra... Entonces, en la cama, creemos que nos hemos reencontrado y que hemos superado nuestras diferencias. Sin embargo, al salir del apuro, volvemos a apretar el freno sin haber resuelto en absoluto el conflicto.

La invitación

Una jovencita, más bien atrevida, charla con un muchacho tímido, al cual acaba de conocer:
—Podríamos pasar la noche en mi casa —le propone—. Estoy se-
gura de que tendrás la mejor impresión de mis padres.
—¿Qué van a decir ellos? —balbucea el muchacho.
—Nada en absoluto. Se fueron al campo a pasar dos días. Por
esta razón tendrás la mejor impresión de ellos.

Se impone examinar las frases en su contexto. Considerada en
dos contextos diferentes, una misma frase puede tener significados diversos. Hay personas que hablan durante horas y horas, pero que no se comprenden.

Por ejemplo, dos individuos discutían sobre la masa: uno de
ellos se refería a la masa atómica y el otro a la masa que sirve
para hornear el pan. De más está decir que nunca se entendieron.

El enamorado tímido

—¿Cómo marcha tu flirteo con Juan? —pregunta una estudiante a su compañera.

—Mal. Verdaderamente su timidez raya en la tontería.

—¿Por qué?

—Mira, ayer en la noche, solos y en medio de la oscuridad, estábamos sentados en la banca de un parque público. Él se atrevió a murmurarme al oído: "Te amo", al tiempo que puso una mano sobre mi rodilla. Por mi parte, le susurré: "¡Más alto!"... Entonces, me aulló al oído: "¡Te amo!"

Las personas interpretan de un modo subjetivo lo que se les dice.

Cuando hablamos, es necesario prestar mucha atención a lo que decimos, ya que cada uno de nuestros interlocutores comprenderá lo dicho en función de su nivel. Sin embargo, resulta casi imposible dominar y dirigir este fenómeno. Tú hablarás siempre en un nivel y nosotros te comprenderemos, e interpretaremos, con base en otros niveles.

El camino

Extraviado en un camino rural, un automovilista pregunta a un campesino:

—¿A dónde lleva este camino?

—Bueno —responde el campesino—: de un lado lleva a mi granja, y del otro se sigue todo derecho.

He aquí un ejemplo perfecto de una visión limitada del mundo. Este campesino sólo piensa en sí mismo.

El camino podría representar nuestro desarrollo hacia la conciencia. Yo busco llegar a ella, pero me pierdo. Pregunto a un maestro: "¿Adónde lleva este camino?" Me responde: "De un lado lleva hacia mí, y del otro se sigue todo derecho".

Este maestro, o más bien este "milimaestro", jamás se ha preguntado: "¿Cuál es la meta?" Ni siquiera ha puesto un pie en el camino. Todo lo contrario: ha construido un caminito que sólo lleva hacia él.

Y nosotros, ¿cuántas veces hacemos lo mismo? Pensamos que debido a que hemos vivido una pequeña realidad, una pequeña rutina, conocemos el camino. De hecho, la vida nos lleva a nuestro pequeño egoísmo y nosotros nos separamos por completo del mundo.

Hay personas que no comparten su saber con nadie, y que sólo barren hacia adentro. No se dan cuenta de que su trabajo debe ser provechoso para todos, sencillamente porque el camino es común.

Este camino no lleva hacia mí. Me invita a salir de mí para ir hacia ti. Si no avanzamos todos juntos, ¿a dónde iremos?

Un detective eficiente

Cuando el marido entra de improviso en el cuarto de su mujer, el detective privado se endereza y, saltando del lecho, dice: "Señor, finalmente tengo la prueba de que su esposa lo engaña".

Se han contratado los servicios de un detective para verificar si una mujer engaña a su marido, y resulta que es él precisamente quien engaña al marido: esto es terriblemente metafísico.

Se trata de un principio artístico increíble: comenzar una investigación para acabar dándonos cuenta de que somos el centro de ella. Creer que nosotros investigamos, cuando en el fondo, somos indagados. Somos investigados en lo más profundo de nosotros mismos. Creíamos perseguir la verdad, mientras que ahora intentamos escapar de ella.

Giramos y giramos alrededor de un centro, pero en realidad, la verdad nos busca y nosotros nos escapamos. Llegar a nosotros mismos equivale a decir: "¡Conócete a ti mismo! ¡Deja de escapar de ti!"

El embotellamiento

Instalados cómodamente frente a su tienda, dos beduinos se relajan a orillas de un oasis en pleno desierto. De pronto, el ruido de un motor se deja oír y los beduinos ven pasar un automóvil.

"Si las cosas siguen así, ¡terminaremos teniendo embotellamientos! Es el segundo coche que pasa por aquí en tres meses", observa uno de ellos.

Para algunos, un acontecimiento es enorme. Pero para otros, habituados a un pensamiento mucho más amplio, el mismo acontecimiento es cualquier cosa.

Antes de entregarme al desarrollo de mi espíritu, me costaba muchísimo descubrir un tema. Estaba a tal grado encerrado en mi propio oasis y en mi propio desierto, que la inmensidad de los temas divinos o sociales, la amplitud del mundo, no entraban en mi estrecho ser. Por falta de experiencia, me hallaba asombrosamente limitado.

Sin experiencia, dirigimos una mirada crítica al mundo y todo nos parece "demasiado". Pero cuando pasamos del automóvil al avión, este "demasiado" se transforma en "nada en absoluto".

Gurdjieff contaba:

Le pedí a un hombre que recorriera ochenta kilómetros durante una tormenta de nieve. Me obedeció y caminó en círculos hasta cubrir esa distancia. Completamente extenuado, habiendo llegado al límite de sus fuerzas, llamó a mi puerta y me dijo: "Lo hice". Entonces le ordené que recomenzara la marcha. El hombre reinició la caminata, convencido de que moriría de agotamiento. Sin embargo, al término del segundo recorrido lo encontré en plena forma. Me dijo: "Ya terminé. ¿Debo recomenzar?"

Gurdjieff sostenía que existe un nivel de fatiga que se debe rebasar para poder entrar en otra energía, la cual en otras circunstancias, jamás dejamos circular.

Podemos decir que el ser humano dispone de un nivel muy pequeño de energía y que jamás rebasa el umbral de sus capacidades. Cuando lo rebasa empieza a sufrir... Se deprime. Se siente morir. Entonces, le decimos: "¡Continúa! ¡Hazlo más fuerte! ¡Repite lo que acabas de hacer!"

Trabajé con Arno en el guión de una historieta: *El príncipe manco*. En estado de trance, dicté el argumento frente a una grabadora. Él guardó la cinta y luego, la perdió. En lugar de desesperarme, me comprometí a recomenzar todo. Dicté de nuevo la misma historia y el resultado fue mucho mejor.

Esto mismo ocurrió con respecto a la novela que escribí en dos meses. Sólo disponía de ese lapso para enviarla al editor. Compré un procesador de palabras y me puse a escribir. Como no sabía utilizar bien ese recurso informático, el primer capítulo se borró cuatro veces... ¡y yo estaba apremiado! Debí rehacerlo en cada ocasión, completamente atacado por los nervios. Pero a la cuarta vez me encontré en pleno éxtasis, porque aquello me gustaba más y más.

Mi primer matrimonio fracasó. También el segundo, y el tercero, y el cuarto y el quinto. En el sexto, en vez de llegar a él totalmente hastiado, he llegado más fresco que nunca y todo marcha muy bien.

Sufro, sufro, sufro y, de repente, atravieso el sufrimiento porque me doy cuenta de que el dolor es una cosa y el sufrimiento otra muy diferente. Sufro, sufro, sufro y, de repente, me doy cuenta de que este sufrimiento se debe al dolor que yo amplifico.

Un día, en 1960, iba por la calle con un muchacho muy tímido. Un desfile de alumnos de Bellas Artes avanzaba hacia nosotros. Había quinientos estudiantes jaraneando con orquesta y toda la cosa.

—¡Rebasemos nuestros límites! ¡Vamos a detener el desfile! —le dije al muchacho.

—¿¿¿Qué??? —respondió, asombrado, mi tímido acompañante.

—¡Claro que sí! Vamos a detenerlo.

—¡¡¡No!!!

He aquí que me volví loco. Me coloqué frente al desfile, levanté una mano con energía, haciendo la seña de que se detuvieran, y con voz categórica ordené: "¡Alto!"

De inmediato, el desfile se inmovilizó... Y yo ya no supe qué hacer. Entonces me retiré y les dije: "¡Pasen ustedes!"

Nos hicimos a un lado, sencillamente porque no teníamos ninguna razón válida para detener a los estudiantes. No importaba que el desfile se hubiera detenido. Quinientas personas... Se trató tan sólo de hacer un experimento.

Si podemos inmovilizar un desfile, no hay duda de que podremos exigirnos muchas cosas a nosotros mismos.

Debemos ver en qué dominios somos pequeños para rebasar nuestros límites. Al respecto, Luna me dio una gran lección.

Luna era un cómico mexicano. Hacía reír a todo México. Pusimos en escena un espectáculo formidable y conseguimos un contrato para presentarnos en París, en la Comédie des Champs-Elysées.

Por aquellos días (entre 1960 y 1962), se dio a conocer al cómico mexicano como una combinación de Marceau y de Belmondo. Al llegar a París, Luna alquiló de inmediato un departamento inmenso en Neuilly. Se tomó fotografías al pie de todos los monumentos de la capital francesa. Clasificó estas fotos en un álbum destinado a sus bisnietos. Tras la primera función, se dijo que Luna sólo tenía los dientes de Belmondo y nada de Marceau, salvo lo blanco de la cara. El espectáculo fue una catástrofe total.

A continuación, Luna reunió con tranquilidad su ropa, disimuló la maleta —para pasar inadvertido—, y partió sin pagar nada. Con toda serenidad, regresó a México. La calma con la cual tomó su fracaso fue increíble.

Sin un centavo, compró nada menos que un Cadillac. A bordo de éste, salió a buscar trabajo y lo encontró, gracias a un cartel donde estaba escrito: "Luna triunfa en Francia". Y nosotros lo hicimos triunfar en México, porque ahí estaba en su elemento.

No se dejó abatir, y siguió llevando un gran tren de vida. Cada vez que tenía problemas económicos, se compraba un Cadillac.

La astucia

David Levy se presenta en la oficina del registro civil y pide cambiar su nombre. Decide llamarse Pierre Durand. Después de muchas gestiones y de varios meses de espera, recibe un documento donde se le autoriza a llamarse en lo sucesivo Pierre Durand. De inmediato, se precipita de nuevo a la oficina del registro civil y declara:

—Me llamo Pierre Durand y quiero cambiar de nombre.

—¡Pero, señor! —exclama el empleado—: ¡Acaba usted de obtener el cambio de identidad y ya quiere otro!

—Es muy sencillo, usted lo comprenderá —explica el otrora David Levy—. ¡Míreme bien!... Quisiera llamarme Jacques Dupont. Así, si alguien me preguntara mi nombre, le respondería: "Jacques Dupont"... En ese momento, forzosamente, con la cara y el acento que tengo, mi interlocutor me diría entre risas: "¡Ah! ¿En serio?... ¿Jacques Dupont? ¿Y cómo se llamaba usted antes?" A lo que yo contestaría: "Pierre Durand".

A un judío religioso le está prohibido mentir. El del chiste que nos ocupa se dio maña para evitar mentir. Los árabes tienen historias del mismo género; por ejemplo, las incluidas en el volumen titulado *El libro de astucias*. Veamos una de ellas:

Un sabio está sentado al borde de un camino. Un ladrón pasa precipitadamente frente a él y le grita sin detenerse: "La policía me persigue... ¡No les digas que pasé por aquí!"

El ladrón desaparece. Unos minutos más tarde, el sabio ve llegar a lo lejos a la policía. Cruza el camino y se sienta.

Los policías avanzan hasta el lugar donde se halla el sabio.

—¿Ha visto usted pasar a un ladrón por aquí? —preguntan los uniformados.

—Desde que estoy aquí —responde el sabio, mostrando su nuevo emplazamiento—, nadie ha pasado.

El sabio mintió... Más profundamente, esta historia nos invita a preguntarnos: ¿cuántas mentiras nos decimos a nosotros mismos, cuántas trampas nos inventamos para no tocar nuestra verdad? Yo invito a los lectores a hacer un balance sobre el número de mentiras que han dicho esta semana y también a que se pregunten: ¿ante quién se mostrarán tal como son?

Conversación a la italiana

En medio de un frío de todos los diablos, dos italianos caminan juntos en la calle. Uno de ellos es muy locuaz. Habla sin parar... El otro, muy reservado, no le responde. Al cabo de un rato, el primero se detiene en seco, mira con furia a su compañero y le dice:

—¿Qué te pasa? ¡Te hablo y te hablo y no me respondes! ¿Tienes algo contra mí?

—No tengo nada contra ti —contesta, apenado, el otro—. Pero con este frío, no puedo sacar las manos de los bolsillos, ¿comprendes, verdad?

Este chiste descansa en la idea de que los italianos hablan con las manos.

Por otra parte, se puede extraer de este chiste una pequeña enseñanza, la cual me gusta mucho: hay personas que interpretan todo en función de sí mismas.

Como tenía un problemita "mecánico", uno de los dos italianos no hablaba. De pronto, el ego del que hablaba se sintió atacado y le hizo decir: "¿Qué tienes contra mí?"

La mayoría de las personas piensan, sin razón, que todo se hace en función de lo que ellas piensan. Así, si un individuo te encuentra antipático y piensa que todo lo que haces o no haces se relaciona con él, tú lo incomodarás sin darte cuenta de ello, digas lo que digas.

El obrero sordo

Un obrero va a visitar a su jefe al hospital. Con el paso del tiempo, el obrero se ha quedado sordo, pero como teme perder su trabajo por tal motivo, no quiere mostrar su enfermedad a su patrón. Antes de encontrarse con él, prepara la visita, repitiendo para sus adentros el diálogo siguiente:

—¿Cómo está usted? —le preguntaré.

—Muy bien. Gracias —me responderá.

—¡Qué bueno! ¿Y qué come usted? —indagaré.

—Frutas —me contestará, puesto que está enfermo.

—¿Quién es su médico? —interrogaré, luego de agregar una fórmula de cortesía.

—El mejor —afirmará, tras lo cual me despediré con una o dos palabras.

Ahora bien, una vez en el hospital, tiene lugar la conversación que sigue:

—¿Cómo está usted? —pregunta el obrero.

—¡Me muero! —responde el patrón.

—¡Ah! Alabado sea Dios. ¿Y qué come?

—¡Veneno!

—¡Que le aproveche!... ¿Quién es su médico?

—¡El ángel de la muerte!

—¡Que sea bienvenido!

Con mucha frecuencia somos sordos a lo que nos dicen. Sin escuchar a los otros anticipamos su respuesta y creemos que así nos comunicamos... Es preciso no atribuir a la otra persona una respuesta que no sea la suya, porque la respuesta que recibiremos no será tal vez la que nosotros pensábamos recibir.

Por esta razón, en ocasiones algunas personas son abandonadas súbitamente por su interlocutor. Se quedan sorprendidas por lo que les ha ocurrido. Se dicen: "¡Me abandonó!"

Ahora bien, podríamos muy bien responderles:

"¡De ninguna manera! Eres tú el que ha hecho huir a patadas al otro".

La cebolla y el sauce llorón

En cierta ocasión una cebolla se topó con un sauce llorón. Horrorizada, le dijo:

"¡Oh! ¡Espero que no haya tenido yo la culpa!"

Este chiste vale un poema. Cuántas veces creemos que nosotros producimos la realidad, a pesar de que ésta no tenga nada que ver con nosotros. Nos decimos: "Es culpa mía lo que está sucediendo", o "Yo tuve la culpa de que esta persona se suicidara. Yo la destruí".

No obstante, con o sin cebolla, el sauce llorón será siempre el sauce llorón.

La eterna cantaleta

Un vividor resume diez años de experiencias sexuales: "Las mujeres que ponen los mayores obstáculos para entrar en el lecho de un hombre, son precisamente aquellas que, después ponen las mayores dificultades para abandonar dicha cama."

¿Acaso los hombres funcionan de la misma manera? Este chiste es un poco machista. Sin embargo, su extrapolación me ha hecho recordar que los humanos nos topamos con dos problemas principales: el primero es que se nos dificulta muchísimo comenzar cualquier cosa y, el segundo, que se nos hace aún más difícil terminarla.

Constantemente encuentro este tipo de situaciones. Es como la eterna cantaleta. Primero, se trata de alguien que no logra formar una pareja, o de alguien que tiene problemas terribles para abordar o para "ligar" a un miembro del sexo opuesto; tiempo después, se trata de un hombre y una mujer que no logran poner punto final a su historia común, y así sucesivamente.

Me parece que los dos problemas fundamentales que veo surgir actualmente son, por una parte, cómo formar una pareja y, por la otra, cómo deshacerla.

¡Todo, excepto mi cepillo de dientes!

Un judío aborda un tren con destino a Viena. En su compartimento viaja un inglés muy distinguido. A la hora de la comida, éste saca un emparedado.

—Señor, ¿tendría la gentileza de darme un pedazo de su emparedado? Olvidé traer algo de comer y tengo hambre —plantea, con timidez, el judío.

—¡Con todo gusto! —responde amablemente el inglés, quien ofrece una mitad del emparedado a su compañero de viaje.

Un poco más tarde, los viajeros se preparan para dormir.

—Señor, ¿podría darme un poco de espuma para rasurar? Resulta que olvidé la mía —solicita el judío.

El inglés acepta y se la presta; pero en el momento en que está a punto de meterse bajo la sábana, escucha que su compañero de viaje le pide con desenfado:

—Señor, ¿podría prestarme una camisa? Olvidé traer mi pijama.

Irritado, el inglés le presta una camisa a este viajero desvergonzado, el cual le hace de inmediato otra petición:

—¿Podría prestarme también su cepillo de dientes? Es que olvidé el mío.

—¡Todo, excepto mi cepillo de dientes! —truena, ofuscado, el inglés—. ¡Nunca tendrá usted mi cepillo de dientes!

—No hay necesidad de enojarse. No le he pedido la luna —aclara, muy molesto, el judío.

La noche transcurre sin que los dos hombres se dirijan la palabra. Al día siguiente, llegan a Viena. La mujer del judío recibe a su marido en la estación.

—¿Tuviste un buen viaje? —pregunta la esposa.

—El viaje fue muy bueno, pero tuve la desgracia de viajar con un antisemita.

A veces, nos encontramos en un estado de exigencia. Queremos que la otra persona nos dé todo y, conforme nos va dando, pedimos y pedimos siempre más. Nuestra demanda es una serie de sobrepujas. Cuando, cansado, el otro deja de darnos, pensamos que es egoísta.

En mi libro de fábulas pánicas cuento una historia que vivió mi madre. Tuvo lugar en Chile. En aquellos días mis padres eran socialistas. Querían ayudar a la gente.

Cierto día, un muchacho alcohólico llegó a la casa de mis progenitores. Mi madre lo vistió de pies a cabeza. El joven se fue y de inmediato vendió su ropa nueva; luego, completamente borracho y ataviado como un vagabundo, volvió a la casa de mis padres. Mi madre se dijo: "Cuando comenzamos una cosa, es preciso llevarla hasta el fin". Vistió de nuevo al muchacho, pero a la mañana siguiente éste regresó embriagado y vestido como un pordiosero. Mi madre no se desalentó. Por tercera vez le compró ropa nueva, pero no obtuvo más éxito que en las ocasiones anteriores. El joven volvió ebrio. Entonces ella le dijo: "¡Basta, lárgate de aquí, no mereces que se te ayude!" Furioso por no haber recibido otra vestimenta nueva, y para vengarse, el muchacho tomó una piedra y la lanzó contra el escaparate de la tienda de mis padres.

Cuando empezamos a dar, llega el momento en que debemos decir:

—¡Basta! ¡Ya te di bastante! ¡No te daré mi cepillo de dientes!

—¡Amo malvado! Es preciso llegar hasta el final. ¡Hay que dar todo!

Murió nuestra gata negra. Una enfermedad de la sangre provocó que se fuera desmejorando. Finalmente, una noche murió en los brazos de mi esposa. Tras el deceso, vimos que las pulgas abandonaban su cadáver. Resultó ser una cantidad tan considerable de pulgas, que debimos aplicar insecticida en toda la casa para librarnos de ellas.

Poco importa que todas esas pulgas hayan vivido en la gata. Se alimentaban de su sangre y abandonaron su cuerpo en cuanto la fuente se agotó. Cuando el amo dejó de darles, partieron en seguida a otra parte.

Presenciar su deserción fue para mí una lección formidable.

En lugar de chuparle sangre sin ofrecer nada en compensación, las pulgas debieron ayudar a la gata a mantenerse en buena salud. Debieron cuidarla, darle alguna cosita que la restableciera de la enfermedad, a fin de que siguiesen viviendo más tiempo en ella.

Yo no estoy en contra de la humanidad, pero observo que, al igual que las pulgas, tendemos a tomar todo y a no dar nada. Se impone el intercambio.

¡Tu madre o yo!

Un hombre de treinta años vive sobreprotegido por su madre. Ésta le hace de comer, y le lava y plancha su ropa. Incluso le lava los dientes.

Cierto día, este hombre se enamora tan locamente de una mujer, que le pide se case con él:

—Con tu mamá, ¡imposible! —responde ella.

—¿Cómo es eso? ¡Mi madre es maravillosa y perfecta! —comenta el hombre, asombrado por la negativa de su amada.

—Ella es tan perfecta, que jamás podrás entregarte a mí. ¡Mientras que ella esté ahí, me negaré a casarme contigo! —replica, sin la menor vacilación, la mujer.

—¡Esto es imposible! Si te niegas a casarte conmigo, ¡me suicidaré! —suplica el miserable, arrojándose a los pies de su amada.

—De acuerdo. Si tú quieres que nos casemos, debes hacer algo: ¡mata a tu madre y tráeme su corazón!

Desesperado, el hombre acepta plegarse a las exigencias de su amiga. Con la muerte en el alma, entra en su casa y se apresta a cumplir con su promesa. Su madre le pregunta, precipitándose hacia él:

—Mi hijo querido, ¿cómo estás? Te ves triste. Ha de ser culpa de esa malvada mujer. ¿Qué te ha hecho? Yo ya te había advertido que ella no te quería. ¡Ven! ¡Siéntate! Te he preparado un magnífico asado de ternera. ¿Qué te hace falta? ¡Dímelo! Haré lo que tú quieras...

Sin escucharla, el hombre se lanza resueltamente sobre ella, la mata y le arranca el corazón. Llevando su preciosa carga en las manos, abre la puerta para ir a ofrecerla a su bien amada, pero tropieza, cae y el corazón rueda por el suelo. Cuando el hombre se pone en pie, escucha que el corazón le dice:

—¡Mi pobre hijo!... ¿Te lastimaste?

Hay veces en que somos prisioneros de una relación, debido a que el otro no nos da nunca. Permanecimos acorralados esperando recibir. Sin embargo, también hay ocasiones en que somos prisioneros de una relación, porque el otro nos da demasiado.

La agonía de Abraham

Abraham agoniza. Toda su familia lo rodea para acompañar sus últimos instantes. El agonizante abre un ojo y pregunta con voz temblorosa:

—¿Está aquí José?

—Sí, aquí estoy, padre.

—Y mi santa esposa, ¿está aquí?

—Sí, aquí estoy —responde la esposa.

—Y mi hermano, ¿está aquí también?

—Sí, aquí estoy —dice el hermano.

—¿Y mi hija y mi hijo más pequeño?

—Sí, aquí estamos todos, padre —responden los niños.

—¿Todo el mundo está aquí, verdad?

—Sí, aquí estamos todos.

—Entonces, ¡en el nombre de Dios! —exclama Abraham, haciendo acopio de fuerzas—: si todo el mundo está aquí, ¿quién está cuidando la tienda?

Sin duda, debe haber algo de sagrado en esta historia, porque se cuenta en las calles de Jerusalén.

Yo la interpreto suponiendo que los miembros de la familia que rodean a Abraham simbolizan mis diferentes partes, presentes en el momento en que hago la gran mutación de mi ego hacia mi Yo indeterminado, mi Yo sin definición... en el momento en que estoy muriendo a mí mismo. Si durante el lapso en que efectúo esta enorme mutación, todas mis partes se preocupan por este ego que se transforma, ¿quién se ocupa de la obra? ¿Por qué abandonar la obra a causa de preocupaciones que pueden ser emocionales, intelectuales, económicas o de otra índole? ¡Exijo que no se abandone la obra, que se trabaje en ella constantemente! Esto es lo que dice Abraham.

Este mismo mensaje se encuentra en la leyenda de Buda. Cuando Buda meditaba, se cortó los párpados para mantener abiertos los ojos, los arrojó a la tierra y una planta nació en el sitio donde cayeron sus párpados.

El tema de la persona que no duerme jamás lo hallamos también en la descripción del león contenida en los bestiarios de la Edad Media. En aquella época, durante la cual poco importaba la realidad científica, una de las grandes cualidades que se atribuían a los leones era la de que no cerraban jamás los ojos. Se decía que el león estaba eternamente presente, con los ojos abiertos.

He ahí la atención constante a la obra.

Los preservativos rayados

—Disculpe —dice un hombre a un farmacéutico—, ¿tiene usted preservativos con dibujo de rayas amarillas y negras?

—No... ¡pero qué pregunta tan extraña! ¿De qué le servirían tales preservativos?

—Verá usted, soy sirviente de una rica burguesa y, cuando ella me invita a hacerle el amor, exige que no olvide mi condición.

No imagino que Rāmakrishna haya contado un chiste tan surrealista.

Este chiste habla de una relación formal donde la burguesa exige que el criado siga siendo el criado y que no abandone su estatus. Esto, que a ella le resulta conveniente, se denomina "solución por lo bajo". La burguesa quiere que el sirviente conserve una posición inferior a ella, a fin de poder sentirse siempre en su propio nivel.

¿Acaso nosotros mismos no impedimos que los seres que amamos suban a nuestro nivel? ¿Nuestros padres nos han permitido subir a su altura, con objeto de favorecer una comunicación igualitaria? ¿Hemos tenido ocasión de luchar contra nuestro padre y de derribarlo? Nuestra madre, que nos abofeteó, ¿ha reconocido su error y nos ha pedido que le devolvamos la bofetada? ¿Nos han dado nuestra herencia en el momento oportuno, es decir, en el momento en que podemos tener el placer de vivirla, o hemos esperado esta herencia a lo largo de nuestra vida sin que podamos aprovecharla cuando finalmente nos la leguen?

Esta historia puede hacer pensar en aquellas parejas que no se conocen realmente. Parejas en que uno de sus miembros impide cambiar al otro para así no tener que cambiar él mismo.

Si el criado sube a un nivel superior y hace el amor con un preservativo común, yo, la burguesa, me encontraría en igualdad con él. Se trataría, pues, de una relación de reconocimiento mutuo. Por el contrario, en la medida en que él utilice los preservativos de rayas amarillas y negras, nos hallaríamos ante una relación donde no se reconoce a la otra parte.

Me pregunto cuántas parejas utilizan esos extraños preservativos. ¿Cuántas parejas llegan a vivir su relación de ser a ser, sin emplear tales objetos surrealistas?

Y para que así conste...

El director de una fábrica fija en todas las oficinas carteles con la leyenda siguiente: "No hay que dejar para mañana lo que se puede hacer hoy".

De inmediato, las secretarias se precipitan hacia su oficina para pedir un aumento, los obreros se ponen en huelga a causa de sus condiciones laborales y los cajeros se van con el dinero.

Esta historia ilustra a la perfección el planteamiento de que las cosas tienen significados diferentes para cada uno. Afirmamos cosas sin darnos cuenta de que nuestras afirmaciones pueden tener un significado totalmente distinto para quienes nos escuchan.

Partimos del principio de que no hay que dejar para mañana lo que se puede hacer hoy. Queremos tener un consenso al respecto, pero de pronto nos encontramos con alguien que interpreta la misma frase de un modo totalmente diferente.

De la misma manera, me topo con personas que se aferran a sus principios, pensando que éstos representan la realidad. Resultado: los proyectan a su alrededor y chocan contra el mundo, ya sea porque los otros no tienen los mismos principios, o porque ellos les dan una interpretación distinta.

Hay hombres que creen que su mujer los ha abandonado, aunque en verdad fueron ellos los que, sin darse cuenta, la echaron a patadas.

La moneda de diez francos

Una madre aguarda con impaciencia a su hijo Abraham. El chico debió salir de la escuela hace media hora. Por fin, entra en su casa.

—¿Por qué te retrasaste? —pregunta la madre—. ¿El rabino prolongó la lección de hebreo?

—No, nada de eso. Me retrasé en la calle —responde Abraham.

—¿Por qué?

—Porque una dama perdió una moneda de diez francos.

—¡Ah!... ¿Tú te retrasaste porque la ayudaste a buscar su moneda?... Eres un buen muchacho.

—No, para nada —aclara Abraham—. No pude moverme durante media hora porque, como estaba pisando la moneda, tuve que esperar a que ella se aburriera de buscarla y se fuera.

En el fondo, este chico ha hecho lo mismo que el jorobado que cazaba cigarras en *El verdadero clásico del vacío perfecto*, de Liu Tseou. Es una obra que data de la misma época en que vivió Lao-Tse. He aquí la historia del jorobado:

—¿Cómo puedes atrapar tantas cigarras? —le pregunta alguien—. Son muchos los que no pueden coger una sola.

—Antes hacía malabarismos con cuatro o cinco bolas —responde—. Luego, las mantenía en equilibrio. Más tarde, abandoné las bolas y me fui al campo, donde me quedé inmóvil, sin moverme ni un milímetro... Cierto día las cigarras llegaron y me tomaron por un árbol. Entonces, bastó con que cerrara la mano para atraparlas.

Tengo bajo mi zapato una moneda de diez francos. Diez es

también la unidad... Lo cual me hace decir que esta historia es, a pesar de todo, religiosa. Por lo demás, en su base, toda historia judía es religiosa.

Esta historia no habla de un robo, sino de una concentración total. Pongo el pie sobre esta unidad y no me muevo. Llegue quien llegue, yo estoy ahí, presente. Toda mi atención y todo mi ser están ahí. Disimulo mi posición, pero estoy consciente, totalmente centrado en mí mismo. Sin ceder, ni desanimarme, me quedo ahí. Mi atención es total. En seguida, tomo mi unidad.

El otro día alguien me dijo: "Es raro, pero en el fondo me doy cuenta de que tengo necesidad de distraerme mucho, porque no logro concentrarme en mí mismo".

Considero este chiste como el ejemplo típico de la concentración total en mí mismo, en mi riqueza interior.

¿Quién habla?

Un joven médico, recién egresado de la facultad de medicina, abre un consultorio para atender a sus primeros pacientes. Cierto día, llega un hombre. Queriendo impresionarlo, el joven médico le pide que permanezca algunos minutos en la sala de espera y, dejando abierta la puerta del consultorio para que el visitante lo escuche, marca el número telefónico del hospital y sostiene una conversación muy animada con un interno. En seguida, marca otro número, el de un laboratorio de análisis clínicos, y habla largamente con un empleado. Después, llama a un colega. Por último, luego de colgar, va a reunirse con el visitante, quien continúa instalado cómodamente en la sala de espera.

—¿A qué se debe su visita? —pregunta el joven médico.

—¡Oh! Mire usted —responde el hombre—, soy simplemente el técnico de la compañía telefónica. He venido a conectar su línea.

Pensemos que nosotros somos a la vez el médico y el visitante. En nuestro fuero interno, sabemos que nos contamos mentiras. Queremos ser como los demás. Este joven galeno deseaba parecer un médico triunfador, como todo el mundo. La diferencia aquí, reside en que su visitante era su primer paciente. Si cuando el hombre llegó, le hubiera dicho: "¡Qué maravilla! ¡Usted es mi primer paciente!", este encuentro habría tenido lugar dentro de la verdad. Ahora bien, este médico quiso vivir la verdad de otros. Es por esta razón que malogró este encuentro.

Hace más de diez años que dicto conferencias, a las cuales sigue asistiendo gente a pesar de que no hago ninguna publicidad. El problema es que hay muchas personas que quieren competir conmigo. En ocasiones, desean incluso rentar la sala el mismo día que yo, a fin de tomar mi lugar. En este terreno lo he visto todo. Y, sin embargo, se trata de un lugar que no vale nada. Con todo, dichas personas creen que si se apoderan de él, las cosas les saldrán mejor.

Cuando hablo con alguien empiezo a imitar, entro en la esfera de la competencia y los celos, y dejo de ser yo mismo. Esto me lleva a mi destrucción.

Una paloma fiel

—Usted es dueño de una fortuna inmensa, ¿no es cierto? —pregunta un periodista.
—Cierto —responde el multimillonario.
—¿Cómo logró triunfar?
—Me especialicé en la venta de palomas mensajeras.
—¡Qué interesante! ¿Cuántas ha vendido usted?
—Una sola, pero siempre regresa.

Espiritualmente, podemos llegar a ser ricos teniendo una sola paloma mensajera, es decir, trabajando sin descanso en una sola cosa y si este trabajo se repite. Como decía Gurdjieff: "Hay que perseguir una sola liebre a la vez".

Ciertas personas van detrás de muchas liebres: pertenecen a todas las sectas y a todas las religiones... Pasan de un lugar a otro y no hacen su verdadero trabajo. En cambio, con una sola paloma mensajera podemos llegar a nuestra realización, siempre y cuando le seamos fiel al ave y ella también lo sea.

Para que te sea fiel y que regrese a ti, es necesario que le ofrezcas un lugar. Es preciso que le reserves en tu corazón un espacio para tu búsqueda, para tu idea.

¡Ser fieles a nuestra búsqueda! ¡Tener nuestra paloma mensajera! ¡Echarla a volar y que regrese! Un movimiento perpetuo de ida y vuelta, teniendo por objetivo la búsqueda con fe de la unidad con nosotros mismos.

Las hermanas gemelas

Durante la ausencia de su mujer un hombre hace venir a su casa a la hermana gemela de ésta. En ese preciso momento, su esposa entra de improviso y encuentra a ambos en el mismo lecho. La recién llegada, enfurecida, grita: "¡Canalla! ¡Me pregunto qué puedes encontrar de sexy en una mujer tan fea!"

Nuestra mirada es subjetiva. No percibimos la realidad tal como se presenta... Nuestra percepción se ve afectada por nuestras emociones, de manera que nos conducimos por el mundo con juicios subjetivos.

Cuando preparaba *La montaña sagrada*, me encerré en una casa 24 horas al día durante siete meses con el grupo de actores que participaban en la película. Apenas dormíamos cuatro horas diarias, ya que trabajábamos el resto del tiempo. Todos los viernes eran días "objetivos". No podíamos decir nada subjetivo; por ejemplo: "¡Mmm! Las espinacas son buenas" o "Tengo sed" o "Tengo calor". En su lugar decíamos: "agua", "contesta el teléfono". Obviamente, no decíamos "está bien" ni "buenos días".

Además, cada vez que alguien decía algo subjetivo, sonaba una gran campana. El viernes, la campana no paraba de sonar. Finalmente, nos dimos cuenta de que noventa y nueve por ciento de nuestros propósitos eran subjetivos.

Podemos repetir en nuestra casa el experimento; ahora bien, vivir una "jornada objetiva" no es la cosa más fácil del mundo. Se sorprenderían al corroborar que hacemos perpetuamente todo tipo de juicios sobre todo.

Vivimos en los juicios y en un mundo que en general no tiene nada de objetivo. El chiste que nos ocupa es una evocación excelente de este hecho.

¡Sonría, por favor!

En una fábrica de productos químicos, un empleado que trabaja en la sección de gases lacrimógenos se presenta con los ojos llorosos ante su jefe.

—¡Esto no puede seguir así! ¡Debe usted darme un aumento! —plantea, llorando, el empleado.

—No puedo darte un aumento, pero quiero verte sonreír... A partir de mañana, cambiarás de sección y trabajarás en la de gas hilarante —responde el jefe.

Este chiste se parece a una historia hindú muy antigua:

En un zoológico, los monos se ponen en huelga porque consideran que están mal alimentados. Les dan cuatro nueces en la mañana y tres en la tarde. Alguien resuelve rápidamente el problema diciéndoles: "A partir de ahora, tendrán tres nueces en la mañana y cuatro en la tarde".

Los monos quedan muy satisfechos con este nuevo acuerdo.

En ocasiones, creemos encontrar una solución milagrosa para nuestra vida, aunque en verdad nos engañamos a nosotros mismos. La nueva solución nos lleva exactamente a la misma situación de antes, pero bajo otro aspecto. El problema no ha sido resuelto. Lo que sí se ha resuelto es sólo cierta forma. Dicho de otro modo, estamos alegres sin razón válida.

En un libro sobre Lacan, *Cent-trente-deux bons mots avec Lacan*, encontré la historia de un hombre que se siente muy contento porque piensa que está curado, en tanto que Lacan lo juzga enfermo precisamente porque se considera curado:

—Doctor, tengo plena conciencia de mi psicosis —dice el enfermo.

—Ah, evidentemente es usted un hombre feliz —apunta Lacan.

Después, una vez que el enfermo sale del consultorio, el psicoanalista dice para sus adentros: "Es un hombre feliz. Parece curado. En mi opinión, ésta es la idea más peligrosa".

Yo aplico esta historia al hombre que trabajaba en la sección de gases lacrimógenos y se cambió a la de gases hilarantes: "En mi vida he sufrido mucho, pero ahora ¡eso se acabó! Hoy día río y soy muy entusiasta... ¡Pero el problema sigue ahí! No lo he resuelto. La única cosa respecto de la cual he actuado es mi actitud. De negativa pasó a ser positiva pero, ¿qué cambia esto? La herida continúa ahí".

En tanto que las heridas de la infancia no aprendan a reírse de sí mismas, nada se habrá arreglado. La herida debe convertirse en una boca que ríe. Pero si eres tú el que ríe, mientras que tu herida sigue sangrando, te mientes a ti mismo.

Una intimidad contrariada

—¿Te gustaría dar un pequeño paseo? —propone un grano de arena a otro.

—¡Cómo no! —responde el otro.

Los dos granos parten a la aventura en el desierto del Sahara. Avanzan tranquilamente hasta que, de repente, un grano le dice al otro:

—¡Oye! ¡Tengo la impresión de que nos están siguiendo!

Ambos se creían únicos, a pesar de que estaban rodeados de millares de granos idénticos. Del mismo modo, nosotros nos creemos únicos y pensamos que sólo nosotros tenemos problemas, aunque existan millones de personas que padecen problemas idénticos.

¡Perdió la chaveta!

Abraham agoniza y toda su familia lo acompaña en sus últimos momentos.

—¿Estás aquí, Sarah? —pregunta, con dificultad, Abraham.

—Sí, aquí estoy —responde Sarah.

—¿Y los niños? —indaga Abraham.

—Sí, aquí estamos, papá.

—Sarah... antes de morir, debo decirte... Moshé nos debe 15 dólares.

—¡Miren qué lúcido está! ¡Qué maravilla! —comenta la madre a sus hijos.

—Sarah —continúa débilmente Abraham, debilitado por el esfuerzo—: Rosenberg nos debe todavía 25 dólares.

—¡Todo es aún posible! —exclama, llena de esperanza, Sarah—. ¡Él está lúcido!

—Sarah, es preciso que sepas que le debemos cuatro dólares al carnicero —agrega Abraham.

—¡Dios mío! —replica, horrorizada, Sarah—. ¡Ha comenzado a delirar!

Este chiste muestra cómo interpretamos a veces la realidad, para que ésta se ajuste a nuestros deseos. Nuestra interpretación es más bien subjetiva. Tergiversamos la verdad. Sólo vemos lo que nos conviene y, además, lo interpretamos como mejor nos parece.

117

La receta

Durante un crucero, una pasajera, entusiasmada por el delicioso cordero salteado, va a pedir la receta al cocinero. Este último le explica: "Es muy sencillo. Sólo guise la carne con doce mil cebollitas en cincuenta kilos de mantequilla".

En la vida existen diferentes puntos de vista. Creemos que la realidad corresponde a nuestro punto de vista, pero éste es del todo personal y nadie más lo comparte. Como el cocinero prepara alimentos para miles de viajeros, la receta le parece sencilla. Para él, la realidad tiene cierto aspecto.

Cuando se dice: "La realidad es como esto y aquello", debemos preguntarnos: "¿Quién habla? ¿Para quién se presenta de ese modo la realidad?"

Una limosnita, por favor

Jacob se encuentra con Abraham en la calle.

—Amigo mío, ¿tienes un poco de dinero que me prestes? —solicita Jacob.

—No, no llevo nada encima —responde Abraham.

—¿Y en la tienda? ¿Ahí tienes dinero? —insiste Jacob.

—No. Acabo de cerrar y deposité el dinero en el banco.

—¿Y en tu casa? —agrega desesperado Jacob.

—En mi casa todo va muy bien, gracias.

Se trata de una lección. Esta historia nos remite al zen. Tú no estás obligado a responder en la misma longitud de onda que tu interlocutor.

A fuerza de trabajo, puedes haber alcanzado un nivel elevado. Cuando te encuentras con personas de tu pasado, no tardas en darte cuenta de que ellas han permanecido en una etapa que ya no te corresponde, pero a la cual quieren asimilarte. Van a plantearte preguntas en función de su nivel y tú vas a caer en la trampa. Vas a responderles en sus propios términos y, en ese momento, te atraparán.

Cuando te interroguen, no tienes obligación alguna de responder. Puedes eludir la respuesta preguntándote a ti mismo como forma de contestación, o bien cambiando de nivel o de significación.

—Y en tu casa, ¿tienes dinero? —te pregunta el otro.

—En mi casa, todo va bien, gracias —le respondes.

Por medio de esta contestación, cambias de tema y el otro no te atrapa. ¿Por qué permitir que alguien, no importa quién, nos acorrale en la trampa de su proyección?

119

En el fondo, ¿quién te mete en la trampa? Los otros te la presentan, te tientan, pero ¡eres tú el que salta hacia su interior a pie juntillas... o el que no lo hace! Pagas muy caro un poco de calor humano.

A menos que tú mismo seas una trampa perpetua que intenta atrapar a los otros para desangrarlos o triturarlos...

La sopa insípida

Un hombre se halla preparando una sopa. Para probarla, llena el cucharón, bebe un sorbo y se da cuenta de que le falta sal. Conservando el cucharón lleno en una mano, agrega sal a la sopera y vuelve a gustar la sopa contenida en el cucharón. Como de nuevo la encuentra escasa de sal, derrama más en la sopera y vuelve a probar la sopa del cucharón: ningún cambio. Entonces abandona la idea de ponerle sal a su sopa.

Digamos que el cucharón es la parte de nosotros mismos que deberíamos mejorar. Por ejemplo, nos decimos: "A mí me falta felicidad", pero en lugar de trabajar en nosotros, lo hacemos en el exterior. Buscamos mejorar las circunstancias exteriores en vez de mejorar la relación con nosotros mismos.

La cacería del león

Un tipo jactancioso se las da de ser un gran especialista en materia de leones. Cierto día lleva a un amigo al desierto, con objeto de iniciarlo. De repente, detrás de una duna, los dos hombres descubren las huellas de un ejemplar... El especialista dice entonces a su amigo: "He aquí una oportunidad única... Tú vas a seguir las huellas que parten a la derecha para saber adónde va el león, y yo seguiré las huellas que llegan por la izquierda para saber de dónde viene".

El león simboliza algo por descubrir y estudiar. En nuestro interior nos decimos: "¡Quiero saber qué me espera!" "Lo que me espera" podría ser el león. Podría ser una hija que se droga, una pareja que anda mal, etc. Cuando empezamos a acercarnos al corazón del problema, reculamos alegando: "Bien consideradas las cosas, ¡no quiero ver al león! Es bueno que los otros se ocupen de sus problemas, pero yo no quiero ocuparme del mío porque tal cosa me va a hacer daño..."
¿Cómo enfrentar este dolor?

El perico calvo

Un perico, que hablaba muy bien, vivía en una tienda donde se vendían botellas de aceite. Cierto día su dueño, antes de ausentarse, le dijo:

—¡Cuida la tienda y llámame si viene un ladrón, pero sobre todo presta mucha atención a las botellas!

Cuando se quedó solo, un gato se coló en la tienda y el desdichado loro rompió tres o cuatro botellas de aceite al tratar de escapar de las garras del felino. Más tarde, constatando los estragos, el dueño se llenó de rabia y golpeó violentamente en la cabeza al perico, el cual perdió las plumas que adornaban su cabeza.

Algunos días después, entró en la tienda un cliente calvo, al cual interpeló el loro:

—¡Oh, pobre amigo mío!, ¿tú también rompiste botellas de aceite?

El perico mide el mundo en función de sí mismo y no en función del cliente. No se pone en el lugar del otro.

Con respecto al ser que vive a mi lado, ¡es necesario que deje de medir y de juzgar todo en función de mí mismo! En un momento dado, debo llegar al amor consciente, ponerme en el lugar del otro y ver qué le ocurre.

¡Hay que dar amor consciente y dejar de ocuparnos exclusivamente de nosotros mismos!

Las economías de Isaac

El pequeño Isaac entra muy contento en su casa. Se precipita sobre su papá y le anuncia triunfalmente:

—Papá, ¿sabes?, hoy en la tarde, al dirigirme a la escuela, gané cuando menos cinco francos...

—¿Sí? ¿Cómo lo hiciste?

—Corrí tras el autobús. Y, en lugar de tomarlo, ¡corrí hasta el final!

—¡Pedazo de imbécil! Si hubieras corrido detrás de un taxi, habrías ganado diez veces más...

Del mismo modo, en el camino espiritual nos hacemos muchas ilusiones y creemos que al perseguirlas ganaremos mucho con ello.

Esto es un engaño. Hacemos un trabajo ilusorio y nos sentimos iluminados. Hablamos de iluminación, cuando aún no hemos realizado nada... cuando todavía no hemos hecho el trabajo verdadero.

A partir del momento en que nos declaramos "Iluminados" —así, con mayúscula—, queremos salvar a la humanidad. Entonces, pasamos de ilusiones en ilusiones cada vez mayores. Terminamos creando incluso una inmensa sociedad y nos convertimos en gurú de ella. Sin embargo, no hemos realizado nada.

Este chiste me aconseja no correr tras las ilusiones pensando en ganar mucho con ello; en realidad, no enfrentar mi problema central equivale a correr tras un taxi.

Después, desearemos volar tras un avión... ¡Imposible! Volar cae ya en el orden de los milagros.

Un filósofo me dijo: "En la naturaleza, hay tres formas de supervivencia".

Al tiempo que las enunciaba, las apliqué al Yo. Esas tres formas son las siguientes:

La primera consiste en multiplicarse enormemente. Hay peces que se multiplican por miríadas; aunque mueran por millones, queda siempre un buen puñado de ellos.

La segunda es utilizada por otras especies. Consiste en aislarse, en enquistarse. En ese momento, la vida se cierra al máximo en sí misma. Podemos encontrar esta forma de supervivencia incluso en las centrales atómicas. La vida se repliega y defiende a tal grado, que logra subsistir en este medio.

La tercera forma consiste en adaptarse a cualquier circunstancia. Por ejemplo, tú aplicas DDT a los insectos pero, tiempo más tarde, éstos lo absorben. Se relamen con él. Se adaptan a él.

Para sobrevivir el ego utiliza estos tres principios... El ego es la parte de nosotros que no es la más perfecta, pero que sí es muy útil. El problema estriba en que este ego quiere dirigir nuestra vida. Tal vez tenga la tendencia a multiplicarse enormemente. Algunas personas tienen un ego que se desarrolla y crece sin cesar. Se desarrolla tanto y tan bien, que estas personas terminan por convertirse en los gurús que exhiben su jeta en todas partes.

Eso sucedió conmigo en relación con un librito de mi autoría: *La tricherie sacrée*. Mi jeta aparece en la portada. No fui yo quien la puso ahí. Con todo, a pesar de haber echado tantas pestes contra los gurús que incluyen su jeta en la portada, los dejé hacer.

El ego se multiplica, pero también se adapta muy bien a todo. Por ejemplo, en una pareja, milímetro a milímetro, sus dos miembros pasan por todas las etapas. Al principio, se insultan de modo episódico. Al cabo de un tiempo, están tan acostumbrados a hacerlo, que viven insultándose sin cesar. Luego, llegan a situaciones familiares monstruosas, pero en virtud de que el ego se adapta a ellas, las viven cotidianamente sin que les produzcan asombro alguno.

Otro ejemplo: yo soy ciclotímico. Cuando estoy contento, llego a la casa cargado de regalos; pero cuando tengo la moral baja, es el escándalo, la depresión, el suicidio y todo lo demás.

Todo el mundo corre detrás de mí para salvarme la vida. Luego vuelvo a animarme... con la luna, ciertamente... y me pongo muy contento. El ego se adapta a esto y sobrevive.

O bien nos enquistamos. Durante años y años, seguimos siendo exactamente los mismos. Los pensamientos, así como el carácter, no evolucionan.

Esta forma de supervivencia es la más terrible de todas.

Has permanecido durante mucho tiempo sin ver a una persona. En el transcurso de este periodo, has cambiado. Toda tu vida se ha vuelto diferente. Cuando te topas con una persona del pasado, ésta guarda la misma actitud que antes y, lo que es peor, insiste en verte tal como eras antes. No te perdona que hayas cambiado. Para ella, sigues siendo el sinvergüenza que conoció diez años atrás.

Y si, por azar, has tenido un hijo con este hombre o con esta mujer del pasado, los hijos te van a tratar como un sinvergüenza, porque van a mirarte con los ojos del padre o de la madre.

Cosa terrible es ser observado con los ojos del pasado, cuando hemos evolucionado y los demás se niegan a verlo.

¡La culpa es tuya!

El joven padre entra en el cuarto de la recién parida. Abraza a su mujer con emoción. A continuación se inclina sobre la cuna y se da cuenta de que el bebé es negro.

Retrocede horrorizado y, antes de que tenga tiempo de reaccionar, su esposa declara:

"Ahora puedes ver el resultado de tu manía de hacer el amor en la oscuridad".

Frente a su marido, y a pesar de la prueba de su delito, la mujer no reconoce el haberse acostado con un hombre de otro color. Afirma que su esposo es el responsable.

Decir que todo lo que nos sucede es culpa del otro, constituye una actitud a la que con frecuencia recurrimos en nuestro quehacer psicológico cotidiano: "Todo lo que me ocurre es culpa tuya. Es tu culpa el que nuestro matrimonio ande mal. Es culpa tuya el que nuestra relación vaya mal. Mis errores son también culpa tuya".

Cotidianamente buscamos saber quién es el responsable de lo que nos pasa, sin darnos cuenta de que somos el cómplice principal de ello, por no decir los únicos artesanos. Somos responsables de todo lo que nos sucede. Yo me hallo exactamente en el lugar donde me pongo a mí mismo. Cuando dejo de echarle la culpa a los demás, me encuentro a mí mismo. Yo soy el responsable de lo que me ocurre.

La iglesia católica ha comprendido esto muy bien. De ahí que la única vía para llegar a Cristo sea la confesión de los pecados, la aceptación de la culpa. Sólo por medio de esta aceptación, se produce el encuentro con uno mismo.

El sexo de las moscas

Una anciana entra en una pajarería para comprar dos mirlos.

—Quiero dos mirlos, un macho y una hembra —explica la dama al vendedor—. Pero antes de comprarlos, quisiera saber cómo reconocerlos.

—Es muy fácil, querida señora —responde el vendedor—, basta con comprar dos moscas, un macho y una hembra. El pájaro que se coma a la hembra será el macho y el que se coma al macho será la hembra.

—Tiene usted toda la razón, ¡es muy fácil! Deme pues los dos mirlos. En seguida iré a conseguir las dos moscas.

La anciana sale de la pajarería llevando su pareja de mirlos, pero regresa diez minutos más tarde.

—¡Tengo un problema! —plantea, consternada, al vendedor.

—¿Cuál?

—No sé distinguir el sexo de las moscas.

—¡Ya veo! ¿Y qué quiere usted que yo haga? Yo tampoco lo sé distinguir. Vaya a preguntarle al vendedor de moscas.

Esta mujer que compra los dos mirlos es como un discípulo que busca la verdad.

Buscamos la verdad dirigiéndonos a alguien. Éste nos la da: "¿Quieres saber cómo distinguir el macho de la hembra? ¡He aquí la respuesta!"

Pero sucede que la verdad siguiente no la conoce. Nos manda a preguntarle a otra persona.

Así, de verdad en verdad, revivimos nuestra experiencia infantil, cuando intentábamos averiguar lo que era la sexualidad. El único material masturbador a nuestra disposición era un diccionario. Ahí buscábamos el significado de "sexo" y nos remitían al de "óvulo". Entonces buscábamos "óvulo" y nos enviaban a "esperma". Buscábamos "esperma" y nos mandaban a no sé dónde. De este modo, febrilmente, recorríamos el diccionario todo un día, sin jamás llegar a saber cómo era la cosa.

En el dominio del conocimiento, ocurre lo mismo. Nos envían de un maestro o gurú a otro, pero siempre nos quedamos con sed de realización.

¡Prosit!

Volando en su automóvil, un judío choca contra el vehículo de un alemán. No sé si lo impulsó su inconsciente, pero el caso es que destruyó por completo el coche del alemán. Milagrosamente indemne, el alemán emerge, aturdido, de los restos de su auto. Está conmocionado por el choque.

—¡Milagro! ¡Alabado sea Dios! ¡¡¡No le pasó nada!!! —exclama el judío.

Al escuchar estas palabras, el alemán se da cuenta, maravillándose, de que en efecto está sano y salvo.

—¡Levantaremos el acta más tarde! ¡Ahora vayamos al bar a celebrar que no le pasó nada a usted! —propone cálidamente el judío.

—¡Sí, vayamos al bar! ¡Levantaremos el acta más tarde! —repite, con arrobo, el alemán.

Al llegar al bar, el judío pide dos aguardientes. El alemán termina con el suyo de un trago. En seguida, el judío ordena otros dos y el alemán bebe el segundo con la misma rapidez que el primero. Tampoco muestra mayor reparo para ingerir el tercero y el cuarto. En el quinto o sexto, se da cuenta de que su compañero no ha bebido una sola gota.

—¿Y bien? —pregunta, con la lengua pastosa, el alemán—. ¿Acaso usted no bebe?

—Por supuesto que bebo —contesta el judío—, pero antes espero a que la policía venga a levantar el acta.

En esta historia presenciamos a dos adversarios. ¡Hay que leer *El príncipe*, de Maquiavelo! Encontrarse en estado de santidad no significa ser cretino.

Resulta imperativo saber que no todos tenemos el mismo nivel de conciencia.

Todos tenemos nuestra razón de ser. Tanto mejor para nosotros. Todos tenemos el derecho de destruirnos, de tener mal genio, de suicidarnos o de utilizar nuestro ego como mejor nos plazca. Todos tenemos el derecho de ser lo que queramos pero, por favor, ¡que nos dejen en paz!

Yo no estoy obligado a asociarme con el primero que venga a realizar una obra cualquiera. ¡Se impone una elección! No vamos a tomar una copa con una persona que desea nuestra perdición y que aprovecharía la confianza que le otorgamos para darnos una puñalada por la espalda. Es necesario tener la conciencia de no vincularnos con cualquiera, con el pretexto de que nos dice que nos quiere, que nos admira, que hay que celebrar el acontecimiento, y que esto y que lo otro...

Ahora bien, mantenernos vigilantes en la elección de nuestras relaciones no quiere decir que seamos sectarios, malos o cualquier otra cosa negativa. Más bien, significa que somos guerreros conscientes (no paranoicos, por supuesto) y que, a primera vista, en nuestra sociedad el otro puede ser un peligro. ¡A primera vista!

Es preferible entablar lentamente la relación (tal como lo haríamos para pisar marchando la cola de un tigre sin despertarlo) y, en seguida, encontrarnos de corazón a corazón como hermanos.

En la revista sagrada *Télérama*, leí un pequeño cuento tibetano que ilustra a la perfección lo que acabo de decir. Helo aquí:

> A lo lejos vi algo y creí que era un animal. Al acercarme me di cuenta de que era un hombre. Me acerqué todavía más y comprendí que era mi hermano.

A lo lejos, cualquier criatura puede ser un animal agresivo para nosotros. Debemos conocer sus intenciones. Sólo después nos le acercaremos. En ese momento, será un hombre. En seguida, si la relación lo permite, todo humano se convertirá en nuestro hermano.

Con todo, existen distancias que hay que respetar para poder acercarnos a nuestro hermano. Antes, es menester dejar atrás al animal que hay en él.

Lo que digo puede parecer un poco cruel... pero lean ustedes *El príncipe*, de Maquiavelo, y entenderán que aquello es tanto como esto.

El papel tapiz del vecino

Un matrimonio joven se instala en un departamento nuevo. Como la pareja quiere retapizar el comedor, va a ver al vecino, quien tiene un comedor de la misma dimensión.

—Vecino, queremos retapizar nuestro comedor, cosa que usted ya hizo. ¿Cuántos rollos de papel compró?

—Siete —responde con amabilidad el vecino.

Contando con esta información, los jóvenes esposos compran costosos rollos de papel de calidad superior, con los cuales comienzan a revestir las paredes. Al terminar el cuarto rollo, el comedor está totalmente tapizado. Furiosos por haber gastado una fortuna inútilmente, van a ver de nuevo al vecino.

—Seguimos su consejo sobre el papel tapiz, ¡pero no comprendemos por qué nos sobraron tres rollos!

—¿A ustedes también? —contesta, asombrado, el vecino.

Los hombres no somos idénticos. La experiencia del otro no es la nuestra. Su experiencia tiene ciertas virtudes y ciertos defectos para nosotros.

Antes de dictar una conferencia, se me acercó una persona que quería hablar conmigo.

—Ya no tengo tiempo. Me queda un minuto —le dije.

—De acuerdo, pero la próxima vez vendré y usted me dirá qué debo hacer.

—No, yo no le diré lo que usted debe hacer —expliqué—. No lo puedo aconsejar, porque la solución de su problema es la solución de usted. Mi solución es la mía. ¡El truco consiste en no ser perezoso! Si yo me tomo el tiempo necesario para reflexionar sobre la solución de un problema, usted puede hacer lo mismo.

Los jóvenes esposos debieron medir antes los muros. ¿Por qué le preguntaron al vecino? ¿Por qué preguntar al otro cuál era su experiencia? Obviamente hay que preguntarle. Nos enriquecemos con su respuesta, pero en seguida es menester levantar nuestra propia acta, hacer nuestra propia medición. No nos basta con su palabra. Y esto es así no porque el otro quiera o pueda mentirnos, sino porque nosotros no somos el otro.

Una mujer embarazada le pregunta a su madre:

—Mamá, ¿cómo voy a parir?

—Al abrir las piernas, ten cuidado de no levantarlas demasiado. También se recomienda no contraerse mucho, pero yo contraje el abdomen y me fue muy bien. Haz exactamente lo mismo que yo y todo te saldrá muy bien.

La hija hace los mismos movimientos y no le funcionan en absoluto. Toda una catástrofe. Lo que la madre hizo no tiene nada que ver con lo que la hija va a hacer. Es necesario comprender que nadie, excepto nosotros mismos, puede saber cómo traer al mundo a nuestro hijo. ¡No hay ningún consejo que pedir!

Podemos buscar conocer la experiencia de otra persona:

—¿Cómo te fue a ti?

—A mí me fue de tal y cual modo.

Sin embargo, no es posible decir: "Debido a que a mí me fue de esta manera, a ti te ocurrirá lo mismo".

Una mujer joven dio a luz a su hija al final del séptimo mes de embarazo. Me preguntó por qué. Le respondí: "Pregúntaselo a tu mamá". Así lo hizo y su madre le contestó: "Naciste prematuramente, al séptimo mes". Esta madre transmitió su experiencia vital a su hija. Esta experiencia se transmite como un dogma. La hija recibió el dogma y reproduce la vida de la madre. No vive la suya. Intenta parecerse a su madre. No hay diferencia. Esto es un ataque contra la vida.

Es necesario tener mucho cuidado, a fin de evitar que obremos como los otros, sobre todo cuando se trata de nuestros padres y, peor aún, de nuestros amigos o de quien sea. Debemos construir nuestra propia experiencia.

Tal es la lección que yo saco de este chiste. Se trata de un buen consejo para no dejarse llevar por la pereza.

"En virtud de que mi hermano actúa de este modo, yo actúo igual: lo imito." "Hay que comprender que lo imito, porque él es el preferido y quiero ser tan amado como él."

Es menester tener conciencia de por qué imitamos y de por qué queremos ser como el otro.

Seis días muy largos

El jefe de personal de una empresa telefonea al antiguo patrón de Sánchez:

—¿Me puede indicar exactamente cuánto tiempo trabajó con usted el señor Sánchez?

—Sí, él trabajó exactamente seis días.

—¿Qué dice? ¡Sánchez acaba de venir a verme y me dijo que estuvo con usted dos años!

—Es cierto, pero usted me preguntó exactamente cuánto tiempo trabajó conmigo.

Esto lo aplico a mí. Si yo hubiera trabajado verdaderamente durante todo el tiempo que se me ha dado, ahora estaría levitando. Me encontraría a tres metros arriba del suelo, con las piernas cruzadas, lleno de felicidad, lanzando rayos luminosos y diciendo: "¡No se preocupe por nada! ¡No se angustie! ¡Deme sus angustias y yo le daré alegría! ¡Deme su dinero y yo le daré seguridad! ¡No posea nada! Cuando no se tiene nada, uno está seguro. He ahí la verdad. Deme su ser, porque yo soy el ser".

Para llegar a eso, habría sido necesario que yo hubiera trabajado toda mi vida.

En realidad, si hubiese deseado llegar a ser lo que quería, habría sido necesario que hubiera trabajado toda mi vida en ello. Pero fui perezoso... increíblemente perezoso. Por pereza no me desarrollé tanto como hubiera querido.

Aconsejo a los jóvenes que deseen alguna cosa, que se apliquen a ella de inmediato, porque tenemos la lamentable tendencia a perder mucho tiempo y a engañarnos a nosotros mismos. Nos decimos: "Estoy trabajando" y la verdad es que no trabajamos. "Estoy meditando" y la verdad es que no meditamos, sino que pensamos en miles de cosas. "Estoy haciendo esto o aquello" y la verdad es que no hacemos nada. ¡No hacemos nada de lo que queremos!

Consejo: piense en qué quiere hacer y hágalo de inmediato. ¡Ahora mismo, meta el futuro en el presente!

—Un día voy a invertir...

—¡No digas un día! ¡Hazlo de inmediato!

—Voy a hacer cine...

—¡Hazlo ya!

—Me voy a casar...

—¡Hazlo enseguida!

—Voy a resolver mi vida emocional...

—¡Ahora mismo! ¡Haz las cosas ahora mismo!

La pesca de marangullas

En la madrugada, dos camaradas se cruzan en la calle.

—¡Vaya! —exclama el primero—. ¿De dónde vienes tan temprano, Roger?

—Fui a pescar —responde el segundo.

—¿De veras? Pero, ¿qué puedes pescar en esta estación?

—Bueno, justamente acaban de decirme que estamos en la época de la pesca de marangullas.

—¿La pesca de qué?

—¡De marangullas!

—¿Qué clase de animales son esos? ¿A qué se parecen?

—¿Cómo quieres que te conteste? ¡No he atrapado uno solo!

Este chiste es sublime. Hay muchas personas que meditan a fin de obtener iluminación. Ahora bien, decir: "Ya me iluminé", equivale a afirmar: "Ya me marangullé".

"Mi primera marangulla tuvo lugar..." Los gurús hablan de este modo: "Yo me marangullé el 17 de febrero de 1940. Estaba en un árbol y, de repente, mi cuerpo cayó al suelo pero mi espíritu siguió sentado en el árbol": Bagwan Rajneesh. Tal es la descripción de su iluminación. Estando sentado en una rama, se cayó pero su espíritu permaneció sentado en el árbol. Lo único que cayó fue su cuerpo...

"Caminaba por la orilla del mar. De pronto llegó un pequeño sol y se metió en mi cabeza."

He ahí lo relatado por Pak Subud.

Otro gurú andaba en la calle, cuando una pordiosera le arrojó una piedra a la frente. Herido se marangulló. Ésta es la iluminación de Meher Baba.

Así, en cada ocasión que te describen una marangullada, tú

quieres hacer lo mismo, pero no sabes qué es la marangulla. Entonces, te pasas la vida entera queriendo marangullarte, porque no estás satisfecho y crees que no vales nada si no te marangullas. Hago votos porque te marangulles algún día, puesto que de ese modo quedarás satisfecho. Esto lo enseñan muchas escuelas zen.

La mitad del puente

Una mujer está por atravesar un puente de paga. Como peaje entrega un denario al empleado.

—Se equivoca —le señala el empleado—; cruzar el puente cuesta dos denarios.

—Resulta que a la mitad del puente me arrojaré al agua.

En el café, antes de dictar las conferencias, algunas personas se me acercan en busca de consejo. Una de ellas me dijo:

—Con base en tus orientaciones, trabajando contigo y con otros, y haciendo esto y aquello, he podido progresar en tal y cual dominio. Incluso he logrado construir un hogar, tener hijos... Sin embargo, no soy feliz.

—¿Ah?

—Sí, he conseguido todo en lo exterior, pero no en lo interior. Estoy desesperada.

Yo comparo a la persona que me dijo esto con la mujer de la historia del puente. Ha llegado a la mitad del puente y quiere saltar, con objeto de no pagar el precio.

Ella no quiere pagar el precio, es decir que ha avanzado hasta cierto punto y dice: "Todo lo que he logrado es exterior".

En mi opinión, la realidad exterior es también interior. Forma parte de nuestros sueños. Fundamentalmente, todo lo que hacemos en lo exterior actúa sobre nuestros sueños.

Si me arreglo los dientes, arreglo mi interior. Si construyo un hogar equilibrado, construyo hacia mi interior.

Por el momento busco la felicidad. Pero la felicidad no es una cosa que deba adquirir. Es una situación, un estado, una sensación que me penetrará poco a poco sin que yo la busque.

A la mitad del puente, he comenzado a ordenar las cosas que están en el exterior y, si pago el precio, es decir, si continúo cruzando el puente, todo lo que he construido en mi exterior va a empezar a regresar y actuar sobre mi interior. Para ello, es necesario que pague con mi atención, mi ego, mi pasado, y que entierre un montón de cosas: que pague el precio. De no ser así, me pasaré todo el tiempo a punto de saltar a la mitad del puente.

A esta persona que me contó sus problemas, le dije: "¡Adelante! ¡Pague el precio del puente y crúcelo! No se puede quedar a la mitad y suicidarse, es decir, abandonar todo, únicamente porque es menester hacer un esfuerzo más."

Etnología comparada

Dos amigos beben whisky y charlan.

—El hombre y la mujer se parecen muy poco —comenta el primero.

—¿Por qué? —pregunta el segundo.

—Porque el hombre puede pagar el doble de precio por un objeto que necesita, en tanto que la mujer compra con frecuencia a mitad de precio un objeto con el que no sabe qué hacer.

Este chiste es interesante para todas aquellas personas que asisten a cursillos. En ocasiones, participé en cursillos que eran baratos y pagué la mitad de precio por conocimientos que no me sirvieron de nada. Como tenía una visión negativa del dinero, creía que éste sólo servía para gastarlo en los centros nocturnos. Jamás lo habría invertido en el espíritu. No era capaz de pagar el precio de un conocimiento. Prefería ir a donde lo impartían gratuitamente.

Cuando digo gratuitamente, no hablo sólo de dinero. Por ejemplo, Ejo Takata, ese loco maestro zen, me hizo meditar sin interrupción durante siete días. Dormía apenas tres cuartos de hora cada noche. Al final, quería huir. Me decía: "¿Qué hago aquí? Pago mucho. ¿Qué gano? Tengo las rodillas muy adoloridas, hinchadas y a punto de reventar a causa de la posición, ¡esto es muy caro!... ¡En verdad, muy caro!" Luego me dije: "Es cierto. He pagado el doble del precio, ¡pero esto me va a servir un día!" En la actualidad, camino con las rodillas tiesas.

A cada quien lo suyo

Un tejano rico atraviesa el desierto a gran velocidad, a bordo de un espléndido automóvil. Se topa entonces con un granjero de edad avanzada.

—Yo, en Estados Unidos, tengo una granja inmensa —cuenta el tejano—. Cuando quiero recorrerla, tomo mi automóvil y el recorrido me lleva más de un día. Manejo y manejo y al atardecer aún no he terminado... ¡Mi granja es verdaderamente increíble!

—¡Ah! —exclama, pensativo, el viejo—. ¿De veras?... ¡No sé qué daría por tener un automóvil así!

Uno esperaría que el anciano deseara las tierras del tejano... ¡pero no las desea en absoluto! En el fondo, está muy satisfecho con su situación. Lo que le atrae es la máquina que permite viajar. No le da ninguna importancia a la posesión del otro.

Es una historia que nos puede ser útil cuando nos encontramos con personas que se jactan de sus posesiones, sean éstas materiales, espirituales o de otro tipo... Asimismo, hay personas que acumulan conocimientos para afirmar su ego y en seguida los exhiben frente a nosotros. Cuando pretendan deslumbrarnos, podemos responderles: "Sí, es muy interesante... ¡pero mi pequeño desierto tampoco está mal! Estoy encantado con él. No envidio tus tesoros, porque yo soy feliz con lo que tengo. No me pongo a competir. No me comparo".

¿Vamos a pasar toda nuestra vida comparándonos? El interrogante que nos plantea esta historia es el siguiente: ¿Con quién o con qué te comparas tú en la vida?

Cuando una mujer me dice: "Soy fea", yo siempre le respondo: "¿Con quién te comparas?"

143

En términos generales, las mujeres se comparan con su hermana, su mamá, etc. Pero, en algunas ocasiones se comparan con Marilyn Monroe... En otras, ¡con un canon de belleza que ni siquiera existe!

—Soy muy blanca, muy negra, soy demasiado gorda, muy baja, muy alta...

—¿Con quién te comparas?

—No soy lo suficientemente inteligente.

—¿Acaso la inteligencia te sirve para tener inteligencia o te sirve para vivir? ¿Te resulta útil la inteligencia que tienes en este momento? En caso afirmativo, ¿para qué angustiarse?

Interpretación mortal

En África, un tartamudo rorma parte de un grupo de cazadores.
—¡Hip, hip, hip... —grita de repente el tartamudo.
—¡Hurra! —responden, en coro, los demás cazadores.
—...popótamo! —concluye el tartamudo, quien a continuación es aplastado por una manada de hipopótamos.

Este chiste nos dice que es necesario comprender el lenguaje del otro y saber interpretarlo.

Cierto día, hacia las ocho de la mañana, acompañaba a mi hijo de diez años rumbo a su escuela.

—Mira a esa señora, la que va vestida de rojo y lleva un perro —comenté a mi hijo, mientras atravesábamos el bosque de Vincennes—. Parece ser muy seria. Creo que no trabaja. La mantiene su marido y su único trabajo es pasear al perro.

—¡Pero, Alejandro! —replicó mi hijo—, ¡quizá sea su día de descanso!

—¿Sí?

—También puede ser que ése sea su trabajo, es decir, que le paguen por pasear al perro.

—Es cierto...

—O tal vez se trate de una prostituta.

—¡Ah, sí!

Me cerró el pico. Me dio diez interpretaciones diferentes con base en lo que le dije. ¡Qué lección para mí!

Mi mujer se fue

—Hace tres días que desapareció mi mujer —declara un hombre, quien acaba de llegar precipitadamente al puesto de policía—. ¡Deben encontrarla! Ésta es su foto. ¡Búsquenla!

—¿Por qué? —pregunta, a modo de respuesta, el agente.

Este chiste es un poco misógino...

Alguien que no había visto en verdad a su esposa durante sus doce años de vida en común me dijo, abatido, el día en que ella lo abandonó:

—Mi mujer me deja. No puedo soportarlo.

—¿Por qué estás tan preocupado? —le contesté—. En el fondo, tú jamás la has visto como ser humano. Nunca te has sentado para comunicarte con ella en el nivel que le corresponde. Espiritualmente, ustedes no han creado nada juntos. Entre ustedes no hay ningún nivel común, ninguna escucha verdadera, ninguna conversación verdadera. ¡No hay nada!

—¡Pero ella se va a ir!

—¿Y por qué te angustia eso? Nada mejor podría ocurrirte y nada va a cambiar, puesto que ustedes jamás han tenido nada en común.

Un caso similar es el de la mujer que me planteó lo siguiente:

—Siento que he perdido mi sexualidad, que mi vida sexual se detuvo.

—Afirmas que has perdido *tu* sexualidad. Hablas de ésta como si fuera una cosa que poseyeras. ¡Mira este libro! Este libro es *mi* sexualidad. Es como si tú dijeras: "He perdido mi libro". Cuando pierdes algo, permaneces idéntica a ti misma. No pierdes nada. El libro te pertenece, pero no eres *tú*. La sexualidad no es una posesión. No corresponde al orden de la posesión. Con la sexualidad, las cosas son distintas. *Mi* sexualidad es la sexualidad que funciona cuando el otro está presente (a menos que se trate de la masturbación pero, aun en ese caso, hay un fantasma y, por tanto, el otro también interviene). No tengo sexualidad cuando quien me satisface no está presente. Entonces hiberno. Puedo permanecer en hibernación durante diez años, quince años y un día, de repente, ¡pácatelas!, el ser que me hace vibrar aparece frente a mí y, en un segundo, todo estalla.

El domador domado

Un conejillo de Indias le dice a otro: "Ya he domado al doctor... Cada vez que oprimo este botón, me da un trozo de queso".

A veces, sucede que nos engañamos. Creemos que dominamos la situación, pero en verdad estamos totalmente dominados.

La bolsa del canguro

—¿Qué es un canguro? —le pregunta un médico a un loco.
—Un canguro es un animal que tiene una bolsa en el vientre, en donde se refugia en caso de peligro —responde el loco.

En ocasiones somos como canguros. Cada vez que se avecina un peligro, nos refugiamos en el interior de nosotros mismos creyendo que esto nos va a salvar y persuadidos de que es la única solución a nuestro alcance.

Uno para todos y todos para uno

Un sultán pasa la noche en su harén, compuesto de trescientas mujeres. Al tiempo que mira a una bailarina y escucha su música favorita, susurra al oído de su concubina más cercana: "Tus cabellos son como la luna del desierto. Tus ojos son como estrellas. Tus caderas son como un oasis. Tus labios son como la fuente fresca en las dunas de arena. ¡Transmite estas palabras a tu vecina!"

Este sultán cree que basta con cortejar a una sola mujer para seducir a todas las demás. Aunque se ahorra mucho trabajo, su error es que no ve la diferencia existente entre una mujer y otra.

Cometemos errores enormes al pensar que lo que decimos a una persona se puede extender a otras dos, cuatro, cincuenta o sesenta. El mensaje que transmitimos a una no es el mismo que transmitimos a otra. Siempre es particular.

Gurdjieff, el célebre maestro que enseñó alrededor de 1915, tuvo dos discípulos, Luc Dietrich y René Daumal, dos grandes escritores franceses. Daumal tenía tuberculosis. A él le aconsejó que hiciera el amor una vez por año, y a Luc Dietrich que lo hiciera con una mujer diferente cada día. En aquellos días, no había sida. Durante un año, el pobre Daumal estuvo hecho una fiera, en tanto que el pobre Dietrich debía esforzarse cada día para encontrar una nueva mujer y llevarla a su casa. Ya no podía vivir. Los dos vivían una tortura. No importaba que cada uno hubiera recibido un consejo particular.

Lo que el maestro le dice a una persona no es válido forzosamente para otra.

150

Conviene darnos cuenta de que cada ser es diferente, de que las palabras son diferentes, de que las inflexiones de la voz son diferentes. Por ejemplo, en el teatro, un mal actor utiliza siempre el mismo tono, el mismo ritmo y las mismas inflexiones, cualquiera que sea su interlocutor. Por el contrario, un buen actor juega con todos estos elementos. En cada diálogo se adapta al otro, sea al responder en el mismo registro (fuerte cuando el otro habla fuerte y dulce cuando el otro es dulce), sea que juegue con el contraste.

En el curso de una conversación, el otro puede ser agresivo y tú también. O bien, el otro es agresivo y tú lo recibes siendo dulce, evasivo o indiferente. A cada una de sus proposiciones corresponden millares de respuestas posibles, si bien la elección de cada una de ellas se hace siempre en función de la otra.

En aquellas familias terribles donde sus miembros tienen la voz encajonada en un solo registro de tono, ritmo y timbre, ¡es horroroso! Al reír o llorar, al gritar o cuchichear, no pronuncian jamás una palabra más alta o más rápida que las otras. Siempre lo hacen al mismo ritmo, sin ningún espíritu de adaptación. Obligan a todo el mundo a adaptarse a ellos. Son los fastidiosos profesionales. En cuanto aparecen, todo debe adaptarse a su ritmo, a su sordera, a su cabeza cuadrada. Son lamentables.

Nacer en un hogar de este tipo equivale a sufrir el infierno, porque no nos escuchan. No nos sentimos ni escuchados ni amados.

Una de las primeras cosas que debemos hacer cotidianamente es ver a la persona que tenemos enfrente, escucharla y adaptarnos de inmediato a ella.

Este pobre sultán se encuentra muy lejos de ello. ¡Apuesto a que todas sus mujeres son frígidas! Si él utiliza el mismo sistema para todas, en ese harén no puede haber placer.

El emparedado de elefante

Un camionero se detiene en una frontera.

—¿Nada por declarar? —pregunta el aduanero.

—¡Absolutamente nada! —responde el camionero.

—¿Y esto? —interroga el aduanero, luego de abrir el camión y ver a un elefante colocado entre dos rebanadas de pan unidas por una cuerda.

—Si ya no podemos poner lo que queramos en nuestro emparedado, ¿adónde vamos a llegar? —replica, ofuscado el camionero.

Parecería que para el camionero, el elefante es una mera guarnición de su emparedado. No ve nada malo en su proceder.

Este chiste me hace pensar en aquellas personas que siempre se consideran inocentes. Creen que poseen el derecho de hacer cualquier cosa, incluso poner un elefante en su emparedado. Tienen una especie de ceguera que las hace engañarse a sí mismas. Minimizan aquello que está mal en ellas, pensando que es inofensivo e irreprensible.

Tal es el caso, por ejemplo, de un amigo que me dijo:

—¿Por qué me abandona mi mujer después de doce años de vida en común? ¿Por qué se lleva a los niños y por qué ha dejado de amarme? Esta situación es insoportable.

—¿Acaso no crees que para ella la situación es también insoportable? —le respondí amistosamente—. Tu mujer está diciéndole al muchacho con el que ha vivido durante doce años: "Ya no te amo. Me llevo a los niños". Ella enfrenta también un problema grave.

En esta situación, ¿este hombre es en verdad tan inocente? ¿No ha incluido un elefante en su emparedado? En el fondo, para resolver su problema debe ponerse en el lugar de su mujer y comprender su sufrimiento. ¿Qué le ha hecho él? ¿Por qué reacciona ella de esta manera? Antes de pensar en sí mismo, tendría que preguntarse cuál es en realidad el problema con el cual ella se ha topado. Éstas preguntas no tienen como fin arreglar todo, sino más bien saber y comprender en verdad.

Por otra parte, él juega sin duda un rol de inocente. Evidentemente es responsable en parte de este drama. En cualquier drama, la responsabilidad se divide entre todos los actores. Él es responsable cincuenta por ciento de la falta de amor de su mujer. Y por lo que hace a ella, es también responsable cincuenta por ciento del hecho de que él haya estado con tanta frecuencia ausente.

La prueba de esto último es que un amigo había aconsejado a este hombre que permaneciera en su casa todas las tardes. Él siguió su consejo y, en seguida, su mujer se enfermó. No lo soportó. Ella se quejaba de su ausencia, pero cayó enferma cuando lo tuvo ahí junto.

¿Cuánto tiempo más vamos a jugar a los inocentes, justificando lo que nos ocurre achacando al otro la responsabilidad? Nos tranquilizamos. Nos justificamos. Nos minimizamos. Pensamos que la cosa no es grave. ¿Por qué consideramos entonces que al otro le sucede algo grave? Vemos el emparedado de jamón en el ojo ajeno, pero no el emparedado de elefante en el propio.

Las pulgas del león

Una dama visita una exhibición de fieras. Como se acerca demasiado a las jaulas, el domador la invita a ser más prudente:
—¡Cuidado, señora!
—Pero, ¿por qué? ¿Acaso son peligrosos sus leones?
—No, pero tienen pulgas.

Cuando nos colocamos en posición de ayudar a quienes nos rodean diciéndoles cosas útiles, nos convertimos en un modelo que los otros quieren imitar. Si lo hacemos sinceramente, hablar con el otro y ayudarlo es el camino que nos corresponde. El problema reside en que las personas quieren escucharnos e imitarnos y, al hacerlo, no siguen su propio camino. El camino de Lacan es el camino de Lacan, el de Coluche es el de Coluche. Ellos son los leones.

Cuando consultamos directamente a los maestros, no corremos ningún peligro, porque no son peligrosos. En cambio, sus alumnos sí lo son. El peligro se debe a teorías mal aplicadas.

Gurdjieff era un león. Sus alumnos son, tal vez, pulgas. Cuando vamos a estudiar con alguien, necesitamos saber a qué categoría pertenece esa persona. ¡Vayamos directamente con el león! Eso es lo que yo hago siempre. Voy directamente a ver a la persona que vive lo que enseña. Busco el contacto viviente. Tenemos más bien la tendencia a buscar las pulgas en la sarta de los "gentiles organizadores" del conocimiento... universitario, que no es el fruto de la experiencia.

Este chiste me sugiere que las pulgas son más peligrosas que el león, ¡de ellas debemos desconfiar!

El diabético condenado a muerte

A las cinco de la mañana, se despierta al condenado a muerte.
—¿Cuál es su último deseo?
—¡Un café con crema, por favor!
—¿Con cuántas cucharadas de azúcar?
—¡Con ninguna, soy diabético!

La lección que ofrece este chiste es que no vivimos verdaderamente en la realidad objetiva.

El país de las calles
pavimentadas con oro

Habiendo llegado a ser uno de los actores más famosos de Hollywood, Burt Lancaster no ha olvidado jamás su infancia en el barrio irlandés de Nueva York. Al respecto, cuenta lo siguiente:

"Cuando mis padres emigraron de Irlanda para probar fortuna en los Estados Unidos, tenían la idea de que en este país las calles estaban pavimentadas con oro. Al llegar, mi padre constató tres cosas:

1. Que las calles no estaban pavimentadas con oro.
2. Que ni siquiera estaban pavimentadas.
3. Que para pavimentarlas, se contaba con él."

Cuando comienzo a emprender el trabajo espiritual, creo que, en lo que a mí toca, todo está hecho. Doy por sentado que voy a encontrar maravillas. Pienso que las calles están pavimentadas con oro. Tengo ilusiones. Sin embargo, cuando encaro estas ilusiones, me doy cuenta de que no existe nada de lo que yo creía y que para obtener lo que quiero, debo hacerlo yo mismo.

Una desaparición apreciada

—Señor agente —dice un hombrecillo—, vine ayer para notificar la desaparición de mi suegra y rogarles que la buscaran.
—Sí, lo recuerdo.
—Pues, ¡ya no vale la pena hacerlo!
—¿Por qué? ¿Regresó su suegra?
—No, pero ya reflexioné.

Después de reflexionar, a este hombre le satisface la desaparición de su suegra. Sufrimos mucho cuando perdemos ciertas cosas. Sin embargo, al reflexionar al respecto, debemos reconocer que todo lo que hemos perdido nos ha brindado una oportunidad de progreso.

Yo sufrí en extremo cuando mi primera mujer me abandonó, al cabo de diez años de matrimonio. Hoy, al volver la vista atrás, me doy cuenta de que si ella no se hubiera ido, yo no habría llegado a ningún lado. Su partida fue exactamente lo que Dios tenía que enviarme. Aquello que en su momento viví como una tragedia, debió haber sido la fiesta más grande de mi vida. Luego, mi ex esposa cayó en el alcoholismo. Tenía un destino autodestructivo muy claro, que no se correspondía con el mío. Yo habría compartido su destino y terminado suicidándome o aterrizando no sé dónde, porque en aquellos días era mucho más débil que ahora. Así lo quiso Dios. Es por esta razón y por muchas otras que con frecuencia digo que ciertas pérdidas son bendiciones.

Uno de mis amigos acaba de perder un ojo. Si acepta esta limitación, la pérdida puede resultar una bendición. Después de su operación, hemos salido juntos y me he dado cuenta de que se ha vuelto profundo, de que parte de su superficialidad se ha resquebrajado.

Antes se decía mi discípulo, pero el otro día fue en verdad mi maestro. Hablábamos con un viejo rabino y, en cierto momento de la conversación, dije que daría cinco años de mi vida por saber hebreo. Y es que el rabino explicaba muchas cosas, jugando con palabras que yo hubiera querido comprender. Mi amigo me reprendió entonces: "¡No digamos jamás que estamos dispuestos a dar años de nuestra vida! La vida es lo más precioso que tenemos. Si tú estás dispuesto a sacrificar tanto tiempo, en vez de hacer declaraciones tan negativas, deberías abandonar otras actividades durante cinco años y dedicarte exclusivamente durante ese periodo a aprender hebreo. La vida no se da. ¡La empleamos en lo que queremos! ¡No nos quejemos, hagamos!"

Algunas veces debemos perder un pedazo de nosotros mismos, a causa de una enfermedad muy grave; otras, incluso, debemos sufrir la muerte de seres queridos para, finalmente, encontrarnos.

Como dice el budismo: todo acontecimiento es una oportunidad para encontrarte. Absolutamente todo. En el caso de que ames a alguien, si te dice "no", es una oportunidad; si te dice "sí", es también una oportunidad.

Mi mujer está enamorada
de un elefante

—Pero no, veamos, eso es una tontería —afirma un psiquiatra, tratando de calmar a su paciente—: ¡Su esposa no puede estar enamorada de un elefante!

—¡Repítamelo, porque reviento de celos!

—Pero, escuche...

—¡Sí! ¡Sí! ¡Repítamelo!

—Su esposa, se lo repito, no puede estar enamorada de un elefante.

—Es verdad —admite, tranquilizado, el paciente—. Fui ridículo. Gracias por haberme curado. Bueno, parto de inmediato. Mi mujer está tejiendo un suéter y me ha pedido que le compre seiscientas bolas de estambre.

La locura de este hombre es tan grande como la de su mujer. La locura nunca es individual.

Cuando empecé a estudiar mi árbol genealógico, comprendí muchas cosas sobre mi familia y me di cuenta de que la locura es un problema colectivo.

Cuando el hombre está loco, la mujer está loca. Son tan cómplices el uno como el otro: a partes iguales.

¿Por qué yo no?

Un peatón es salpicado por un automóvil. El hombre corre por la acera y, a la primera luz roja, atrapa al chofer.

—¡Señor, es usted un grosero! —dice el transeúnte al conductor—. Si tuviera un poco de educación, se habría detenido para excusarse y constatar el daño que me causó. Luego, me habría llevado en su coche a su domicilio y ofrecido una copita de oporto, con objeto de que me repusiera. Por último, no me habría dejado ir sin darme cuando menos quinientos francos a título de indemnización.

—¡Está usted soñando! —exclama el chofer—. ¿Acaso algún otro automovilista se ha conducido de ese modo con usted?

—No, no conmigo. Pero ayer, con mi hermana, ¡sí!

Este chiste me llega en particular, porque siempre quise ser mi hermana.

Ella fue la preferida. Ella tuvo todo: vestidos, un piano de cola, amigos, la poesía... Ella vivió satisfecha. Por mi parte, yo no tuve nada. No fui deseado. Ella sí lo fue. Ella era bella, mientras que yo fui el Cyrano de la gran nariz. Ella tenía; yo no tenía nada.

Me he dado cuenta de que, al igual que yo, muchos seres humanos no fueron el centro de atención de su familia.

Sea que mamá haya sido cariñosa con su padre y, entonces, el abuelo haya sido el centro de atención; sea que ella haya sido cariñosa con su madre y, por tanto, la abuela haya sido el centro. O que papá haya estado aplastado por su admirado padre y este abuelo haya acaparado toda la atención, o bien que lo haya hecho un bisabuelo, debido a que era noble o multimillonario o mi hermano o mi hermana...

En todo caso, como yo no soy el centro de atención, me veo obligado siempre a querer estar en el lugar de otro y vivir su vida. Lo que tengo jamás me satisface. No conozco mi verdadera naturaleza. No sé quién soy. Constantemente tengo necesidad de compañía. Me da miedo encontrarme solo conmigo mismo, dado que soy un vacío. No soy nadie.

En ocasiones, permanezco casado durante diez años, únicamente por tener a alguien a mi lado... alguien cuya manutención me cuesta cara, que come más que yo... más valdría tener un perro para resolver el problema...

En otras, por miedo a la soledad tenemos hijos y les transmitimos nuestro vacío. O nos rodeamos de amigos para llenar nuestro tiempo y, cuando no tenemos amigos, creamos una enfermedad para llenar nuestra vida o nos entregamos a una actividad que no nos corresponde.

Conocí a un hombre que no sabía qué hacer con su vida. Psicológicamente, no estaba del todo equilibrado. Al final, descubrió... decidió ser terapeuta.

—He encontrado mi camino —me dijo en tono monótono y ritmo precipitado—: Quiero curar a los demás, porque yo sé comprender a los seres humanos. El funcionamiento es siempre el mismo: repetimos aquello que hemos vivido en la infancia. Eso es todo. Si tu madre no te quiso, vas a buscar a una mujer con la cual vivirás la misma situación. Es matemático.

—¡Con ese tono y ese ritmo, no curarás jamás a nadie, viejo amigo! —le contesté—. ¡Tú no escuchas a nadie y sólo quieres ser terapeuta porque tienes una teoría!

Quid pro quo

Una dama, que ya no es ni muy joven ni muy seductora, acaba de ser detenida por un policía. El agente saca su libreta para levantar la infracción y la mujer exclama candorosamente: "¡Oh! ¡Es muy gentil de su parte el hacerme un cheque! Sólo espero que no me vaya a pedir a cambio alguna cosa indecente".

Esta mujer vive fuera de la realidad. Le levantan una infracción y ella cree que le están haciendo un cheque. Piensa que es bella, que la buscan y que le hacen proposiciones. Vive en su canal, en su truco.

En el mundo, ¿cuántas personas hay que viven en su truco?

Cada 21 de junio, el laberinto de la catedral de Chartres es despejado de sillas. Las personas que lo quieren recorrer se reúnen en esa fecha. Un amigo fue ahí en junio pasado y me contó que un hombre tardó cuatro horas en recorrer el laberinto. Había unas doscientas personas en el lugar y, como sólo se puede avanzar en fila india, dicho individuo bloqueó el paso a todos los que estaban detrás de él. Algunos ancianos se desmayaron, pero el sujeto no se dio cuenta de nada. Se rió como loco del mundo e impuso su ritmo a todos, en lugar de adaptarse al ritmo de los demás.

Dentro de una colectividad, es preciso ponernos a tono con los otros y no imponer nuestro ritmo.

¡El hombre en cuestión detuvo a doscientas personas! ¡Merecía que le picaran las nalgas con un alfiler o que lo empujaran! Me pregunto por qué en los grupos se respeta siempre a los fastidiosos y se les permite que molesten a todo el mundo. ¡Es increíble!

Estas personas están en su canal. Todos nosotros estamos en nuestro propio canal.

El claxon

Un automovilista llega al taller mecánico.

—Quiero que cambie mi claxon. Debe sonar de cuatro a cinco veces más fuerte —plantea el automovilista.

—Pero, ¿por qué quiere usted un claxon tan estruendoso? —pregunta el empleado.

—Porque no traigo frenos.

En el fondo, en lugar de arreglar el problema central, las personas buscan solucionar otras cosas, las cuales no tienen ninguna relación con aquél. Así actuamos casi siempre. No vamos al corazón de nuestras dificultades para resolverlas directamente.

Cero ayuda a personas en peligro

Un conferencista trata de demostrar a los asistentes que, en nuestra época, los hombres se han vuelto terriblemente egoístas: "Así, el otro día me dirigía con un amigo hacia un restaurante, cuando vimos a un pobre hombre que había sido atropellado por un automóvil y yacía, inconsciente, en el suelo. De entre todos los que lo miraban, nadie tuvo la idea de acudir a ayudarlo. Pues bien, después de comer, cuando salimos del restaurante, ¡vimos que el pobre tipo seguía tirado en el mismo sitio!"

Juzgamos el mundo proyectando sobre éste lo que somos nosotros mismos.

La próxima vez que pelees con alguien, registra en un pequeño magnetófono todos los insultos que te diga el otro. Dichos insultos definirán a quien te los lanza porque, durante el combate, tú te conviertes en su espejo, en tanto que el otro se convierte en el tuyo.

Si no te fijas en su belleza es porque no conoces la tuya; si sólo adviertes sus defectos es porque no ves otra cosa que los tuyos.

Cuando hacía teatro en México, ya había trabajado mucho en la cuestión de los masajes. El ver un cuerpo desnudo no sembraba confusión en mi espíritu. Cierta vez, en una puesta en escena, quedó al descubierto el ombligo de uno de los actores. La censura de aquella época (espero que las cosas hayan evolucionado) me ordenó agregar un pedazo de cuero a su indumentaria, porque le parecía indecente que el actor exhibiera esta parte de su anatomía. Los censores, verdaderos degenerados, ¡veían sexo en todas partes! Proyectaban a su alrededor lo que llevaban dentro de sí mismos.

He aquí una historia muy conocida, que ilustra perfectamente mi punto de vista:

Un psicoanalista recibe a un paciente obsesionado con el coito. Aquél dibuja un círculo y éste ve ahí a una pareja que copula. Luego, el especialista le muestra un cuadrado.
—Es una pareja haciendo el amor —declara el paciente.
Acto seguido, el psicoanalista traza un triángulo.
—Pero ¡qué porquerías me muestra usted, doctor! —exclama el paciente.
—¡Es usted quien sólo piensa en eso! —aclara el especialista.
—¡Es verdad, pero usted no hace otra cosa que mostrarme porquerías! —replica ofendido el paciente.

Cuando constatamos que el mundo es egoísta, es porque nosotros mismos lo somos. Cuando vemos la maldad por todas partes es porque nosotros somos malvados, o más bien, porque nos hallamos en un estado de maldad. Tenemos miedo de nuestra propia maldad.

Un día me di cuenta de que la realidad revelaba al inconsciente y que obraba exactamente como éste. Dicho de otro modo, veo la realidad en función de mi inconsciente.

El tobillo y la vecina

—Me torcí el tobillo y me duele —explica un hombre a su médico.

—Bien. Vamos a ver. ¡Quítese los zapatos, colóquese frente a esa ventana y saque la lengua! —ordena el doctor.

Dócilmente, el paciente obedece.

—Es un esguince —diagnostica el médico, tras una prolongada auscultación—. Ahora, siéntese mientras escribo su receta.

—Dígame, doctor, ¿por qué me hizo sacar la lengua delante de la ventana cuando me examinaba? Eso no tiene nada que ver con mi tobillo, ¿verdad?

—En efecto, eso no tiene nada que ver. Sucede simplemente que no soporto a la vecina de enfrente.

¡Imaginemos a la pobre vecina! Todo el día viendo pacientes que le sacan la lengua.

Este chiste me conduce a señalar que es necesario tener cuidado en la elección de nuestras relaciones, porque algunas personas pueden utilizarnos, sin que nos demos cuenta, para acceder a fines diferentes de los previstos.

Hay que tener aún más cuidado al ingresar en las sociedades llamadas esotéricas, psicológicas, religiosas, etc., porque están llenas de profesores con ansias de poder. Cuando asistimos a un curso, y aparecen historias de poder, debemos preguntarnos si somos nosotros quienes tenemos el poder o si estamos alimentando a un paranoico que busca tenerlo. ¿Nos están curando el tobillo o nos están utilizando para insultar a otra persona?

Lo anterior se aplica también a la pareja. En ocasiones, formamos una pareja pensando encontrar ahí el amor y terminamos desempeñando un papel que jamás imaginamos. El otro nos utiliza como una pantalla de proyección y, al cabo de un tiempo, acabamos siendo su papá o su mamá. Iniciamos la relación mansos como corderos y salimos de ella carniceros como leones.

¡Póngase usted en mi lugar!

Una ambulancia de la Cruz Roja llega al lugar del accidente. Un pequeño vehículo deportivo y convertible acaba de estrellarse contra un árbol. A diferencia de su acompañante, el conductor había abrochado su cinturón de seguridad. Ahora, él continúa vivo, mientras que la mujer que lo acompañaba yace a diez metros del automóvil con el cráneo aplastado.

—¡Muy bien, jovencito, estás a salvo gracias a que abrochaste tu cinturón de seguridad! —lo felicita el socorrista de la Cruz Roja—. ¡Deberías alegrarte!

—¿Alegrarme?... —responde, con un estertor, el conductor—. ¿Cómo puede decirme eso? Es que no se encuentra usted en mi lugar. ¡Vaya a ver lo que esa mujer tiene en la mano y comprenderá que no tengo razón alguna para estar contento!

Esto me hace pensar en todas las veces en que hacemos notar a una persona que todo va bien en su vida y que tiene motivos para regocijarse de estar tan satisfecha. Sin embargo, en lugar de mostrar su acuerdo, dicha persona replica: "Sí, eso puede parecerte maravilloso, pero no sabes cómo me siento".

Mientras no estemos en el lugar del otro, no podremos saber en verdad cómo se siente. Lo que a nosotros nos parece una maravilla, puede ser una catástrofe para él.

En tanto que no bailemos con el otro, no sabremos qué siente éste al bailar. Para conocer realmente al otro, es necesario penetrar en él, meterse en su situación.

Hoy fui a comer a un restaurante con un amigo de la infancia. No bien nos sentamos, sacó un cigarrillo.

—Espero que no esté prohibido —me comentó—. ¿Se puede fumar aquí? ¡Claro que sí: hay ceniceros!

—En vez de ocuparte de los reglamentos del restaurante, deberías preocuparte de lo que piensen los clientes —le respondí.

—No hay problema. Estamos en una mesa alejada —dijo, sereno, tras echar una ojeada a su alrededor.

—¡Mira! Yo me permito decirte, aunque sean ya muchos los años que no nos hemos visto, que yo existo y que detesto que se fume.

—¡Contigo eso no se vale! ¡Somos camaradas!

—¿Si? Entonces, ¿los camaradas ya no existen?

—¡Pero claro!

De hecho, no dejó de hablar de sí mismo durante toda la tarde. No nos habíamos visto desde hacia veinte años y jamás me preguntó qué había sido de mí...

Todo esto resulta útil para afirmar que sería bueno ponernos un poco en el lugar de la otra persona.

Una sed lacerante

Después de tres horas de una batalla agotadora, toda la familia ocupa finalmente su lugar en el automóvil y parte de vacaciones. Apenas llevan diez minutos de recorrido cuando Frédéric, de seis años, abre la boca: "Papá, tengo sed".

A lo largo de toda la hora siguiente, el niño prosigue su dolorosa lamentación. Harto, el padre se detiene en un restaurante.

—Ahora, ¿qué quieres beber? —pregunta el progenitor al niño, frente al mostrador del establecimiento—. ¿Una limonada? ¿Un refresco? ¿Un vaso de leche fría?

—En lugar de todo eso, ¿podría pedir unos caramelos? —responde el niño.

Jamás sabemos qué queremos. Partimos con la intención de hacer una cosa en la vida y, cuando tenemos la oportunidad de realizarla, queremos hacer otra... una cosa mejor. No estamos nunca satisfechos con lo que tenemos.

La botella aplastada

—¿Cómo reventó usted esta llanta? —interroga el empleado de una vulcanizadora.

—¡Soy un animal! Lo hice pasando sobre una botella de whisky —contesta el conductor.

—¿No alcanzó a ver la botella?

—No, el hombre la llevaba en el bolsillo.

Nos mentimos a nosotros mismos. Causamos daño a nuestro alrededor y nos negamos a reconocerlo. No aceptamos la responsabilidad de nuestros actos y nos justificamos con complacencia. Provocamos estragos y planteamos al respecto miles de excusas: "¡No lo lastimé!... Lo engendré y luego partí. Él no me conoce. ¿Qué daño pude haberle hecho, si no me conoce?"

He aquí a un bebé que va a buscar durante toda su vida quién es su progenitor.

El sueño dorado

Dos amigas se encuentran después de haberse perdido de vista durante algunos años.

—Por cierto, ¿te casaste con aquel productor de cine que te cortejaba la última vez que nos vimos? —pregunta la primera.

—¡Sí! —responde la segunda.

—¿Y el Mercedes que te había prometido como regalo de bodas?

—Cumplió. Espera, ahora la llamo. Está jugando en el cajón de arena. ¡Mercedes, ven, ven a saludar a la señora!

Ella había tenido su Mercedes. Aunque imprevista, su situación no le parecía tan mala; estaba casada y tenía una niña. Tener un hijo es un tesoro.

La vida nos coloca en nuestro sitio. Partimos teniendo grandes ideales, pero la existencia va recortando poco a poco nuestras aspiraciones. No poseemos el Mercedes mecánico que esperábamos, pero tenemos una Mercedes viviente: más pequeña, menos llamativa, pero más real. Con mucho, yo prefiero a esta pequeña Mercedes en lugar del gran Mercedes.

Un modelo ejemplar

—¡No tienes ni pizca de voluntad! —dice la mujer a su marido—. Tu amigo Jacques dejó de fumar desde el día en que resolvió hacerlo. ¡No es de esperar que esto suceda contigo!

—¿Qué?... ¿Dices que no tengo voluntad?... ¡Lo vamos a ver!... ¡A partir de esta noche, dormiré en otro lado y nada hará cambiar mi decisión!

El marido instala un sofá en su oficina y, durante tres semanas, se encierra ahí todas las noches.

Poco después, su mujer llama a la puerta de la oficina.

—¿Qué quieres? —pregunta el marido.

—Quiero decirte que... tu amigo Jacques... ha vuelto a fumar.

Nos citan algún ejemplo con el fin de que nos sirva de punto de referencia, pero sucede que, al cabo de cierto tiempo, dicha persona cambia y nuestro punto de referencia caduca.

Muchas personas dicen: "Es preciso actuar de tal manera, porque así lo han dicho". Pero, ¿quiénes "lo han dicho"? ¿Cuándo, dónde y por qué han dicho eso? ¡Vayamos a la fuente! ¡Verifiquemos con precisión de dónde vienen nuestras informaciones! Éste es un procedimiento que no debemos ignorar, ya que con frecuencia sacamos conclusiones partiendo de informaciones o referencias sin fundamento.

A veces, dentro de la relación de pareja, uno de sus miembros juzga y saca conclusiones sin escuchar ni pedir su opinión al otro. ¡Por favor, verifica tus informaciones! Cuando juzgues a alguien, dile: "Esto es lo que yo pienso de ti. Dame tu opinión, antes de que saque mis conclusiones y reaccione en consecuencia".

Conocí a un muchacho muy celoso. Encontraba mujeres maravillosas que lo adoraban, pero como él no confiaba en ellas, terminaba siempre por dejarlas. De este modo perdió a cinco compañeras. No pudo creer en ellas y tampoco pudo amarlas, pero él estaba persuadido de que la culpa había sido de ellas.

¡Aprende a cocinar!

—Querida —declara un hombre de negocios en bancarrota—, tengo una idea genial para economizar: ¡aprende a cocinar y podremos prescindir de la cocinera!

—¡Eh! ¡Tengo una mejor idea! —responde la esposa—: ¡Aprende a hacer el amor y podremos despedir al chofer!

Este chiste me revela que cuando criticamos a nuestra pareja, indefectiblemente ésta nos criticará también. En el amor, si el otro no nos satisface, podemos estar seguros y ciertos de que nosotros mismos tampoco lo satisfacemos. La menor crítica no cabe en un verdadero amor. Si aquélla aparece, se vuelve mutua. Asimismo, si nosotros menospreciamos a nuestro cónyuge en algún terreno, éste nos menospreciará en cualquier otro. Es imposible que seamos una princesa o un príncipe y que el otro sea un sapo o una rana. Creerlo es un engaño. La pareja es una asociación de dos individuos cómplices.

Y a la inversa, el mejor modo de saber si el otro nos ama consiste en interrogarnos si nosotros lo amamos. Aquí también funciona la reciprocidad. No hay duda de que un día el otro nos demostrará que se comporta con nosotros de la misma manera como nosotros nos comportamos con él.

Hay seres extremadamente narcisistas que imaginan que su pareja no tiene conciencia de sus verdaderos sentimientos. Creen que son los únicos que tienen autoridad para criticar, que su pareja no está a su altura y que tal vez cierto día ésta se elevará a su nivel.

Es preciso reconocer que probablemente ella no sepa cocinar, pero también que yo no sé hacer el amor. Ésta es la razón por la cual la relación marcha mal y el motivo por el cual ella no se ha convertido en una buena cocinera. Por otra parte, estoy seguro de que ella debe preparar emparedados maravillosos para el chofer... ¡tentempiés divinos! La hormona es la que fabrica todas estas relaciones. Cuando circula mal, no hay armonía y todo va de cabeza.

Algunas personas dicen: "No logro formar una pareja. Nadie me quiere. La soledad me asedia irremediablemente y no puedo solucionar este problema. Sin embargo, anhelo resolverlo".

En realidad, estas personas están diciendo: "Yo no amo a nadie. La soledad es un estado que me resulta muy conveniente. No me interesan los demás. Todos son unos sinvergüenzas. Me buscan para utilizarme, desviarme y hacerme sufrir. ¡No me interesan en absoluto! ¡Son demasiado poco para mí!"

He aquí por qué vivimos en la soledad y no encontramos a nadie. A partir del momento en que estemos disponibles para el otro y preparados para amarlo, éste aparecerá. Va a llamar a nuestra puerta. ¡Es completamente seguro que el ser amado llamará a nuestra puerta!

Cuando rodaba la película *El Topo*, necesitaba a un hombre sin piernas y a otro sin brazos. Ya había encontrado al segundo, pero no al primero. Confiado, declaré: "Esta semana llamará a mi puerta". A la semana siguiente, un hombre lo hizo. Cuando le abrí, no percibí nada en particular, porque el individuo estaba de pie a una altura normal.

—¡Soy el hombre que usted busca! —me dijo.

—¿Cómo dice?... A usted no parece faltarle ninguna pierna —le comenté.

—Son falsas. Me cortaron las verdaderas. Soy chofer de taxi. Cuando esto me sucedió, mi mujer y mis hijos me abandonaron. Me quedé solo. Después de eso, sólo me quedaba reventar o reaccionar. Escogí la segunda opción: no me permití desplomarme. Me pusieron prótesis y trabajé duro en mi rehabilitación. Hoy día, vivo solo y manejo mi taxi. Ahora estoy aquí y quiero hacer esa película.

El hombre sin brazos, por el contrario, era un sujeto rodeado de afecto. Se dedicaba a cantar como mariachi. Tenía diez hijos y todo el mundo lo apreciaba.

Durante la filmación, los dos hombres no se entendieron.

No se soportaban y se insultaban a toda hora. No podían trabajar juntos.

Esta anécdota me lleva a afirmar que cuando estamos disponibles para amar, el ser amado vendrá a llamar a nuestra puerta. Se trata de una cuestión de vibraciones. Del mismo modo, cualquiera que sea el lugar en que nos encontremos, si estamos disponibles para enseñar, los alumnos vendrán a llamar a nuestra puerta.

Cuando presenté mi película *Santa sangre*, en el Festival de Cannes, me preguntaron por qué no había filmado nada durante ocho años. Les respondí: "He hecho como Bodhidharma. Él no buscó discípulos. Se sentó frente a un muro y esperó varios años a que se presentara uno. Por mi parte, no busqué un productor; me senté tranquilamente en mi casa en espera de que alguno fuera a verme. Al cabo de ocho años, uno lo hizo".

Mientras filmaba *La montaña sagrada*, el productor desapareció llevándose cuatrocientos mil dólares. Se fue a comprar un hotel a Israel. En virtud de que me quedé sin un centavo, el rodaje se detuvo. Uno de mis amigos, Bob Taïcher me preguntó cómo conseguiría el dinero. Le contesté: "Voy a pedirle a Dios que me envíe cuatrocientos mil dólares envueltos en papel periódico".

Eso fue lo que hice. No me moví y esperé a que ocurriese el milagro. Luego de seis semanas, se apareció Bob. Estaba muy emocionado y llevaba un paquete envuelto en periódico. Me lo dio. Contenía billetes. Me dijo: "Soy hijo del mayor vendedor de calzado en los Estados Unidos y he decidido invertir una parte de mi dinero en tu película. Tengo confianza en ti".

Él me regaló la suma en cuestión para que el filme existiera. El milagro se realizó.

La espina de oro

A un archimillonario que degustaba una sopa de pescado en un restaurante se le clavó una espina de rascacio en la garganta. Sin duda habría sucumbido a la asfixia si un cirujano, que comía en una mesa vecina, no hubiese extraído con sus hábiles dedos la mortífera espina. Cuando recuperó el aliento, el multimillonario preguntó a su salvador:

—¿Cuánto le debo?

—Me daría por bien pagado si usted me diera solamente la décima parte de lo que estaba dispuesto a ofrecerme un segundo antes de mi intervención.

Ciertas personas consultan al médico cuando se enferman, pero después de que éste las cura, no se toman la molestia de ir a darle las gracias o de hacerle saber cuán eficaz resultó su tratamiento. Lo mismo ocurre con los individuos que siguen una terapia. Cuando llegan a la madurez abandonan las sesiones, cortan completamente con el terapeuta y jamás vuelven a dar ninguna señal de vida.

Así, cuando estamos en un apuro, daríamos cualquier cosa por salir de esta situación, pero una vez que logramos hacerlo, ya no ofrecemos algo que valga la pena.

Ahora bien, hay personas que no quieren dar nada, aunque se encuentren en el peor aprieto. Conocí a un impotente que había consultado a todos los médicos de París sin el menor éxito. Nadie había logrado curarlo. Un día vino a verme y me suplicó que lo ayudara con el tarot. Comprendí su problema en el momento en que le pregunté:

—¿Cuánto estarías dispuesto a pagar para que te cure de la impotencia? ¡Valora el precio de tu curación!

—Mil francos —respondió, luego de ponerse verde y reflexionar.

—Si sólo ofreces mil francos es porque valoras muy poco tu sexualidad —le expliqué—. Mientras no reconsideres esta cuestión, jamás resolverás tu problema.

Cristo expresa esto muy claramente cuando se encuentra con un rico que quiere seguirlo. Le dice: "Dame todo lo que tienes y podrás seguirme".

Nosotros no ejecutamos realmente las cosas hasta el momento en que estamos dispuestos a dar todas nuestras posesiones para llevarlas a cabo. Si nos guardamos aunque sea una pequeña pertenencia, echamos todo a perder.

Remedio infalible

—Su marido se encuentra en un estado de debilidad alarmante —dice el médico a la esposa del enfermo—. Le voy a recetar un medicamento de sabor horroroso, del cual debe administrarle cuatro cucharadas al día.

—¿Hasta cuándo, doctor?

—Hasta el momento en que su marido recobre la fuerza suficiente para agarrar el frasco, lanzarlo al suelo y pisotearlo.

Este chiste me recuerda ciertos tratamientos de Pachita, una hechicera mexicana con la cual trabajé algunos años. Ella curaba todo por medio de remedios a veces increíbles.

Cierto día un hombre fue a verla porque comenzaba a quedarse calvo y eso lo deprimía muchísimo. La calvicie le preocupaba tanto, que ya no quería vivir.

—¡Cúreme, si no me voy a suicidar! ¡Haga que me vuelva a salir el pelo! —le suplicó el hombre.

Pachita era una gran curandera. Operaba hígados, cambiaba columnas vertebrales y hacía cosas tan asombrosas como las que llevan a cabo los filipinos.

—Tengo un remedio infalible que te va a liberar de inmediato de tu problema —le respondió, tranquilizándolo, la curandera.

Los ahí presentes estábamos pendientes de sus palabras, curiosos por saber cuál era ese remedio porque, para nosotros, Pachita era como una diosa.

—Basta con que mezcles un kilo de excremento de rata con un litro de tus orines y un poco de aceite de oliva. Con esto harás una cataplasma que te aplicarás en el cráneo —agregó Pachita.

Feliz, el hombre le agradeció efusivamente y partió decidido a aplicar sin tardanza este tratamiento. Una vez en la calle, se dio cuenta de la dificultad. No tenía la menor idea sobre la manera de conseguir un kilo de caca de rata. Buscó en todas partes sin éxito. Al fin, alguien le dijo: "Dado que ella no te precisó el color de las ratas, todo lo que tienes que hacer es ir a un laboratorio, donde podrás comprar un kilo de excremento de ratas blancas". Siguió este consejo y preparó la mezcla... Poco tiempo después, regresó con Pachita. Ya no estaba deprimido, pero seguía calvo.

—¿Seguiste mi tratamiento? —le preguntó la mujer.

—No tuve necesidad de hacerlo, porque me di cuenta de que ser calvo no es un problema —contestó el hombre.

De hecho, el tratamiento era tan repugnante, que prefirió no intentarlo. Esto lo volvió filósofo.

Aplico este principio con aquellos amigos que quieren un tercer hijo y no logran concebirlo. Les aconsejo realizar un acto de psicomagia extremadamente complejo, al tiempo que pienso: "Esto los va a fastidiar a tal grado que, para escapar de esta situación, ella va a quedar encinta antes de terminar el acto".

Una de las vías para encontrarnos consiste en ponernos en situaciones muy difíciles.

El reloj aplastado

Sarfana entra en la joyería con el rostro descompuesto. Muestra su reloj, que se halla en un estado en verdad lamentable.

—¿Puede repararlo? —pregunta al joyero.

—Desgraciadamente, es muy poco probable, señora. ¿Qué le pasó a su reloj? —responde, pensativo, el joyero.

—Bueno, cometí el gran error de dejarlo caer en la calle y un autobús le pasó encima.

—Yo creo que el gran error que usted cometió fue recogerlo.

Dedico este chiste a los psicoanalistas salvajes, a todos aquellos que leen el tarot y desean ayudar a la gente, ante quienes quieren ser el nuevo Cristo y la nueva Virgen María.

Podemos ayudar al mundo o, más bien, a una persona, siempre que ésta no haya rebasado el límite más allá del cual no podemos hacer nada por ella. Es el ego el que quiere ayudar. Hay individuos que se encuentran en un estado tan lamentable como el del reloj de Sarfana. El autobús les pasó encima. Cuando un sujeto ha tomado trescientas dosis de LSD, no lo regresaremos a la realidad, aunque recurramos a Jung. Su cerebro ya ha estallado. Es irreversible.

Ciertas personas están muertas en vida. Son relojes aplastados. Resulta pura vanidad el querer ayudar a alguien que no puede ser ayudado, en la medida en que todo ha terminado para él. Ahora bien, ¿quién va a decidir que todo ha terminado?...

Me he enterado de que los psicoanalistas quieren reglamentar su profesión, con objeto de evitar abusos. Dicen que, en ocasiones, algunos colegas atienden a un paciente hasta cuatro años seguidos. Por una sesión de cinco a quince minutos de duración, le piden trescientos o cuatrocientos francos. Ganan fortunas a sabiendas de que no lo pueden curar con el psicoanálisis, porque el paciente es psicótico.

A consecuencia de una lesión en la médula espinal, un hombre tenía atrofiada una mano. Vi a un gurú hacer mil y un ejercicios mentales para que dicho individuo recuperara los movimientos de la mano. La verdad es que no pudo curarlo, porque se trataba de un daño irreversible.

Vi cómo procedía Pachita con lesiones irreversibles. Una jovencita, que era bailarina, fue a verla luego de haber sufrido un accidente en automóvil, como resultado del cual había quedado coja. Esta historia es verdadera. ¡Pachita la curó! Ésta le explicó que le añadiría un pedazo de hueso para alargarle la pierna. Cuando la muchacha llegó a Nueva York, me telefoneó, porque yo le había recomendado que consultara a Pachita. Me dijo: "Estoy de regreso y estoy curada". La fui a ver: ya no cojeaba... caminaba apoyándose en la punta del pie.

De hecho, se había curado a nivel mental. Su pierna seguía siendo corta. Pachita había estado genial. La había obligado a caminar adaptándose, lo cual le había devuelto la esperanza.

En el fondo, cuando ella cojeaba, tenía un modo de andar que no le correspondía, puesto que podía utilizar la punta del pie. ¿Estaba en verdad curada?... Desde cierto punto de vista, sí. Pachita había sabido encontrar la solución que correspondía a esta joven.

"Podoterapia" aplicada

Un judío sufre atrozmente porque usa zapatos demasiado chicos.
—¿Por qué no compras zapatos que sean de tu medida? ¿Por ahorrar? —le pregunta, sorprendido, un amigo.
—¿Eres antisemita o qué? ¿Acaso crees que soy avaro? Si uso zapatos demasiado chicos es porque mis negocios van mal; porque los racistas proliferan como la grama; porque mi mujer está por abandonarme y porque mis hijos me faltan al respeto. Entonces, fíjate, en la noche, en cuanto entro en mi casa, me quito los zapatos y me sucede la primera cosa agradable de todo el día.

Este chiste simplemente me hace evocar todo el mecanismo de la droga o del alcohol. Por ejemplo, hay personas que intervienen en historias extremadamente duras, tales como la dependencia de una droga cualquiera para tratar de apaciguar su angustia. En seguida, cuando logran poner punto final a dicha dependencia, se vanaglorian y nosotros les aplaudimos. Sin embargo, no tienen ningún mérito, porque fueron ellas mismas las que se metieron en esa dificultad.

¿Qué mérito tiene salir de un problema en el cual nos hemos metido nosotros mismos?

Bodhidharma, quien introdujo el budismo en China, lo expresó con toda claridad ante el emperador chino. Este último fue a verlo y le dijo: "He hecho traducir dos mil libros. He creado numerosos monasterios. ¿Qué mérito tengo?" Bodhidharma, el humilde mendigo, miró con fijeza al emperador y le respondió: "¡Usted no tiene ningún mérito!"

No podemos exigir aplausos o reconocimiento por nuestros actos. Cuando hacemos una cosa natural, no es cuestión de mérito. Tener buena salud no es una hazaña. Tampoco lo es iluminarse. Es nuestro deber, nuestra vía. Es nuestra vida. No tenemos ningún mérito por poseer dedos.

Diario de una estrella de cine

—¿Cómo puedes llevar una vida tan tumultuosa? —pregunta un reportero a una actriz.

—Es muy sencillo. Al despertar, escribo en mi diario íntimo lo que corresponde a la jornada que comienza, y el resto del día me esfuerzo por vivir lo que imaginé en la mañana.

Comenzar creando mentalmente lo que vamos a hacer después es fijarnos un fin. La mayoría de las personas no hacen nada, porque no se proponen un objetivo preciso. Cuando les pregunto cuál es su meta, se quedan atónitas. Me siento siempre obligado a agregar:

—Muy bien. ¿Qué deseas? ¿Cuáles son tus objetivos? ¿En qué trabajas? ¿Adónde vas?

—Quisiera escribir —me respondió alguien.

—¿Qué fin te propones al escribir? —insistí.

Sin una meta, la curación es imposible. Esto me lo enseñó un médico chino que conocí en Nueva York. Siempre preguntaba a sus pacientes si tenían una finalidad y se deshacía de aquellos que no tenían ninguna, arguyendo que no podía curarlos.

¡Escojamos un fin! Sin embargo, tengamos ciudado de que éste corresponda a algo que queramos obtener, porque en caso contrario, no sería un fin, sería algo ya realizado.

Cuando nos proponemos un objetivo, escogemos algo que aún no hemos realizado. Ahora bien, si no lo hemos realizado es justamente porque de manera inconsciente no lo deseamos. Queremos permanecer en esta angustia que nos determina.

Para escapar de esta regla, la finalidad debe formularse como un *mantra* que se repita con regularidad: "Quiero cambiarme de casa. Quiero cambiarme de casa. Quiero cambiarme de casa..."

No alcanzaremos nuestro fin hasta que hagamos de él un mantra. El hecho de repetirlo sin cesar impregnará nuestro subconsciente, el cual hará en seguida cuanto pueda para realizarlo.

El diagnóstico de un especialista

Para estrenar su coche nuevo, una joven pareja de recién casados invita a una tía de avanzada edad a dar un paseo. Pero he aquí que revienta una llanta. Todo el mundo se baja. La anciana, que nunca en su vida se había subido a un automóvil, mira la llanta y exclama alegremente: "¡Después de todo, no es nada grave! Sólo se ha desinflado la parte de abajo".

Hay personas que creen que todo va bien en su vida, que "ésta marcha", porque sólo tienen desinflada la parte de abajo. Se equivocan. Sea la parte de abajo o la parte de arriba, es el conjunto lo que está desinflado. Si tengo un caparazón intelectual, toda mi vida resultará afectada por ello. Da lo mismo que este caparazón sea emocional, sexual o corporal.

El sátiro derrotado

Con la ropa hecha jirones, una mujer de sesenta y tantos años de edad se presenta ante la comisaría de policía y expone:

—Para regresar a mi casa, debo cruzar un bosque desierto. De repente, esta tarde vi a un joven sátiro. Corrí, corrí, corrí...

—Y, por lo que veo, logró usted alcanzarlo —replica el comisario.

Se podría pensar que esta dama, que se presenta con la ropa desgarrada, ha sido perseguida por un sátiro, pero sucede que el policía se da cuenta de que, en realidad, fue ella la que persiguió al sátiro.

Si yo procediera como los místicos sufistas que interpretan chistes, tomaría éste al revés y diría que creo perseguir una cosa: la realización; pero, en realidad, ésta y la divinidad son las que están persiguiéndome y yo estoy escapando de ellas.

El chiste que nos ocupa habla de un fenómeno místico conocido. Alude a la búsqueda que creemos estar haciendo, cuando en el fondo somos nosotros los buscados.

El peso de la experiencia

—¿Qué pasó? ¿Le hizo efecto el medicamento que le receté? —pregunta un médico a su paciente.

—¡Claro que sí! ¡Me ha hecho muchísimo bien!

—¿De veras?

—¡Sí, de veras!

—Ya que usted lo dice, lo voy a probar. Tengo el mismo problema que usted.

Este médico prescribe remedios que él mismo no ha probado. Da consejos para ayudar a las personas a salir de un problema, pero experimenta en carne propia la misma dificultad. Esto me recuerda otro chiste, que cuento a continuación...

El azúcar y el gurú

Una madre visita a un gurú para pedirle que hable con su hijo y lo induzca a dejar de comer azúcar. El gurú comprende su petición y le propone que regrese una semana más tarde. Así lo hace. En esta ocasión, el gurú se dirige al niño: "Jovencito, ¡deja de comer azúcar!"

Sorprendida por la brevedad de su intervención, la madre pregunta al gurú:

—¿Para esto esperamos una semana? Usted pudo haberle dicho lo mismo la primera vez que estuvimos aquí.

—Los hice esperar una semana, porque en la ocasión anterior yo todavía comía azúcar.

Cuando buscamos un consejo, la elección del consejero requiere una atención rigurosa.

En el curso de una conferencia expliqué de manera breve en qué consiste la psicomagia y uno de los asistentes se puso también a prescribir actos. Esto resultó, evidentemente, una catástrofe. Después del incidente, decidí escribir un librito sobre este tema, a fin de que se comprendiera bien tal disciplina. No es posible practicarla, si no la hemos integrado profundamente.

He oído hablar de un psicoanalista que se acuesta con sus pacientes y que no está muy equilibrado emocionalmente... Por mi parte, me pregunto qué valor tienen sus terapias...

Precio al mayoreo

Jacob acude con el médico, quien le dice:

—Tráigame un frasco con orina, para analizarla.

Regresa al día siguiente con una botella de tres litros, colmada de orina hasta el borde.

El médico no hace ninguna observación sobre la cantidad y efectúa el análisis. Luego, concluye:

—Señor, su orina es perfectamente normal, no tiene usted absolutamente nada.

Al salir del consultorio, Jacob se precipita hacia un teléfono y anuncia a su mujer:

—El doctor ha dicho que la orina es totalmente normal. Por consiguiente, yo no tengo nada, tú no tienes nada, los niños no tienen nada y la abuela tampoco.

Jacob hizo que analizaran de un solo golpe la orina de toda la familia.

Hace algún tiempo, soñé que un maestro me sometía a un examen de filosofía. El maestro formuló: "¡Resúmeme, en cuatro palabras, todo el conocimiento que hayas adquirido hasta la fecha!"

Yo le solté cuatro palabras: "Permanente impermanencia-Nada individual". Eso es todo lo que sé.

En el caso de Jacob, "nada individual" significa que si la familia tiene buena salud, Jacob también la tiene. Pero supongamos que el médico le hubiera dicho: "Está usted enfermo", entonces él habría anunciado a su mujer: "¡Todos estamos enfermos!"

La enfermedad no es individual, sino colectiva.

Para ilustrar esta afirmación, he aquí una anécdota:

Una joven mujer, madre de una niña, me contaba las grandes dificultades que enfrentaba su hijita para hacer sus necesidades. Un médico la había examinado y no existían señales de que tuviera hemorroides. Esta mujer buscaba algún consejo en mí. Le pregunté la edad de la niña. Diecisiete meses. ¿Usaba la pequeña a todas horas pañales? Sí. Mi inconsciente me dictó el camino por seguir: había que liberar a la niña de los pañales. Ante el asombro y la incomprensión de la joven madre, insistí: "¡No importa que la niña haga sus necesidades por doquier! Se trata de un inconveniente que es menester sufrir durante algunos días".

A la semana siguiente, la joven mujer me vino a dar las gracias por mi consejo, el cual había seguido al pie de la letra: desde el primer día ¡la niña había hecho sus necesidades... doce veces! El problema estaba resuelto. A partir de ese momento, la niña empezó a pedir a su mamá que pasara más tiempo con ella. La joven madre me volvió a ver y me informó al respecto. A pregunta expresa, me enteré de que la pequeña había nacido prematuramente, de que era sietemesina. Yo le dije: "Su reacción es normal. Le faltó una mayor relación contigo. Cárgala en la espalda, como hacen las indias".

Compró entonces una mochila para llevarla en la espalda, pero la niña no lo aceptó. Yo le expuse: "Evidentemente, no es nada tonta. No quiere que la encierren en una mochila. Ella quiere un contacto directo".

Había olvidado aconsejarle que pegara a la niña a su piel desnuda. Corregí esta omisión. Por cierto, es interesante señalar que debí insistir en tres ocasiones para que la madre estrechara directamente a su niña.

Después, la pequeña mejoró, pero la historia no terminó ahí. La joven mujer descubrió que tenía problemas con su hija.

—El que tu niña haya venido al mundo en el séptimo mes de gestación es algo que tiene que ver contigo —le expliqué—. Ella no nació antes de tiempo; tú la pusiste en el mundo antes de tiempo. Hay un rechazo de tu parte.

—¿Pero qué es lo que yo rechazo?

—¡Pregúntaselo a tu madre!

—¿¿¿A mi madre??? —preguntó, estupefacta, la mujer.

—¡Sí, a tu madre! ¿Qué problema tuvo ella con sus hijos?

Ella me confió que su madre no la había querido tener. El rechazo era explícito.

Si mi madre está en contra de sus hijos, mis hijos estarán enfermos. Y si mi madre está en contra de los hijos es porque mi abuela comenzó la historia. La enfermedad es colectiva, familiar. Hay que rascar todo esto, como lo haría Sherlock Holmes.

La bella y el enano

Un agente viajero regresa a su casa de improviso y encuentra a su mujer en la cama con un enano. Aferrando su escopeta, se precipita hacia la bella infiel.

—¡Juraste que jamás me engañarías!

—¿Acaso no entiendes? ¿No ves que estoy tratando de acabar progresivamente con el hábito?

En términos generales, tenemos la tendencia a tergiversar la realidad para justificarnos. Somos muy complacientes con nosotros mismos y, cada vez que alguien nos señala nuestra realidad, hallamos excusas de sobra para defendernos. Nos transformamos de inmediato en brillantes abogados defensores. Este modo de funcionar nos resulta muy familiar. Incluso nos inclinamos a emplearlo cotidianamente.

El marido jactancioso

—¡Mi marido me enerva! ¡Imagínate: mi criada está embarazada!
  —¿Fue el autor del golpe?
  —Es completamente incapaz de hacerlo... lo que me exaspera es que se va a jactar de ello en todas partes.

Hay personas que se valen de todo para engañarse a sí mismas.

Desventura conyugal

En la Unión Soviética, durante los años de gloria del comunismo, un obrero llega jadeante a la fábrica y confía a un compañero de trabajo:

—Esta mañana me sucedió algo en verdad extraño. Salí de mi casa y, cinco minutos más tarde, me di cuenta de que había olvidado mi lonchera. Di media vuelta y ¿adivina qué encontré al regresar a casa?... ¡Mi esposa estaba acostada con el secretario de la célula comunista de nuestro barrio!

—¿Y entonces?

—¡Tuve suerte! ¡Él no me vió! En caso contrario, me habría endilgado cinco años de trabajos forzados por espionaje.

Yo, con mi temperamento sudamericano, habría esperado que al sorprender a su mujer en el lecho con otro, el obrero se hubiera ofendido y golpeado al secretario... De hecho, las mismas situaciones son vividas de modo diferente y provocan reacciones distintas según el lugar donde ocurran.

Cuando nos exponen o comentan un suceso, resulta aconsejable que siempre nos precisen dónde tuvo lugar, en qué época, en qué fecha, en qué lugar geográfico, en qué civilización, en qué régimen político. Si no nos aclaran "dónde", "cuándo" y "quién", no podemos hablar ni comprender realmente, porque los fundamentos son vagos. Por otra parte, uno de nuestros grandes errores de juicio proviene del hecho de que no sabemos manejar estas nociones de forma sistemática.

En la actualidad, algunas mujeres árabes rehúsan casarse a

los 15 o 16 años con un hombre escogido sin su consentimiento. Esta práctica existe todavía hoy día en Europa. Si yo escogiera un marido para mi hija o una esposa para mi hijo, me haría acreedor a por lo menos un ojo morado... Lo cual confirma que las cosas son vividas de diferente manera en función del lugar y de la civilización en que suceden.

El honor de una mujer

Un hombre, que luce un ojo amoratado y la nariz tumefacta, se encuentra con un amigo.

—¿Qué te sucedió?
—¡Me batí por el honor de una mujer!
—¿Por el honor de una mujer?
—¡Sí, ella quería conservarlo!

Aquí tenemos una frase que puede tener dos significados, los cuales dependen de la persona que la dice y de las circunstancias propias del acontecimiento evocado.

El hombre del ojo morado puede pasar por un héroe increíble o, en realidad, no ser sino el peor de los sinvergüenzas.

¡No bastan los enunciados! Es necesario tener en cuenta el contexto en el cual se pronuncian.

En una ocasión, alguien dijo en un estudio de televisión donde yo me encontraba: "¡La palabra 'se' es una estupidez!"

Tuve una iluminación. Con mucha frecuencia, cuando estamos haciendo alguna cosa, alguien llega y comenta: "Se dice esto y aquello..." A causa de este sesgo, la persona en cuestión nos molesta, porque su comentario tiene la fastidiosa tendencia a convertirse en palabra del Evangelio.

Cada vez que oímos la frase: "Se dice...", sin que ésta sea acompañada de referencias (quién lo dice, en qué circunstancias, en qué cultura, etc.), debemos pensar enseguida que este "se" es un imbécil.

Hasta cuándo nos vamos a dejar influir por frases idiotas que se transmiten de generación en generación y que nos dicen: "Una pareja es para toda la vida... Más vale mentir a los niños que mostrarles la realidad..."

Pruebas prenupciales

El jefe de una tribu africana tiene una hija muy bella. Un hombre se enamora locamente de ella y pide la mano de la joven a su padre.

—Para poder casarte con mi hija, deberás pasar antes por tres pruebas —declara el jefe.

—¿Cuáles son? —interroga, impaciente, el pretendiente.

—En esta jaula hay un león. Debes entrar, luchar con él y estrangularlo. Si lo logras, encontrarás un gorila en esta segunda jaula, al cual no es necesario que des muerte. En virtud de que tiene un terrible dolor de muelas, basta con que le arranques la pieza que lo hace sufrir.

—¿Y cuál es la tercera prueba? —indaga, anhelante, el enamorado.

—En esta tercera jaula se halla una inglesa frígida. Debes entrar y provocarle un orgasmo.

El hombre se precipita de inmediato dentro de la primera jaula. Desde el exterior se oyen los ruidos de un combate de una violencia extraña. Al cabo de unos minutos, el muchacho sale titubeante. Lleva al león en brazos. Sin perder el tiempo, pasa en seguida a la segunda prueba y entra en la jaula del gorila. El combate vuelve a ser muy violento hasta el momento en que se escucha aullar de placer al gorila.

—Y ahora —pregunta el pretendiente, tras abandonar la segunda jaula—, ¿dónde se encuentra la inglesa a la que hay que arrancarle un diente?

Este chiste lo contó Bagwan en la India. En ocasiones sucede que no prestamos suficiente atención a los datos de un problema por resolver, aunque esto nos induzca a equivocarnos.

Por ejemplo, en el tarot durante años han permanecido petrificadas las definiciones de las cartas. Se dice que El Diablo lleva una espada en la mano izquierda y que, al sostenerla, se corta. Se dice igualmente que tiene senos y un sexo masculino. Se afirman muchas cosas sin que en verdad se les haya prestado mucha atención. Es como si arrancáramos un diente sano a la inglesa frígida y le provocáramos un orgasmo al gorila.

Si observamos bien esta carta del tarot, veremos que El Diablo no porta una espada. El objeto que tiene en la mano presenta una línea en medio; en uno de los extremos, podemos ver una línea que se prolonga a un lado mientras que en el otro la línea es más corta y parece cerrarse. Podría decirse que este objeto es un compás.

Por otra parte, cuando miramos con una lupa el sexo de este personaje, nos enteramos de que no hay ningún falo. Se trata más bien de una especie de araña. Puede señalarse que esto es un sexo masculino, pero también que es una imagen un poco aterradora del sexo femenino.

No podemos afirmar nada en relación con un arcano. Para poder leer a alguien el tarot, es necesario ante todo acordar el significado de los arcanos. En seguida, se interpretan las cartas a partir de lo que se ha convenido.

Cuando entro en contacto con una persona ocurre lo mismo. Sea que yo me comporte con ésta en función de lo que me han contado sobre ésta, sea que mi contacto se establezca de modo directo, esto es, en función de lo que percibo de ella.

Si opto por la segunda opción, la observaré de pies a cabeza. Trataré de percibirla en todo su proceso y, a partir de ahí, crearé una imagen de ella. Luego, si esta persona hace otro tanto, podremos comenzar a hablar verdaderamente, sin dejarnos impresionar mutuamente por nuestros títulos o las tarjetas de presentación.

Historias zen
y japonesas

El sonido esencial del vacío

El discípulo se acerca al maestro y le pregunta:
—¿Cuál es el sonido esencial del vacío?
El maestro le responde:
—¿Cuál es el sonido esencial del vacío?
—Usted es el maestro. Yo no conozco la respuesta. ¡Por eso le pregunto!
El maestro le da un golpecito en la cabeza. El discípulo está ilumi-
nado.

El maestro ha dejado de identificarse con su ego, se ha abandonado al
vacío, al silencio interior. El único ruido que en ese instante resuena
en su vacuidad es la pregunta del discípulo. Éste toma la respuesta del
maestro como una pregunta dirigida a su intelecto, sin darse cuenta
de que lo único que aquél hace es imitarlo.
"Usted es el maestro. Yo no conozco la respuesta. ¡Por eso le pregun-
to!" Respuesta absurda: el maestro no ha querido plantearle una pregun-
ta; ha imitado el ruido de sus palabras, despojándolas de todo contenido.
El discípulo quiere obtener conceptos; no renuncia a su búsqueda intelec-
tual. Al darle un golpecito en la cabeza, el maestro interrumpe el flujo
verbal. En el espacio de un instante, el espíritu se queda vacío de pala-
bras.
Finalmente, el discípulo comprende.
El maestro ya no es nadie.
El otro, el mundo, es el sonido esencial de su vacío.
Cuando el yo deja de existir, el mundo existe.

Tragar la serpiente

Cierto día, un gran maestro llegó de improviso a un monasterio zen. El cocinero en jefe debió prepararle apresuradamente algo de comer. Se puso a cocer legumbres, a fin de hacer una sopa suculenta.

El huésped comió la sopa. Se deleitó con ella hasta el momento en que encontró una cabeza de serpiente en su cuchara. Hizo venir al cocinero para pedirle explicaciones. Éste, al ver la cabeza de serpiente, estiró el brazo, la cogió y se la tragó ante los ojos estupefactos de los asistentes. En seguida, muy digno, dio media vuelta y regresó a la cocina sin decir una palabra.

Al tragarse de inmediato la serpiente, el cocinero se tragó en realidad su error. En términos generales, muy rara vez estamos dispuestos a hacer lo mismo.

En cierta ocasión, cuando yo le leía el tarot a Ejo Takata, le dije: "Escucha, Ejo, perdona que te lo diga, tú eres un monje, un maestro... pero según el tarot, tienes problemas sexuales".

No se atrincheró detrás de sus defensas, ni titubeó, tratando de justificarse; de inmediato se tragó la cabeza de serpiente: elevó el puño y exclamó: "¡Sí, los tengo!" A la mañana siguiente, salió en busca de su mujer a Japón.

Las dos gateras

Un artista japonés tenía dos gatos, uno grande y otro chico. Hizo dos gateras en la puerta, una grande y otra chica. Un amigo que pasaba por ahí se sorprendió:

—¿Por qué dos gateras? ¡Una habría sido suficiente!

—¿Cómo? Hay una para cada gato.

—Fíjate bien: La grande habría bastado para los dos gatos.

—Tienes razón. No lo había pensado.

Esta historia es un poco rara. La encontré en un librito: *Le Chat et le Samorai, contes du Japon.** Se trata de una recopilación de historias iniciáticas que quebrantan el sentido de la lógica.

En la anterior, hay dos tipos de lenguaje: el del corazón y el del intelecto.

El artista tenía gatos en tanto que el intelectual no tenía. ¿Cómo este último habría podido imaginar el amor que el artista sentía por sus gatos?

Podría pensarse que la respuesta del artista muestra un espíritu un poco simple o podría pensarse que su contestación significa: yo no utilizo el intelecto en relación con los asuntos que pertenecen al orden del amor. El intelecto no tiene lugar en el lenguaje del corazón. Yo quiero honrar a mis dos gatos dándoles una entrada a cada uno. Si el pequeño utiliza la grande, es cosa suya. Que haga lo que quiera. Tal vez un día el grande se contorsione como loco al tratar de utilizar la gatera chica. En verdad, lo único que me importa es dar a cada uno su lugar.

* *Le Chat et le Samorai, contes du Japon*, de Perusat Stork.

Todos nosotros tenemos una puerta que nos corresponde. No todos podemos pasar por la misma, por grande que sea.

Esto me recuerda que, en la imaginería popular, san Pedro aparece con un nutrido manojo de llaves. Nos preguntamos a qué se deben tantas llaves. ¿Acaso el paraíso tiene muchas puertas? Yo encontré ya una respuesta. San Pedro lleva muchas llaves porque cada uno de nosotros llega con la suya. San Pedro tiene las llaves de todos aquellos que ya entraron. Suponiendo por un momento que el paraíso exista, esto quiere decir que cada quien tiene su propia entrada, y que no se puede pasar por la de otro.

Kafka escribió un cuento sobre este tema. Un hombre llama a la puerta de la justicia, pero un guardia lo rechaza. Insiste con regularidad, pero el guardia siempre lo rechaza y lo disuade de entrar. Ya viejo y agonizante, el hombre pregunta por qué jamás vio a otro que probara con esa puerta y entonces el guardia le responde que dicha puerta había sido creada únicamente para su uso.

El manojo de llaves de san Pedro es una versión positiva del cuento de Kafka. Se trata de la misma idea. En la mía, se posee la llave y se entra; en la suya, se carece de la llave.

El idiota y el teólogo

Un monje zen vivía con su hermano, quien era tuerto e idiota. Cierto día, cuando el monje debía entrevistarse con un teólogo famoso, venido de lejanas tierras para conocerlo, se vio en la necesidad de ausentarse. Le dijo entonces a su hermano: "¡Recibe y trata bien a este erudito! ¡No le digas ni una palabra y todo saldrá bien!"

El monje salió del monasterio. A su regreso, fue a encontrarse con el visitante.

—¿Lo recibió bien mi hermano? —le preguntó.

—Su hermano es notabilísimo. ¡Es un gran teólogo! —exclamó, lleno de entusiasmo, el teólogo.

—¿Cómo dice?... ¿Mi hermano, un... teólogo? —tartamudeó, sorprendido, el monje.

—Sostuvimos una conversación apasionante —repuso el erudito—: únicamente nos expresamos por medio de gestos. Yo le mostré un dedo y él contestó mostrándome dos. Como es lógico, le respondí mostrándole tres dedos y entonces él me dejó estupefacto al enarbolar un puño cerrado, que puso punto final al debate... Con un dedo, yo aludí a la unidad de Buda. Con dos dedos, él ensanchó mi punto de vista al recordarme que Buda es inseparable de su doctrina. Encantado por la réplica, con tres dedos le expresé: Buda y su doctrina en el mundo. Entonces él planteó una respuesta sublime, mostrándome el puño: Buda, su doctrina, el mundo, todo en uno. Así, cerró el círculo.

Un poco más tarde, el monje fue a buscar a su hermano tuerto:

—Cuéntame cómo estuvo tu encuentro con el teólogo —indagó.

—Muy sencillo —dijo el hermano—. Se burló de mí: me mostró un dedo para destacar que yo tengo un solo ojo. No queriendo caer en la provocación, le manifesté que él tenía la suerte de tener dos ojos. Sarcástico, se obstinó: "Sea como fuere, los de nosotros dos suman tres ojos". Esto fue la gota que derramó el vaso. Mostrándole el puño cerrado, lo amenacé con dejarlo tendido ahí mismo, si no cesaba en sus insinuaciones malévolas.

Esta historia refleja a la perfección el tipo de conversación que solemos sostener. Creemos hablar de la misma cosa, y en definitiva hablamos de cosas diametralmente diferentes. Discutimos de manera apasionada con la creencia de que nos estamos comunicando íntimamente con el otro; pero a final de cuentas, no hablamos de nada. Cada uno utiliza un lenguaje de sordomudo. Cada uno habla de sí mismo.

El otro día alguien hizo referencia delante de mí a Simone de Beauvoir: Simone de Beauvoir aquí... Simone de Beauvoir allá... "¿De cuál Simone de Beauvoir me estás hablando?", le pregunté. No basta con citar a alguien; es necesario precisar de qué aspecto del personaje se habla. Siempre que hablamos de alguien, lo hacemos como si nuestra percepción fuera la misma para todos.

Cuando me hablan del tarot, procuro saber de qué tarot se trata, si en verdad existe. Igualmente, intento que se defina qué tipo de interpretación se está manejando.

Defíneme lo que Simone de Beauvoir es para ti, y en seguida yo te daré mi definición. Pongámonos de acuerdo en los términos antes de avanzar. Sin esta puesta de puntos sobre las íes, todas nuestras conversaciones se parecerán a la del idiota tuerto con el teólogo.

Cruzar el río

Un maestro zen decía: "Cuando ciertas personas deben atravesar en balsa un río, comienzan a hacerlo, pero poco después pierden de vista su objetivo. Se acostumbran a la balsa, la cual se convierte en su fin".

Hay gente que aprende a leer el tarot creyendo que el fin es saber leerlo. El tarot es la balsa; el fin, la alegría.

Otros piensan que el fin es ganar dinero. El fin es la alegría. Es necesario hacer dinero con algo que amemos en verdad, que amemos con locura. Podemos decir que hay que hacer cosas que nos procuren un placer tan inmenso, que incluso las haríamos gratuitamente. No obstante, por este trabajo que estaríamos dispuestos a hacer sin recibir paga, debemos exigir ser retribuidos. Es necesario ganarse la vida con lo que amamos.

El dinero es una energía divina. Ahora bien, en nuestra sociedad se considera la peor cosa. De todas maneras, estamos condenados a servirnos de él, a ganarlo y a gastarlo. ¿Por qué culpar a quien gana mucho? ¿Para qué ocultar el nivel de ingresos? Yo imagino muy claramente a Cristo bendiciendo al mundo, con un billete de quinientos francos en la mano. El que no pueda figurárselo, debe reflexionar sobre sus conceptos en la materia.

He visto que se culpa al dinero en los árboles genealógicos, tanto católicos como marxistas. En este último árbol, se tiene derecho de ganar dinero hasta cierto punto; más allá de éste, el individuo se vuelve un explotador. Hay que ser pobre y limitado. Ganar más está prohibido.

Acabo de encontrarme a alguien que detesta el dinero y que, sin embargo, ha vivido siempre a expensas —con el dinero— de los demás. Aunque lo odiemos, debemos utilizarlo para mantenernos con vida.

Esta energía se puede emplear positiva o negativamente en la construcción o en la destrucción.

Los ojos bien abiertos

Un discípulo preguntó a su maestro:

—Maestro, ¿cómo llegar a la iluminación?

—Es muy fácil —respondió el maestro—. Para llegar a ella, debes hacer exactamente lo mismo que haces cada mañana para que el sol salga.

Perplejo, el discípulo se rascó la cabeza, preguntándose qué hacía cada mañana para que el sol saliera. Después de una detenida reflexión, arribó a la conclusión de que, en el fondo, estrictamente no hacía nada.

—Pero entonces, ¿para qué sirve estudiar caligrafía, karate, kendo, tiro con arco, elaboración de arreglos florales, fabricación de bonsais, etcétera? —preguntó al maestro—. ¿Para qué sirve todo eso?

—Precisamente para que, cuando salga el sol, te encuentres en verdad con los ojos bien abiertos.

Nos hace falta prestar atención y estar presentes en relación con lo que somos en verdad. Estar conscientes del sol que llevamos en nosotros. Para ello, es necesario trabajar intensamente, profundamente, practicar muchos ejercicios para desarrollar la atención, la concentración. Despertar significa estar despiertos a nuestro sol.

He aquí por qué trabajamos tanto: para dejar que las cosas se manifiesten por sí mismas.

¿Qué estás haciendo tú para desarrollar la atención en ti mismo? En mi opinión, se pueden seguir simultáneamente dos caminos.

El primero consiste en desarrollar la atención en nosotros mismos. Trabajar en nosotros hasta el momento en que lleguemos al vacío. Entonces, el Universo se manifiesta en nosotros. Durante esta práctica, nos ensanchamos, nos profundizamos, nos intensificamos, meditamos y trabajamos en nuestras ideas, sentimientos, deseos y vida material. Trabajamos para alcanzar el vacío.

Al mismo tiempo, en lo que toca a la relación con el exterior, trabajamos hacia la unión, a fin de llegar a nuestra plenitud. Es decir, para disolvernos en la totalidad. Éste es el segundo camino.

Así pues, la meditación consiste en ser la totalidad y la vacuidad, en ser todo, en ser nada. Trabajamos para, por una parte, unirnos con la Totalidad, con la totalidad del Ser, de la manifestación y de la no manifestación y, por la otra, para llegar a nuestro vacío esencial, que es esta misma Totalidad.

He ahí la iluminación. Se trata de algo simple y complejo a la vez.

Los monjes y los conejos

Dos monjes se hallaban sentados en el campo. Uno de ellos estaba rodeado de conejos. Entonces el que no tenía conejos a su alrededor le dijo al otro:

—¡Eres un santo! ¡Es increíble! Todos los conejos te rodean, mientras que huyen de mí. ¿Cuál es tu secreto?

—No tengo ningún secreto. No como conejos. Eso es todo.

Si tú quieres que un ser te tenga confianza, debes hablarle siendo como un espejo muy puro. En la magnífica exposición de piedras del Jardín Botánico de París, se exhibe el más bello espejo de obsidiana de toda Europa. Debes, tú mismo, llegar a ser como este espejo, reflejar al otro sin crítica ni proyección.

El milagro y la fe

Dos discípulos charlaban.

—Mi maestro cruza el río caminando sobre el agua. ¿Puede el tuyo hacer milagros como el mío? —preguntó el primero, con aire de superioridad.

—El mayor milagro que hace mi maestro es no hacer ningún milagro —respondió humildemente el segundo.

En la época en que no tuve fe, oraba: "Dios mío, ¡haz que una rosa aparezca en mi mano! Te juro que si esto sucede, no se lo contaré jamás a nadie, quedará entre tú y yo, pero por favor, respóndeme".

Se trataba de un proceder en verdad idiota. La fe consiste justamente en creer sin ninguna prueba. Si buscas signos, manifestaciones milagrosas, no tienes fe.

Yo no sería mejor si, como Saïd Baba, me dedicara a hacer aparecer kilos de cenizas en mi mano. Hacia este tipo de milagros sólo se inclinan aquellas personas que están insatisfechas consigo mismas y que buscan probarse que hay algo más grande que ellas.

Por mi parte, estoy satisfecho de ser lo que soy. Debo vivir lo que tenga que vivir. Sólo Dios decidirá la duración de mi existencia, cualquiera que sea. Yo acepto que Dios me ilumine o que no me ilumine. Si él hace aparecer una rosa en mi mano o si me hace levitar, será su voluntad. Si nada de esto ocurre, nada de esto tiene lugar, no cambiará nada para mí.

El jardín zen

Un maestro zen pidió a su discípulo que limpiara el jardín del monasterio. El discípulo lo limpió dejándolo impecable, pero el maestro no quedó satisfecho. Lo obligó a hacer un segundo aseo y después un tercero. Desalentado, el pobre discípulo se quejó:

—Pero maestro, en este jardín ya no hay nada que ordenar ni limpiar, todo está hecho.

—Falta una cosa —respondió el maestro, quien sacudió un árbol, del cual cayeron algunas hojas que cubrieron el suelo—. Ahora sí, el jardín está perfecto.

Hay un aspecto ordenado del plano mental que permite al intelecto trabajar dentro del orden y un aspecto desordenado que posibilita la manifestación del inconsciente. El orden perfecto sólo existe al lado del desorden. El orden total en un jardín mata el jardín.

La atención

Durante una representación de teatro nō, un actor inmenso desempeñaba su papel cuando de repente, a medio espectáculo y entre la asistencia silenciosa, un famoso general lanzó un grito. Todo el mundo se ofuscó a causa de esta intempestiva interrupción. Una vez que la función concluyó, se preguntó al actor principal qué había sentido en ese preciso momento, a lo cual respondió:

"El general tuvo razón. Su grito me reencauzó hacia mi papel, porque me estaba desconcentrando. Miraba una lámpara que amenazaba con caerse. Me distraje y él lo percibió."

El general era todo un guerrero que percibió de inmediato una debilidad en el actor. Para un guerrero de verdad, una debilidad de este tipo puede significar el paso de la vida a la muerte.

Un ser evolucionado desarrolla la capacidad de prestar atención. Quienes no han desarrollado esta capacidad no saben fijar la mirada. En cierta forma están y no están.

Atención significa atención al otro y atención a nosotros mismos. Es con esta actitud con la que meditamos. La meditación y la contemplación consisten únicamente en fijar la atención en lo que somos. Comenzamos a fijar la atención en lo que somos y perseveramos hasta encontrarnos.

Ignorancia e iluminación

Hacia el final de su vida, alguien le dijo al maestro Joshu:

—Hablar de ignorancia o de iluminación es como emitir parloteos infantiles, hacer demasiado ruido para no expresar nada. ¿No es así, maestro? Díganos cuál es la palabra verdadera.

Joshu, ese viejo maravilloso, respondió:

—¿Acaso la palabra verdadera consiste en otra cosa que decir estas dos palabras, ignorancia e iluminación?

—Maestro —insistió uno de los discípulos—, dejemos a un lado esas dos palabras. Díganos la palabra verdadera.

—¡*Om bourin pach*! —respondió Joshu.

Lo cual no quiere decir nada: no es más que una sucesión de sonidos carentes de sentido. Esto es la palabra verdadera. Dicho de otro modo, la verdad es indecible. No es un concepto.

Cuando nos encontramos, nos encontramos en lo que somos, sin definición. Esto no se conceptualiza.

La entrevista

El gobernador Ichi fue a visitar al maestro Chouei-ien. Al llegar al monasterio, solicitó una entrevista con el maestro, poniendo por delante su título. Chouei-ien rechazó categóricamente recibir a este ilustre personaje. Le mandó decir que el gobernador Ichi no existía.

El visitante, comprendiendo el mensaje, solicitó de nuevo una entrevista, haciéndose anunciar esta vez únicamente por su nombre. El sabio lo recibió de inmediato.

Los títulos y los cargos son secundarios. Lo que cuenta en las relaciones es lo que en verdad somos nosotros aquí y ahora. Es necesario aprender a ver esto en seguida.

El infierno y el paraíso

Un samurai pidió a un maestro que le explicara la diferencia entre el cielo y el infierno. Sin responderle, el maestro le lanzó numerosas injurias. Furioso, el samurai desenvainó su sable con la intención de decapitarlo.

"He ahí el infierno", dijo el maestro, antes de que el samurai entrara en acción. El guerrero, pasmado por estas palabras, se calmó de inmediato y enfundó el sable en su vaina.

Comentando este último gesto, el maestro agregó:

"Y he aquí el cielo."

Al penetrar en ciertos estados, nosotros mismos creamos nuestro propio infierno. Del mismo modo, al penetrar en otros estados, creamos nuestro propio paraíso. El infierno y el paraíso dependen de nosotros.

Atención

—Maestro, ¿qué necesitamos para aprender el arte de la espada?
—Hace falta atención.
—¿Únicamente eso?
—No, hace falta atención y atención.
—¿Nada más?
—No, hace falta atención, atención y atención.

Atención constante. Como un tigre al acecho, con una custodia incesante, tú vigilas, observas tu ser. Observas tus valores. Observas tu verdad, con el deseo insaciable de nutrirte de ti mismo. No lo haces de un modo egoísta. Buscas nutrirte de tu ser verdadero, porque ahí se encuentra el ser verdadero del Universo.

En esta observación de todos los instantes, el descubrir la menor falta te da gusto. Lloras de emoción ante la idea de poderla corregir. Vas a poder superarla. Es un trabajo que tu ser esencial te induce a hacer. Descubres tus faltas, pero también puedes descubrir tus valores.

Un viejo impasible

Un poderoso guerrero, a la cabeza de su ejército, invadió un país vecino. Precedido por su reputación, nadie osó enfrentarlo; por ello, conforme avanzaba, cruzaba comarcas desiertas.

Cierto día, en una aldea, penetró en un templo y descubrió a un anciano, sentado, impasible, en posición de loto. El guerrero interpretó la presencia inmóvil del viejo como un desafío; furioso, desenvainó su sable.

—¿Sabes ante quién estás, viejo desvergonzado? Podría traspasarte el corazón con este sable sin siquiera pestañear.

Sin la menor sombra de temor, el anciano le respondió:

—Y tú, ¿sabes ante quién estás? Yo puedo dejar que me traspases el corazón sin siquiera pestañear.

He imaginado al guerrero hundiendo su espada en el corazón del anciano y he visto a este último morir sin pestañear. ¡Qué belleza! Todo lo cual me recuerda una historia sufí verídica:

Un santo sufí hablaba sobre Dios. Cuando explicaba que todo es Dios, un hombre lo hirió inesperadamente. Moribundo, el santo miró a su agresor y le dijo con compasión: "Tú también, tú eres Dios".

Tal es el don de sí mismo, el abandono del ego. Yo no sería capaz de reaccionar así. Saltaría como pulga. Me defendería con todas mis fuerzas. No me encuentro en el estado del santo sufí.

He imaginado —como ya mencioné— al guerrero. Después de haber matado al viejo, le cortó el moño, como hacen los samurais cuando se topan con alguien más fuerte que ellos y, a partir de ese instante, su vida se transformó. Al introducir su espada en semejante centro de amor y de don de sí mismo, el guerrero experimentó una transformación profunda.

Una leyenda dice que crecieron rosas en la lanza que sirvió para traspasar a Cristo después de su crucifixión. Asimismo, según la leyenda, el guardia que manejó la lanza se curó milagrosamente una catarata después de su acto. En seguida, el hombre cambió y se iluminó. Al introducir su violencia, su deseo asesino, en un centro de amor, llegó a la realización.

Podemos alcanzar la realización pasando por la violencia, siempre y cuando la persona que sufra esta violencia esté ella misma realizada.

La prueba de la vasija

Un maestro de la espada presentó a sus tres hijos con un famoso maestro de esgrima, a fin de mostrarle el grado de evolución de sus vástagos en este arte. Colocó una vasija de arcilla en equilibrio sobre una puerta entreabierta y llamó al más joven de sus hijos. Éste, al abrir la puerta, hizo caer la vasija. Pero antes de que se rompiera en el suelo, el joven muchacho había sacado su espada y decapitado el objeto. El padre se volvió hacia el otro maestro y le confesó que este hijo todavía no era perfecto.

Colocó otra vasija sobre la puerta entreabierta y llamó a su segundo hijo, el cual desenvainó su espada como de rayo y cercenó el recipiente mucho antes de que tocara el suelo.

"Mi segundo hijo ha alcanzado un nivel superior", concluyó el padre.

Repitió la operación con su primogénito que, en vez de desenvainar la espada, cogió al vuelo la vasija y la depositó delicadamente en el suelo. El padre dijo:

"Éste ha alcanzado el nivel más elevado."

El maestro de esgrima, testigo de las hazañas de los tres hijos, colocó la vasija intacta encima de la puerta y llamó a su mejor alumno. Éste, asomando la cabeza por el resquicio de la puerta, sonrió, divertido y, mostrando que había entendido la intención de su maestro, no empujó la puerta.

Con el tercer aprendiz, vemos que, cuando llegamos a la maestría, dejamos de destruir. Amamos el objeto o al adversario. Pero al arribar al nivel del cuarto, alcanzamos la perfección. No caemos en la trampa. No necesitamos resolver el problema, porque lo evitamos. Quien llega a la perfección en el arte de la espada, no tiene nunca la necesidad de utilizar su arma. Frustra la gresca antes de que se produzca. La ve venir de lejos.

La cabeza del perro

En cierta ocasión, un samurai caminaba con su perro cuando
éste, de repente, enseñando los colmillos por primera vez, se puso
a ladrar furiosamente en dirección a su amo. Sorprendido e irritado, el samurai desenfundó su sable y cortó la cabeza del animal.
Pero en vez de caer al suelo, la cabeza se elevó hasta un árbol situado atrás del guerrero y cogió con sus quijadas una serpiente
que se aprestaba a morder a su amo. Comprendiendo entonces que
lo único que había hecho su perro era advertirlo del peligro que lo
amenazaba, el samurai, desconsolado, lamentó amargamente su
irreparable conducta.

El perro no agredía a su amo, sino que le advertía del peligro. El
samurai interpretó mal la intención del animal. Es necesario saber interpretar. Con frecuencia, las personas me cuentan un
hecho haciendo de él una mala interpretación, y después, tomando su versión como si fuera la realidad, bordan sobre ella
y la convierten en verdad.

Sea como fuere, podemos tomar la realidad como un sueño.
Una mujer me habló hace tiempo sobre la muerte de su suegro.

—Si tú no has podido expresar jamás tu odio contra tu suegro, ¡hazlo ahora! ¡Ponte contra un muro, insulta a este hombre
y, en seguida, ora! ¡Expresa tu odio y luego tu amor! —le dije.

—Yo no tengo cuentas que arreglar con mi suegro. Mi problema proviene de mi marido. Él me informó de esta muerte
de un modo brutal.

—Entonces, tienes un problema con tu marido... Toma ese
problema como si fuera un sueño e interprétalo. ¡Toma la realidad como un sueño... interprétala! Esto te ayudará a encontrar aquello que extrañas.

El aprendizaje

—Maestro, quiero estudiar el arte de la espada, ¿cuántos años me llevará?
—Diez años.
—¡Pero eso es demasiado!
—Entonces, veinte años.
—¡Pero eso es más que demasiado!
—Entonces, treinta años.

Sin paciencia, no logramos nada. Hay que avanzar con tranquilidad; las cosas acabarán por llegar.

En el fondo, el tiempo no cuenta. Es necesario comprender que un ser evolucionado no vive en el tiempo. Vive con el tiempo. Es el tiempo. Qué importa que realice una cosa en veinte años o en cuestión de segundos, si en verdad la realiza.

Koans

A propósito del maestro y el discípulo en el koan

En general, el maestro y el discípulo se reúnen en el koan. Yo imagino al maestro completamente sosegado y sereno, y al discípulo, tenso y nervioso. Si el gurú está nervioso y se contiene, no es maestro. Es un discípulo. Por el contrario, si se rasca las nalgas, es un maestro. Joshu precisó esta idea en una frase maravillosa: "Cuando el hombre ordinario conoce, se vuelve un sabio; cuando el sabio conoce, se vuelve un hombre ordinario".

Una anécdota histórica sobre la vida de Joshu cuenta el modo en que este maestro vivió diariamente su enseñanza.

Alguien fue a visitarlo por vez primera. Al fondo del jardín, el visitante divisó a un anciano magnífico, que se hallaba en meditación profunda. Le preguntó de inmediato al jardinero si ese anciano era Joshu. Y el jardinero le respondió: "No, en absoluto. Yo soy Joshu. Él es mi mejor alumno".

Al conocer a grandes gurús, tal vez llegues a pensar que la búsqueda de estos maestros no ha concluido. Y es que los maestros no se comportan como tales. Son invisibles. Son hombres ordinarios que han recorrido el camino hasta el final.

El buda de madera en
el templo en llamas

Un monje que meditaba en un templo, se quedó dormido. Mientras dormía, tiró una pequeña vela, la cual inflamó las maderas que adornaban el lugar. Cuando el monje se despertó, las llamas causaban estragos. Construido totalmente en piedra del piso al techo, el templo resistió el incendio, que sólo terminaría con la desaparición de todos los entablados. Antes de escapar del fuego, el monje decidió salvar un gran buda de madera. Aunque débil, de un modo milagroso encontró la fuerza necesaria para levantar la estatua, que pesaba más de cien kilos. Al llegar a la puerta se dio cuenta de que el buda de madera era dos veces más alto que ella. Imposible hacerlo pasar por ahí. Los muros eran demasiado sólidos y no cedían. Sin embargo, el monje no quería abandonar al buda al que adoraba, en medio del incendio. ¿Qué podía hacer para salir indemne con su tesoro?

¿Cómo sacó el monje al buda? Los japoneses se plantean curiosas preguntas. ¡Se dice que algunos han empleado más de veinte años en dar contestación a interrogantes parecidas!

La respuesta no es un chiste: el monje se echó el buda a la espalda, abrió la puerta y salió.

Muchas leyendas zen giran en torno al tema y dejan el mismo mensaje. Por ejemplo:

Imagine que usted está totalmente apresado en un bloque de piedra. ¿Cómo saldría? Se sale del bloque dando un paso hacia adelante o a un lado.

Otro ejemplo:

"Una gansa pone un huevo dentro de una botella. Tiempo después, el huevo se abre y aparece un pequeño ganso. ¿Cómo sale este último de la botella?", pregunta el maestro a su discípulo.

El monje se retira a meditar. Veinte años más tarde solicita una entrevista con el maestro y le anuncia que ya resolvió el koan.

—¿Cómo lo resolviste? —indaga el maestro.

—El ganso salió —responde el alumno.

La historia del templo de piedra con sus entablados y su buda inflamables es una historia mental. Todo ha sido inventado por nuestro cerebro. Hemos reunido un cierto número de datos en la forma de un problema por resolver, pero debemos tener en cuenta que todos estos datos son mentales, inventados totalmente... La puerta demasiado estrecha de este koan no tiene más realidad que la dificultad que nosotros creamos. Una y otra son creaciones del espíritu. Son falsas.

Somos nosotros los que ponemos el límite de la puertecita. Por tanto, somos nosotros (en la medida en que esta puerta tiene la misma naturaleza que el buda y todo el resto de la historia) quienes debemos resolver el problema a solas e instantáneamente.

Son muchas las personas que, cargando el peso de su vida pasada, tropiezan con problemas. Ellas son comparables a este monje que se enfrenta a una puerta demasiado angosta. Dicen:

—¡Ayúdenme a salir, estoy preso!
  —¡Sal!
—Soy desordenado. ¿Qué puedo hacer para dejar de serlo?
—Vuélvete ordenado.
—No logro concentrarme. ¿Qué hago?
—¡Concéntrate!
—No tengo valor.
—¡Sé valiente!
—Soy débil.
—¡Fortifícate!
—No tengo fe.
—¡Cree! Busca poco a poco, milímetro a milímetro, ¡y tenla!

En lo personal, me he topado en la vida con montones de problemas irreales. Cuando trataba de superarlos, chocaba contra mis propias imposibilidades. Tenía profundamente anclados en mi intelecto principios que me limitaban y me impedían avanzar. La historia de mi familia fue el fermento de mis límites. Antes de nacer e incluso antes de mi concepción, ya había sido programado para crearme una puerta estrecha que me mantendría prisionero.

En términos generales, todos experimentamos problemas difíciles y en ocasiones terriblemente dolorosos que no son sino fruto de nuestra imaginación: creaciones de nuestra mente.

En primer lugar, el buda de madera no existe. Aun así lo cargamos. ¿Por qué cargamos con semejante peso?

En segundo, nos quedamos dormidos. ¿Por qué nos quedamos dormidos?

En tercero, el incendio no existe. Sin embargo, le damos una realidad tal, que acaba por quemarnos. ¿Por qué ardemos? Nosotros mismos creamos el incendio que nos destruye. ¿Por qué queremos meternos en este drama?

En cuarto, la puerta angosta no existe. Somos sus prisioneros y, no obstante, podríamos franquearla de inmediato.

El agua

El maestro Ou-Tsou se hallaba en plena meditación cuando fue interrumpido por un discípulo ávido de escuchar sus enseñanzas. Ou-Tsou observó detenidamente al discípulo y luego trazó lentamente un círculo en el suelo, dentro del cual dibujó el ideograma que significa "agua". Lanzó entonces una mirada interrogativa al discípulo para ver si éste había captado el significado de su gesto, pero el rostro del discípulo reflejó una incomprensión absoluta.

El maestro está meditando profundamente. Para él, meditar es realizar algo real en el interior de sí mismo.

Lo que hace no es para satisfacer al público: sus padres, su familia, la sociedad, etc., sino porque siente la necesidad de hacerlo. Está más allá de toda moralidad. Es quien es. No busca ni el amor ni la bendición de nadie. Medita porque cree en ello. Cree en sí mismo. Está liberado.

Probablemente, sus padres no lo condicionaron —como sí lo hace la mayoría de los padres—, a ver el mundo del mismo modo en que ellos lo ven. Dicho de otro modo: "Si quieres que te ame, ¡mira el mundo como yo lo veo y sé como yo quiero!" El maestro tampoco ha vivido la obligación de limitarse que existe dentro de la relación de pareja. Dicho de otro modo: "¡Ponte anteojeras, no mires ni a derecha ni a izquierda, sino sólo a mí!"

El maestro Ou-Tsou está en libertad de hacer lo que quiera. Está centrado. Medita.

Llega el discípulo, sediento de conocimiento. Ou-Tsou dibuja un círculo, cualquier cosa cerrada, y traza en su interior el símbolo "agua". Esto a manera de una copa llena de agua. Le da, pues, un concepto. Ahora bien, ¿cómo beber un concepto? Nosotros realizamos las cosas, las vivimos. Las palabras que nos dan son sólo palabras. La palabra "agua" no quita la sed.

El maestro no tiene ningún conocimiento que ofrecer. Coloca al discípulo frente a su petición:

"Me pides un concepto. Quieres que te hable, que te explique. En lugar de buscar explicaciones, ¡sé! Si tienes sed, bebe agua, no mis conceptos. Yo te puedo enseñar a aprender, pero no te puedo dar el Ser, lo que tú eres."

¿Qué es el buda?*

—¿Qué es el buda? —preguntó un bonzo a su maestro.

—Y tú, ¿quién eres? —respondió el maestro.

—¿Yo?... ¡Yo soy yo!

—¿Conoces tú a ese yo o no?

—¡Por supuesto!

—¿Ves esto? —agregó el maestro, levantando un espantamoscas frente al bonzo.

—Desde luego.

Entonces el maestro se puso en pie y al salir del cuarto concluyó:

—No tengo nada que decir.

El buda es un estado espiritual, un estado de despertar, de conciencia total fuera del intelecto.

"¿Qué es el buda?" La pregunta del bonzo es idiota. Quiere obtener una definición intelectual, ahí donde el intelecto no tiene lugar.

El maestro le da de inmediato la solución. En vez de ofrecerle una exposición sobre el ego, el yo, etc., pregunta al bonzo: "Y tú, ¿quién eres?" Dicho de otro modo: "¿Quién eres tú, que quieres saber lo que es este estado de perfección total? ¿Quién te crees que eres?"

En términos generales, se nos ha enseñado a minimizarnos. ¿Por qué seríamos nosotros un buda? ¿Quiénes somos? Lo mejor no es obtener una definición del buda. Saber quiénes somos y conocer nuestro valor profundo son cosas mucho más útiles.

* Koan tomado de *Au cœur du zen*, de Taïken Jyoji.

El bonzo responde: "¿Yo?... ¡Yo soy yo!" Aquí, también, su intervención es idiota. El yo que él describe es un yo cotidiano, limitado, el yo de todos los días, el que hemos forjado desde nuestra más tierna infancia. Habla de los bloqueos y de los límites que ha integrado en el curso de su educación.

Al decir "yo soy yo", el bonzo expresa hasta qué punto le parece natural el verse como un hombre limitado que concibe al buda fuera de sí.

Esta respuesta impacienta al maestro, quien insiste: "¿Conoces tú a ese yo o no?" Su pregunta es clara: "¿Conoces tú a ese yo del que hablas? ¿Sufres tu personalidad o la conoces?" Todos debemos responder a estas preguntas. ¿Sufrimos lo que nos sucede? ¿Somos la tempestad o somos el cielo azul donde ruge la tempestad? En este cielo azul, la tempestad aparece y luego desaparece, en tanto que el cielo permanece constante.

Trabajé con una pareja que atravesaba por una crisis. Dije a la mujer: "Estás furiosa porque él te dio un golpe bajo. Ahora, ¡enfrenta esa cólera y desahógala! No te ates a ella, eso es hacer teatro. Deja atrás tus quejas y permite que aflore todo lo que hay de positivo y de esencial en la relación de ustedes dos".

Al cabo de un momento, la mujer comenta a su compañero: "Me haces daño, pero te amo. A pesar de todo tengo miedo de amarte porque sé que, si sigues tratándome como lo has hecho hasta ahora, vas a lastimar mi corazón".

Le dije entonces: "¡Deja que lo haga! ¡Ofrécele tu corazón para que lo lastime! No se lo ofrezcas como una víctima masoquista, sino sabiendo que detrás del dolor está la paz total. Si trabajas de este modo, tu conciencia jamás será lastimada".

Ella meditó estas palabras y luego se dirigió a su compañero: "Aunque lastimes mi corazón, te amo".

En seguida él se puso a llorar y en menos de tres minutos su relación se reestableció.

—¿Conoces tú a ese yo o no?
—¡Por supuesto!

Entonces, el maestro levanta un objeto y dice: "¿Ves esto?"

239

El bonzo responde: "Lo veo". Pero no comprende. Es por esta razón que el maestro corta la conversación.

Es necesario ver al buda. Es necesario verlo en sí mismo, tal como se ve un espantamoscas. Si no lo veo, ¿cómo voy a conocerlo? *Cuando medito, lo hago para ver qué soy.* Tú eres el buda. Esto es muy difícil de hacer entender a un novicio.

Regresar al mundo

—¿Cómo regresa un iluminado al mundo ordinario después de
haber meditado? —preguntó un monje budista a Kéjon.

—Un espejo roto nunca vuelve a reflejar. Las flores caídas jamás
regresan a su vieja rama —contestó Kéjon.

Me tocó conducir una sesión durante la cual todo el mundo
entró en trance. Habíamos hecho una meditación profunda. Al
terminar, un participante me dijo: "Lo que hemos vivido es
formidable, pero ¿cómo vamos a poder vivir en el mundo, una
vez que salgamos de aquí?"

En otra ocasión, presenté un texto cabalístico apasionante y
una persona concluyó: "Esto es muy bello, pero ¿qué sucede
cuando estamos en el mundo 'exterior'?"

Esas preguntas indican que quienes las formulan no han
aprendido nada. Al mismo tiempo, significan: "Tu enseñanza
es completamente inútil. Por medio de ella, no he resuelto
nada. Contigo avanzo un poquito; pero cuando salgo, el mundo borra todo porque sucede que no es como tú dices. ¿Qué
hacer?"

Kejón contesta: "Cuando un espejo se rompe, nunca vuelve
a reflejar. Cuando las flores se caen, jamás regresan a la rama".
Con ello está diciendo: "Es a ti mismo a quien debes plantear
la pregunta. ¡Deja de preocuparte por el mañana! ¡Vive la experiencia y en seguida verás! Si penetras con profundidad en la
iluminación, entra en el mundo y sabrás lo que pasa. Una vez
que rompemos el espejo, éste nunca volverá a reflejar. Una
vez que rompemos el ego, éste desaparecerá. Cuando las flores
se caen, no regresan a su rama. Se quedan en el suelo, en su lu-

gar. Cuando realizamos un cambio, éste nos da nuestro nuevo lugar en el mundo".

Aprendamos a echar mano de tres condiciones. La primera consiste en querer adquirir un conocimiento; la segunda, en saber que lo podemos adquirir y en hacer su adquisición; y la tercera, en aceptar el cambio que provoca este nuevo conocimiento.

Las personas tropiezan en este tercer punto. Ellas hacen todo lo que es necesario para cambiar; pero cuando el cambio llega, dicen: "¿Qué va a suceder cuando vaya al mundo?"

—Escucha, ¡haz tu trabajo! ¡Medita! ¡Encuéntrate! ¡En seguida, ve al mundo y ahí verás! No me digas: "Sí, pero..." "¡Haz lo que tengas que hacer! ¡Busca! ¡Vive! ¡Realiza tus acontecimientos! No obstaculices tu realización con el pretexto de que el mundo no tiene la belleza que has encontrado en tu interior. Deja surgir tu belleza interior y realízate sin preguntarte qué pasará después ni cómo reaccionará el mundo.

Cada uno de nosotros tiene siempre un lugar en el mundo. Hay, ciertamente, lugares para los locos y los sádicos, pero también los hay para quienes trabajan en sí mismos. Existe un lugar para las personas positivas, para las parejas que trabajan creando su divinidad, para todos los que no aceptan la negatividad. Sabiendo todo esto, ¿qué lugar vas a escoger?

Por mi parte, prefiero vivir y meditar en una flor, en vez de hacerlo en la carroña. Así procede El Loco del Tarot de Marsella. Al observar la carta, advertimos que camina sobre flores blancas maravillosas. Va de lugar purificado en lugar purificado y se realiza.

Si el mundo fuera totalmente, pero en verdad totalmente imperfecto, no tendríamos ningún elemento de comparación para darnos cuenta de ello. Entonces, sería perfecto. Para que la imperfección exista, es necesario que hayan pequeños islotes de perfección. Ellos son nuestro punto de referencia.

En lugar de avanzar de imperfección en imperfección y de mancha en mancha, busca las fallas del sistema, los espacios de perfección, y sólo avanza pasando por ellos. De este modo encontrarás tu alegría.

El infinito

Cuando el pez está en el océano, el océano es infinito.
Cuando el pájaro está en el cielo, el cielo es infinito.

El pájaro y el pez deben estar en el elemento que les corresponde para que éste sea infinito: el pájaro se ahogaría en el agua y el pez se asfixiaría en el aire.

¿El buda está en el perro?

Un discípulo preguntó a Joshu: "Si el espíritu de Buda está en todo, ¿también está en el perro?"

Por toda respuesta, Joshu ladró.

Atrapar el cielo

Joshu preguntó al discípulo: "¿Puedes atrapar el cielo?"

Habiendo visto que Joshu ladró en respuesta a la pregunta precedente, el discípulo hizo el ademán de atrapar el cielo con las manos. Joshu lo tomó de la nariz y se la torció. El discípulo se liberó brutalmente y, mientras se sobaba la nariz adolorida, Joshu declaró: "Acabo de atrapar el cielo".

Los huesos del maestro

El monje Chan dijo un día a su amigo Lin, otro monje: "Si quieres conocer la enseñanza del maestro, pregúntale qué es la iluminación".

Lin se acercó al maestro y sucedió que cuando le formuló la pregunta, el sabio respondió administrándole una buena dosis de bastonazos.

Confuso, el monje fue a contar su aventura a Chan. Éste se maravilló de la respuesta del maestro y sugirió a Lin que volviera a formularle la pregunta. Lin regresó con el maestro, repitió la pregunta y recibió otra nueva dosis de bastonazos.

Cuando Chan se enteró de que Lin había obtenido la misma respuesta, se maravilló otra vez y le preguntó si había comprendido. Lin abrió desmesuradamente los ojos. ¿Qué debía comprender? Por tercera ocasión, Chan le aconsejó que volviera con el maestro y fue así como Lin recibió una tercera dosis de bastonazos.

Contrariado, Lin abandonó el monasterio. Se puso a buscar un nuevo maestro. En otra provincia, encontró uno reputadísimo. Le contó cómo había sido apaleado cada vez que había planteado su pregunta. El sabio se mostró inmediatamente receptivo y compasivo.

—¡Formula tu pregunta, aquí mismo! —le propuso.

—Maestro, ¿qué es la iluminación?

A modo de respuesta, Li recibió una buena dosis de bastonazos.

Estupefacto, sin comprender nada de nada, Lin regresó a su antiguo monasterio. Buscó a Chan y le narró su última desventura.

—¡No he comprendido nada! —concluyó Lin.

—Sí, tú has comprendido —dijo Chan.

—¿Dónde está el maestro?

—Está muerto.

Esta noticia hundió a Lin en un profundo dolor, del cual surgió lleno de una nueva y repentina comprensión. Tomó una pala y, al tiempo que se dirigía resueltamente al cementerio, anunció: "Voy a desenterrar los huesos de mi maestro para seguir sus enseñanzas".

La muerte del maestro

Un maestro agonizaba. Uno de sus discípulos se acercó al moribundo y le susurró:

—¡Dime tu última palabra! ¡Dame tu testamento espiritual!

—¡No me quiero morir! —respondió el maestro—. He ahí mi testamento espiritual. ¡No me quiero morir!

En el primer koan se pregunta: "¿El buda está en el perro?" Al ladrar, el maestro quiere decir: "Penetra en la naturaleza del perro. Para conocer una cosa, ¡vuélvete esa cosa! ¡Percíbela desde el interior!"

¡Vuélvete el ser amado! Para conocerlo, percíbelo desde el interior. Esta percepción no es únicamente mental. Para comprender al perro, es necesario sumergirse en la naturaleza del perro. En verdad hay que ser el perro.

En el segundo koan, el discípulo simula que atrapa el cielo y el maestro ve que el alumno está haciendo un juego intelectual. En el fondo, el discípulo no tiene ningún cielo en la mano. Sólo tiene ideales, ilusiones. Busca una iluminación que no le pertenece, que no existe.

En el tercer koan, el maestro suministra bastonazos al discípulo, para que éste pierda el sentido de la dualidad en el dolor. Cuando el dolor nos ahoga, ya no es cuestión de teorías o de elucubraciones sobre Dios o sobre Buda. Estar totalmente dentro del dolor significa estar iluminado, porque estar iluminado equivale a vivir exactamente lo que se está viviendo; penetrar profundamente en uno mismo; estar consciente de todo lo que sentimos en el momento presente.

Cuando el discípulo a quien Joshu retorció la nariz se queja de dolor, el maestro señala: "Atrapé el cielo". Dicho de otro modo: "Atrapé la no dualidad. Atrapé tu ser tal cual es, en cierto grado de profundidad".

—¿Cómo tener fe? —preguntó un discípulo a Buda.

A manera de respuesta, Buda sumergió la cabeza del discípulo en el agua y ahí la mantuvo hasta que éste se encontró a punto de ahogarse. Cuando finalmente fue liberado, respiró a pleno pulmón.

—¿Necesitabas respirar? —indagó Buda.

—Sí —contestó, todavía jadeando, el discípulo.

—Bueno, eso es la fe —concluyó Buda.

Cuando el discípulo buscaba una definición de la iluminación (o de la fe), el maestro no lo golpeó por castigarlo. Lo remitió a sí mismo. La iluminación no es algo superficial.

Un intelectual acudió a un monasterio para buscar a un viejo monje, reputado por su erudición. Deseaba conversar con él sobre la naturaleza del buda, pero el anciano se excusó:

—Debo ir a la cocina a preparar los champiñones.

El intelectual se ofuscó:

—¿Cómo es posible? Tú eres uno de los más grandes conocedores del zen y sólo te interesa preparar champiñones. ¡Deja esa tarea a tus alumnos!

El viejo se levantó y, antes de salir del cuarto, agregó:

—¡No has comprendido nada en el camino! ¡Yo mismo voy a preparar los champiñones!

Al insistir en preparar él mismo los champiñones, el viejo monje quiso decir que el camino no consiste en tener teorías, hablar y hacer proyecciones sobre la verdad. Dio a entender que la verdad es ser como el pez en el océano y el pájaro en el cielo. Es entregarnos total y absolutamente a nosotros mismos.

Cuando en el koan intitulado "Los huesos del maestro", el monje que recibió bastonazos se entera de la muerte de su instructor, siente un dolor inmenso y, ahí, comprende esta realidad. A través de su dolor, se siente vivo, siente que es. Siente quién es y comprende que el maestro lo golpeó para encauzarlo hacia su verdad, por medio del dolor. En ese momento, reconoce que tuvo un gran maestro y sale con una pala para desenterrar sus huesos, es decir, la realidad.

¿Qué va a enseñarle ahora su maestro? Va a enseñarle lo que es, un montón de huesos. El discípulo va a entrar en contacto con esta realidad y la va a aceptar. Va a aceptarse también tal cual es ("soy lo que soy") y va a aprender.

Aceptarnos tal como somos es comunicarnos con nosotros mismos. Es utilizar nuestro intelecto en lo que toca al intelecto. Ni más ni menos. Vivir lo corporal en lo corporal, lo emocional en lo emocional, lo sexual en lo sexual y la unión de estos cuatro egos en la unión de estos cuatro egos.

Para comenzar, es preciso vernos tal como somos. No contarnos historias. Hay que encontrarnos.

¿Cuándo somos infinitos? Cuando nuestro intelecto se percibe totalmente. Nuestro corazón es infinito, el amor es infinito, el instante es infinito. Nuestro cuerpo es infinito.

En esta realidad completa, ya no fingimos. Dejamos de mentir. No nos negamos a ver el lado oscuro de nuestra sexualidad. Vemos también todos nuestros antiguos conceptos. Y en la medida en que el amor pase por nosotros, en que seamos canales, limpiaremos nuestro plano emocional. Haremos infinito nuestro corazón.

En el último koan, "La muerte del maestro", mientras el maestro agonizaba, una parte de su ser rechazaba la muerte y así lo expresó. No se esforzó en enunciar una frase para la posteridad. En la inmensidad de su espíritu, pudo percibir el grito humano que llevaba dentro.

Reconozcamos nuestras pulsiones. Seamos honestos, no las enterremos. Estas fábulas zen son claras. Hay que meternos en nuestra realidad.

Los dos monjes y el ruiseñor

En el monasterio de Nansen, Enju, el jardinero, hablaba con Tenza, el cocinero. De repente, en medio de su conversación, un ruiseñor se puso a cantar. Los dos monjes dejaron de charlar para oír su canto. Cuando el pájaro calló, el jardinero, una de cuyas manos era de madera, tamborileó con un dedo sobre su mano de madera y, en seguida, al mismo tiempo el ave lanzó nuevos trinos. Los dos monjes volvieron a escuchar su canto. Cuando el ruiseñor calló por segunda ocasión, el jardinero tamborileó sobre la madera de su mano, pero el pájaro permaneció en silencio.

—¿Comprendes? —preguntó Enju.

—No, yo no comprendo —respondió, interrogativo, Tenza.

Entonces Enju tamborileó de nuevo sobre su mano. Tenza sonrió y los dos hombres se separaron.

Enju y Tenza viven en un monasterio. Llegar a ser monje significa abrazar una carrera. Dejamos afuera nuestro ego y entramos en el monasterio con el deseo de encontrarnos a nosotros mismos. Ya no queremos buscar la luz en el exterior, sino en nuestro interior.

Estos dos monjes hacen un trabajo espiritual sobre ellos mismos, de manera que analizan todo lo que les ocurre como una forma de trabajo. Puede decirse que son sinceros, porque esta historia se sitúa en una época en que los maestros tenían derecho de vida y muerte sobre sus discípulos. Enju y Tenza han consagrado su vida a convertirse en monjes.

¿Quiénes son?... ¿Reyes, grandes comerciantes, artistas, locos?... No lo sabemos. Para ellos, el aparentar ha concluido. En su carrera, han abandonado el aparentar y están en busca del Ser.

Uno es cocinero y el otro jardinero. No ocupan, por cierto, los cargos más modestos. En términos generales, en los monasterios, el puesto del cocinero es el más importante después del puesto del maestro. Las tareas manuales no son despreciadas. En verdad, cuando se trabaja en la cocina, se trabaja la base material de la vida. La verdad se encuentra en la cocina. El cocinero debe ser increíblemente consciente. Para ejemplificar lo que estoy diciendo, retomemos la historia del cocinero.

Un gran maestro llegó de improviso a un monasterio. A la carrera, el cocinero preparó una sopa de legumbres, que sirvió al visitante. Éste la comió con deleite hasta el momento en que encontró una cabeza de serpiente en su cuchara. Llamó al cocinero y, mostrándole la cabeza del animal, le preguntó:
—¿Qué es esto?
El cocinero cogió la cabeza, se la tragó en un dos por tres y respondió:
—¡Es "esto"!

El cocinero reconoce inmediatamente su error y se lo traga.

El jardinero desempeña también un papel importante, porque trabaja con la naturaleza, la tierra, las estaciones. Debe comprender la naturaleza de la tierra. Cocinero y jardinero ocupan dos posiciones importantísimas, a pesar de que sean las más humildes. Saben que es necesario comer para meditar bien.

La alimentación es muy importante cuando se sigue un camino espiritual. No podemos avanzar si engullimos una comida dañina. Yo no me inclino por un régimen vegetariano ortodoxo (ni siquiera Cristo fue vegetariano); sin embargo, creo que es menester limitar considerablemente nuestro consumo de carne, no rebasar las necesidades de nuestro cuerpo.

Un amigo mío que había consumido mucha cocaína, padecía del hígado. Fue a China a ver a un gran maestro de medicina taoísta. Éste le ordenó comer carne de puerco para curar su mal. Debido a que la carne puede ser un remedio, no podemos estar completamente en contra de ella. Con todo, no obtenemos un estado de conciencia sin una reflexión profunda sobre nuestra alimentación, así como sin una reforma de ella cuando comprobemos que sea necesario hacerlo.

Tal vez lleguemos al exceso, pero inmediatamente recuperamos el dominio de nosotros mismos y regresamos a una alimentación más mesurada. Hay una *mudrā* que ilustra bien esta situación. He aquí su significado: "El animal se aparta del rebaño, pero yo lo hago volver al rebaño. Se aparta de nuevo y lo hago volver otra vez".

El trabajo espiritual sigue también este principio. Lo esencial no es que seamos perfectos. Lo esencial es que tengamos el dominio interior de nosotros mismos para de nuevo poner manos a la obra cuando nos hayamos desviado.

Conozco personas que tras cometer un "pecadillo", lo repiten una y otra vez; se dicen: "Puesto que ya fallé en una ocasión, ya esto se fastidió. Estoy podrido, mejor termino de caer".

Ahora veamos cuán nobles son estos dos monjes. Son más nobles que los grandes filósofos. Mientras conversan, un ruiseñor se pone a cantar. No imagino que Sartre o Deleuze hayan dejado de hablar porque un pájaro hubiese cantado. En cambio, ambos monjes son tan sensibles, que guardan silencio. Son respetuosos de la naturaleza. Reconocen su belleza y escuchan su mensaje.

Si soy capaz de reconocer la belleza de la naturaleza, soy capaz de reconocer la belleza de mi naturaleza. En caso contrario, estoy forzosamente cerrado a mi propia belleza. Para reconocer la naturaleza, es necesario dejar a un lado nuestro ego, dejar de luchar por sentirnos el centro del mundo.

El jardinero que responde al canto del pájaro tiene una mano de madera. Simbólicamente, este detalle es maravilloso. ¿Cómo perdió la mano? Puede decirse que la sacrificó para encontrarse, tal como hizo el primer discípulo de Bodhidharma en China.

Cuando Bodhidharma llegó a China, se situó frente a un muro y se negó a hablar con nadie. Un guerrero chino quiso ser su discípulo, pero Bodhidharma lo ignoró. El guerrero esperó en vano la buena voluntad del maestro. Transcurrieron días, meses y luego años sin que Bodhidharma le hablara. De repente, según la leyenda, el guerrero se cortó un brazo y, arrojándolo a los pies de Bodhidharma, le dijo: "Si no volteas a mirarme, me corto el cuello". Dicho en otras palabras: "Para mí, es vital aprender".

—Quiero llegar a ser artista —me dijo un muchacho.

—¡Llega a serlo! —le contesté—. Sin embargo, si ser artista es absolutamente vital para ti, tendrás que sacrificar algunas cosas.

—Amo a un hombre. Quiero edificar una relación con él, pero no se muestra muy entusiasta. No me desea —me comentó una mujer.

—Si en verdad lo quieres, el hecho de que te desee o no, no tiene importancia —respondí—. Conviértete en una campeona. ¡Excítalo! ¡Enloquécelo! ¡Acarícialo con gran sabiduría! ¡Dedícate a ello, manos a la obra! Su falta de deseo no es un problema. ¡No hagas de eso una fijación! ¡Despierta el deseo del otro como lo haría un sabio! Entonces, tus dudas se desvanecerán: él te amará. Para ello, es necesario que olvides tu demanda de amor. ¡Deja de desear ser amada! ¡Sé activa! Si soplas sobre las brasas, la llama cobrará vida. Por el contrario, si esperas a que la ceniza se recaliente... El hombre que amas está encajonado en un problema raro con su mamá. No puedes atraparlo ni por el corazón ni por el intelecto. Sólo te quedan el cuerpo y el sexo. ¡Agárralo por ahí! ¡Inícialo!... En una relación con un hombre, tú puedes ser su mamá, su mujer, su hermana, su hija, su prostituta y también su iniciadora. Hay que dejar de jugar a la hijita que pide el amor de papá. ¡Olvida tus problemas y vuélvete una iniciadora! Hay técnicas. ¡Apréndelas!

Del mismo modo, los hombres deben aprender técnicas.

Sin sacrificio, no se obtiene nada. El discípulo de Bodhidharma dio su brazo. La mano de madera del jardinero indica que se trata de un hombre que ha sacrificado una parte de sí mismo.

El mayor sacrificio es aquel en que ofrecemos nuestro ego, en que hacemos el don de nosotros. Penetramos profundamente en el sacrificio y el ego da paso al ser de calidad.

De esto hablan Enju y Tenza. ¿Sobre qué conversan? Dos monjes, que se han alejado del mundo y entrado en un monasterio para encontrar el despertar, no pueden charlar como un par de comadres. Intercambian información importante sobre las técnicas de meditación. Hablan del trabajo espiritual.

De repente cesan su conversación porque surge la realidad, la verdad. En seguida, sin ningún prejuicio, el jardinero utiliza un elemento natural, la madera, porque sabe que el pájaro reconoce ese sonido. No llama al ruiseñor con tonterías. Se comunica con él utilizando su propio lenguaje.

El pájaro comprende este eco natural enviado por el jardinero y vuelve a cantar. No es el jardinero quien se ha expresado. Es su madera, es decir, su naturaleza esencial. Verdaderamente ha sabido desvanecerse y ponerse en el lugar del ruiseñor. Éste se ha sentido comprendido y se lo ha hecho saber mediante algunos trinos adicionales.

Cuando el pájaro calla por segunda vez, el jardinero tamborilea de nuevo sobre la madera para indicar alguna cosa a su compañero.

Como el pájaro obedece a su naturaleza, no se aferra a nada. No está ahí para hacer un dúo con el primer jardinero que aparezca. Es libre. Si siente el deseo de cantar, canta; pero no lo repite porque la naturaleza no es repetitiva. La repetición es artificial. El ruiseñor no conoce el hábito. Entonces, con toda su belleza, parte hacia otros lugares a vivir su vida como él la entiende. Es libre. Hace en verdad lo que le apetece. Eso es lo que el jardinero quiere dar a entender al cocinero cuando le pregunta si ha comprendido.

¿Qué responde el cocinero? Podría haber contestado: "Sí, comprendo este problema filosófico fundamental. El canto del pájaro nos habla de la ausencia y de la no ausencia entre el ser y el no ser dentro de la dualidad única, etc.". Podría haber contestado un montón de cosas.

Un guerrero se presenta ante un gran maestro, del cual quiere ser discípulo. Abre la puerta y cuando aún no se encuentra en el umbral, el maestro, que lo ve por vez primera, traza un círculo en el aire y le pregunta qué significa eso.

—Escuche, maestro —responde el futuro discípulo—, apenas acabo de llegar y usted dibuja signos misteriosos en el aire... Va demasiado aprisa. No comprendo lo que eso quiere decir.

—Entra y cierra la puerta. Puedes ser mi alumno.

El maestro ha aceptado a su nuevo discípulo porque éste obró con naturalidad. No mintió. No respondió: "Es un círculo maravilloso que simboliza la perfección. Usted va a enseñarme la perfección". Debido a que expresó su incomprensión, el maestro lo consideró apto para entrar en la verdad. La condición indispensable para entrar en la verdad consiste en reconocer y aceptar que no se sabe.

He ahí por qué el cocinero responde humildemente que no comprende. No siente vergüenza de decir que sabe menos que el otro. Habla con su naturaleza.

El jardinero le contesta como le contestó al ruiseñor. Para él, la palabra sincera de un ser humano es comparable al canto de un pájaro. Al hacer "cantar" a la madera por última vez, él quiere decir: "Tú eres sincero. Como el pájaro, has hablado con tu naturaleza original. Esto es maravilloso, porque en un solo tiempo, el pájaro es pájaro; tú eres tú mismo con tu sinceridad, belleza y calidad; yo soy yo mismo, la madera es madera y la nube es nube".

El cocinero ve con buenos ojos que el jardinero lo trate como trató al ruiseñor. Cuando es sincera, la voz humana es tan bella como el canto de un pájaro.

En un monasterio hay un jardín impecable. Todo es perfecto. Las calzadas son irreprochables. Algunas hojas secas, aquí y allá, ponen un toque de desorden. El propio jardinero sacudió los árboles para hacer caer las hojas que simbolizan el desorden dentro del orden y nos hablan de la imposible perfección del ser humano.

La cocina es estudiada al igual que el jardín. Cuando el jardinero limpia y corta las legumbres, todos sus gestos son conscientes. No hay automatismo. No repite el mismo gesto una sola vez, porque repetir es dejar entrar al diablo.

Cuando los dos monjes se encuentran, se saludan y, mediante su saludo, ambos expresan la alegría de darse los buenos días. Su alegría es intensa porque el maestro les dijo hace poco: "Cada día es un buen día". Al no establecer diferencia alguna entre los días malos y los días buenos, él dio a entender que cada día tiene su calidad intrínseca y que en todo el Universo sólo existe el momento presente, el "aquí y ahora". No hay nada más bello que el instante presente, puesto que éste es único. No se repetirá jamás. Este aspecto efímero del tiempo le confiere una calidad increíble.

Si tengo conciencia de que cada segundo es un buen segundo y de que cada día es un buen día, vivo en un estado de gracia y de aceptación.

Los dos monjes saben todo eso cuando se dan los buenos días. En seguida, dentro de la belleza de ese día, un ruiseñor canta. Su canto es tan bello como una estrella, como el sol, como la luna, como la arena... Es una música que surge en un buen día, en la *unicidad*. Este pájaro jamás volverá a cantar de la misma manera y estos monjes jamás se sentirán y hablarán de la misma manera.

En el transcurso de ese instante, no se repetirá jamás que el jardinero tamborilee sobre su mano, la cual está tallada de la madera de un árbol que él mismo cultivó. Es por ello que es jardinero. Trabaja con una mano que es producto de la naturaleza. Sacrificó algo, pero todo lo que sacrificamos nos es devuelto por otro camino y de un modo justo.

Simbólicamente, es extraordinario que un jardinero tenga una mano de madera. El inconsciente popular dice que quienes poseen talento para la jardinería tienen "la mano verde".

Al tamborilear sobre su mano, el jardinero toca el elemento natural. El pájaro percibe este aspecto natural del sonido. Se trata de un ruido que no es producido por el hombre, sino por el Universo. Se trata de una nota entre los millones de notas de la naturaleza. Le rinde homenaje al retomar su canto.

En seguida el jardinero recomienza, pero el pájaro ya se fue. Es libre. Sigue su impulso.

El jardinero se dirige a su compañero: "¿Comprendes?" Plantea su pregunta en pleno éxtasis. No espera nada, no busca demostrar nada. Simplemente dice: "¿Has comprendido?" El cocinero, en éxtasis de ser él mismo, se extasía aún más ante la alegría del otro. Responde: "No comprendo, pero admiro plenamente lo que tú eres". Intuitivamente siente que se está perdiendo de algo, aunque no lo comprenda con su intelecto.

El jardinero tamborilea de nuevo sobre su mano de madera, señalando de este modo: "Tú has comprendido. No has comprendido con tu intelecto, pero sí con tu alegría".

Los dos se saludan. Los dos se encuentran en el mismo estado de éxtasis.

La piedra blanca

Un maestro tenía un tazón entre las manos en el momento en que un discípulo le planteó esta enigmática pregunta:

—Maestro, ¿cómo poner la piedra blanca en el muladar?

El maestro dejó caer el tazón y, mientras éste se hacía añicos, respondió:

—Así.

El discípulo formula una pregunta intelectual. La piedra blanca sería la realización, la pureza personal, y el muladar sería el mundo, ciertamente el mundo no evolucionado.

—¿Cómo meter nuestra pureza personal en ese muladar que es el mundo?

—Así.

Al dejar el tazón, el maestro dice: "Dejamos de intelectualizar y nos damos al mundo. Pensamos que hay una unión profunda y real entre nosotros y el mundo. Todo es mundo. Todo es conciencia".

El corazón del árbol

Seppo dijo a su discípulo Chosei: "Ven conmigo, toma el hacha. En lugar de meditar, vamos a cortar árboles para construir una cabaña".

Chosei acompañó a su maestro al bosque del monasterio. En el momento en que se disponía a talar un árbol, Seppo le aclaró:

—No te detengas hasta que hayas llegado al corazón del árbol.

—Ya llegué —respondió Chosei, sin haber dado un solo golpe contra el tronco.

—Magnífico —agregó Seppo—. Nuestro Buda ha dado directamente la transmisión de corazón a corazón. ¿Qué te parece?

—Transmisión recibida —exclamó Choisei, soltando el hacha.

Seppo la recogió y con el mango dio un golpecito en la cabeza de su discípulo.

El maestro dice al discípulo: "En lugar de meditar y de trabajar nuestro espíritu dentro del monasterio, hagamos un trabajo manual. Construyamos algo en verdad útil. Sin embargo, cuando cortes el árbol, no te detengas hasta que hayas llegado al centro".

Lo cual significa: "Cuando empieces tu trabajo de transformación espiritual, no te detengas hasta que hayas llegado al centro de ti mismo".

El discípulo, astuto, capta inmediatamente el nivel del propósito de su maestro. "Ya llegué." De este modo expresa que ya encontró su centro.

El maestro acepta esta afirmación. Agrega: "El Buda ha transmitido su enseñanza de corazón a corazón. No hay nada escrito. ¿Recibiste la transmisión?"

"Sí, ya la recibí", responde el discípulo, soltando el hacha. Con ello manifiesta claramente que, para él, el trabajo está terminado. No es necesario pasar horas y horas meditando, estudiando, buscándose, siguiendo las enseñanzas de todos los maestros con que uno se topa, trabajando con energía, practicando ritos tántricos, haciendo yoga, etc. Cuando encontramos que la transmisión toca directamente nuestro corazón, la cosa está terminada.

Entonces el maestro le da un golpecito. Le dice: "Caíste en la trampa, porque crees que hay una transmisión. Cuando trabajamos espiritualmente, nadie nos transmite nada. Nos encontramos simplemente en el interior de nosotros mismos. Nada se transmite. Como dijo Gurdjieff: 'Nadie puede orinar por ti'. Nosotros somos los únicos facultados para hacerlo. Si encontramos, encontramos". Es posible que nos ayuden, pero esta historia de la transmisión de conocimientos sigue siendo una historia que compete únicamente al ego.

La visita del maestro Tanka

El maestro Tanka fue a visitar al maestro Echu. En la puerta del templo, encontró dormido a Huynen, el discípulo de Echu. Lo despertó y le preguntó:

—¿Está tu maestro en el interior?

Sin siquiera mirar al visitante, Huynen respondió con voz soñolienta:

—Mi maestro no quiere ver a nadie.

—Tu observación es profunda —comentó Tanka.

—Aunque el mismísimo Buda viniera, mi maestro no lo recibiría —agregó con aire de seguridad Huynen.

—Tu maestro estará orgulloso de ti —concluyó Tanka antes de partir.

Cuando Echu salió del templo, Huynen le informó de la plática que tuvo con el maestro Tanka. Entonces, Echu le dio un buen bastonazo y lo expulsó.

Este koan pertenece a la historia del zen. El encuentro entre Tanka y el discípulo de Echu ocurrió realmente.

Intentaré contar una vez más este koan, pero utilizando mis propias palabras. La historia comienza con un maestro. Ser maestro significa estar profundamente centrado en el interior de uno mismo.

La mayoría de las personas son incapaces de entrar en sí mismas. Ver su vida interior las atemoriza. Incluso oír los latidos de su corazón las impresiona. Oír el corazón o sentir las propias fuerzas y energías son sensaciones que provocan aprensión. Para entrar profundamente en uno mismo, es necesario apartar la tristeza, el dolor, la locura, la muerte y otras muchas cosas.

Un maestro se autoenfrenta y, al hacerlo, enfrenta el aspecto divino que lleva enterrado en el fondo de sí mismo. Este maestro acepta a un discípulo... No lo acepta para que éste lo admire y ambicione su lugar, sino para que aprenda a ser él mismo. No es un verdadero maestro aquel que se presenta como tal y que te dice: "Ven a mí, soy fantástico. Estarás a mi servicio durante toda la vida y, a cambio, me responsabilizaré de ti. Me haré cargo de todas tus preocupaciones, así como de tu dinero y de tu energía. El ego es algo malvado. Rechaza el tuyo y utiliza el mío, que es mucho mejor".

Un maestro, Tanka, va a visitar a otro maestro, Echu. ¿Qué hacen dos maestros cuando se reúnen? Gozan en común de un silencio maravilloso. Si tienen deseos de comunicarse, lo hacen, pero independientemente de lo que se digan, su intercambio es sereno y cómplice. Pueden cantar, jugar... Se encuentran para compartir juntos un momento agradable.

Si un maestro abandona su templo para ir a reunirse con otro maestro, es porque está fatigado de sus discípulos. Va a descansar, a buscar la compañía de una persona que no le pide nada, que no hace ninguna proyección, que no se entromete en su vida privada, que lo deja en paz. Sólo un maestro puede ofrecer una relación de tal calidad. Por el contrario, un discípulo muestra más bien la tendencia a hacer un agujero en los baños para espiar a su maestro.

Si el maestro Tanka se desplaza para visitar al maestro Echu, es porque hace buen tiempo; tan buen tiempo, que el alumno de Echu echa un sueño. Habiendo buen tiempo, el maestro no se duerme. Parte en búsqueda de una persona que tenga el mismo nivel espiritual.

Desde tiempo atrás, el discípulo tiene una misión maravillosa: vigilar la puerta. En vez de cumplir con su deber, se duerme. ¿Cómo puede dormirse en ese momento? En el trabajo espiritual, no hay lugar para la autocomplacencia. No puede ser cuestión de dejarse llevar. Un discípulo que se duerme es alguien que sigue siendo exterior a sí mismo, que permanece en el plano de admirar al maestro.

Cuando Tanka ve a Huynen dormido, su "computadora personal" lo mide. Concluye que está tan dormido en su trabajo interior como lo está en las puertas del templo. Se le acerca y le pregunta: "¿Está tu maestro en el interior?" Ahora comprendemos su indagación: "¿Está tu maestro en el interior de ti mismo? ¿Echu es tu maestro o tú tienes a tu propio maestro interior?"

Cristo no curó al paralítico sin antes haberle preguntado si ése era su deseo. El paralítico confirmó su voluntad de aliviarse y, con base en ello, el milagro se pudo realizar. Es decir, él le preguntó: "¿Tienes un maestro interior? ¿Tienes la curación en ti mismo?"

Según el zen: "Si tú tienes el bastón, te lo doy. Si no lo tienes, te lo quito". Según el Evangelio: "A quien tiene, le será dado, y a quien no tiene, incluso eso le será quitado". Dicho de otro modo: "¿Tienes la curación en ti? Si la tienes, te la doy. Si no la tienes, te la quito".

Para Huynen, es evidente que Tanka le habla de Echu, quien está en el templo. Responde: "Mi maestro está en el interior, pero no quiere ver a nadie". "Tu observación es profunda", comenta el visitante.

Lo anterior quiere decir que nuestro maestro interior no desea ver nuestros pequeños defectos personales: las deformaciones de nuestro ego. No desea ver nuestra pequeña personalidad deprimida; nuestro persistente niño interior, que no estamos dispuestos a abandonar; nuestro intelecto decadente; nuestro corazón cerrado; nuestro deseo de destruirnos corporalmente...

"Mi maestro interior no quiere ver todas mis pequeñas imperfecciones", es una respuesta profunda. Por el contrario, el discípulo agrega: "Aunque el mismísimo Buda viniera, él no lo recibiría". Esto indica que este imbécil está orgulloso de tener tal maestro, pero que es incapaz de sacar orgullo de sí mismo. Buda no viene de ninguna parte. Está en nosotros.

Cualquiera que sea nuestro nivel espiritual, el del otro no tiene para nosotros ninguna utilidad. Nos sirve únicamente para mostrarnos hasta dónde podemos llegar nosotros mismos. El maestro muestra el camino, sin importarle quién lo vaya a recorrer. No es un ser excepcional, dueño de un raro tesoro. Es un individuo que trabaja constantemente sobre sí mismo, un ser ordinario que elimina la ganga del carbón, la cual apaga su diamante interior... diamante que también nosotros poseemos.

Sarcástico, Tanka dice al discípulo: "Tu maestro estará orgulloso de ti". Huynen está encantado con el elogio... No hay que estudiar con el fin de obtener la aprobación del maestro (estaríamos buscando de nuevo la aprobación de nuestros padres por medio de un sustituto). ¿De qué sirve obtener las mejores calificaciones en teatro, en medicina o en cualquier otra carrera si, cuando ejercemos nuestra actividad, somos una nulidad porque no amamos lo que hacemos? Estudiamos únicamente para responder a las expectativas de nuestros padres.

De niño, yo no hice otra cosa que buscar y comprar la admiración de mis padres: sólo hice lo que no quería hacer. Lo que yo era verdaderamente me estaba prohibido, porque no correspondía a sus expectativas. Ya de adulto, continúo sintiéndome culpable de todo lo que hago cuando no soy realmente yo mismo.

A fuerza de reprimirme en un papel de gentileza, termino por reventar. Como ese joven "tan gentil", de quien se ha hablado últimamente en los periódicos, que violó a una chiquilla de cinco años. ¡Y sin embargo, él era tan dulce! ¿Cómo es posible que un ser tan gentil haya cometido un acto semejante? De hecho, este joven es una verdadera "*cocotte* instantánea". Las personas son como *cocottes* instantáneas. En el restaurante, no ponen jamás los codos sobre la mesa. Hablan sin elevar la voz y muestran una cortesía extrema... pero cierto día, cometen una violación, un crimen, un suicidio, etc. El ser gentiles con objeto de ser amados, nos transforma en *cocottes* instantáneas. Hablar está prohibido, también oír, ver, tocar. ¡Todo está prohibido!

El discípulo admira a su maestro. Cuando éste aparece, le relata orgulloso su conversación con Tanka, a fin de obtener su aprobación. Echu lo saca del templo. Es su manera de decir: "¡Deja de vivir en función de mí! No has comprendido nada. No tengo necesidad de ti para ser lo que soy. Si tú eres mi discípulo, ello es únicamente para que llegues a ti mismo".

La sonrisa de Mokugen

El maestro Mokugen no había sonreído en toda su vida. Siempre permanecía impasible. Trabajaba consagrado a su templo. Siempre estaba intensamente presente.

Sabiendo que se encontraba a punto de morir, llamó a sus discípulos y les dijo: "Díganme qué han comprendido del zen. Daré mi túnica y mi tazón a quien me diga verdaderamente qué es el zen. Esta persona será el nuevo director de nuestro monasterio".

Los discípulos que lo rodeaban se pusieron a filosofar... sin resultado, porque no había nada que decir sobre el zen. Un discípulo se acercó al lecho de Mokugen. Tomó el tazón en el cual se encontraban los remedios y lo acercó con delicadeza a los labios del enfermo. Sarcástico, Mokugen exclamó: "¡Ah! ¿Esto es todo lo que has aprendido del zen?"

El discípulo miró a su maestro, puso el tazón en su lugar y lo miró nuevamente con tranquilidad. Fue en ese momento en que Mokugen sonrió por primera vez en su vida y agregó: "¡Bribón! Te doy mi túnica y mi tazón. El monasterio es tuyo".

Y murió feliz.

Este koan relata, valiéndose de medios muy sencillos, una historia profunda de devoción y amor. Todos los discípulos buscan una definición intelectual de la iluminación. Están en el plano del intelecto. Y, en realidad, el intelecto no puede suministrar jamás la verdad. Por ello, todos los discípulos son incapaces de responder.

Por el contrario, uno de ellos se acerca al enfermo, pensando en su fuero interno: "No me interesa la túnica, ni el tazón ni la dirección del monasterio. Maestro (y en este "maestro", expresa un amor inconmensurable), has sido mi padre, mi profesor; eres mi refugio en esta vida. Saber qué es el zen no tiene importancia alguna para mí... Prefiero que te cures... Toma tus remedios y sigue con nosotros".

Acerca el recipiente a los labios del anciano. En este gesto, Mokugen comprende el inmenso amor que le tiene su discípulo. Le dice: "¿Esto es todo lo que has aprendido del zen?" Lo cual significa: "Has aprendido a pensar que la muerte es un acontecimiento negativo. Crees que vas a perder algo. Sientes que se te abandona, que yo te abandono... Estás pasando por estados de ánimo que no corresponden a un espíritu despierto, porque nada llega ni nada se va. El presente es uno. Si estoy identificado totalmente con la Vida, no parto. Yo estoy aquí. Yo soy la Vida".

El discípulo comprende todo esto en la mirada de su maestro y coloca el tazón en su lugar. Al poner el recipiente en su sitio, le da a extender: "Bueno, si las cosas son así, comprendo. No te preocupes por el monasterio. ¡Muere tranquilo! ¡Yo estoy aquí por y para el templo!"

Entonces el maestro le responde: "¡Bribón! Has comprendido todo de inmediato. ¡Bravo! He aquí mi túnica y mi tazón. No tenemos necesidad de palabras para entendernos. El amor reemplaza las palabras y permite una comprensión instantánea".

¡Muere!

—Maestro, tengo miedo de morir. ¿Puedes ayudarme a resolver este problema?

—Sí, yo puedo.

—¡Dime qué debo hacer!

—¡Muere!

"¡Muere para no morir! Disuelve tu ego, tu yo individual. Sólo existe la muerte del individuo: La totalidad, la Vida, no tiene fin. Para ser eterno, muere en tanto que ego."

Durante la noche, particularmente en ese momento en que mi actividad es intensa y en que me cuesta trabajo dormir, practico un ejercicio que me place mucho. Me digo: "A partir de este instante, dejo de pensar".

Me relajo y, al cabo de un momento, mi pensamiento se disuelve. Entonces, agrego: "¿Y ahora? Ahora, me entrego a la nada. No soy nada".

Me entrego a la nada por cierto tiempo y, luego, me viene este pensamiento: "Estoy muy contento. He llegado... ¡Caramba! ¡Deja de estar contento! Si estás contento, no estás en la nada... De acuerdo, no estoy contento".

Trabajo en esta idea, pero al cabo de un rato me digo: "Ya no estés triste. Entrégate al fenómeno. Entra en la nada. ¡Acéptala!"

Unos segundos más tarde, duermo profundamente. Parecería que nos dormimos tan pronto como aceptamos la nada, porque el intelecto desaparece. Cuando aniquilamos el intelecto, dormimos: Entramos en el Universo.

No hay nada más vivo que un ser dormido. Su intelecto es

completamente absorbido. Entrar en la nada sin dormir sería maravilloso.

Para conseguir lo que anhelamos, ¡trabajamos por nosotros mismos! Si vamos a ver a un verdadero maestro para pedirle que nos dé la sabiduría y la verdad, percibiremos que él sólo tiene las suyas y que cuenta con nosotros para que encontremos las nuestras por nosotros mismos.

Mano abierta, mano cerrada

Un discípulo se quejó con su maestro del carácter despilfarrador de su mujer: "¿Me podría ayudar? No sé qué hacer. Mi mujer gasta sin límite y voy a terminar arruinado".

El sabio fue a visitar a la esposa de su discípulo. Levantó el puño cerrado ante el rostro de la mujer y le dijo:

—Imagina que mi mano se quedara en esta posición día y noche hasta el fin de mi vida, ¿qué dirías?

—Diría que está deformada —respondió la mujer.

Satisfecho por la respuesta, el sabio abrió bien la mano y preguntó:

—¿Y qué dirías si así estuviera día y noche?

—En ese caso, diría también que está deformada.

—Si has comprendido esto —concluyó el sabio—, has comprendido cómo ser una buena esposa.

Digamos que una mano cerrada es una mano que retiene y que una mano abierta es una mano que da. La dádiva constante es una actitud tan monstruosa como la avaricia constante. ¿Cuándo está viva una mano? Cuando se mueve entre estas dos posiciones: dar o no dar según las circunstancias.

A mi entender, un ser humano no debe tener actitudes petrificadas. Un comportamiento petrificado es comparable a una mano deformada. Denota un problema: una deformación monstruosa del ser. Observemos y examinemos si tenemos siempre el mismo comportamiento, si somos exactamente parecidos todo el tiempo...

Todos nosotros conocemos a personas de este tipo. En general, son muy indulgentes con ellas mismas. En su opinión, el ser humano no puede cambiar. No imaginan que sea perfectible. Si en algún momento se enfrentan a una de sus particularidades, se encogen de hombros y se excusan: "No puedo evitarlo, yo soy así". Y como se "respetan", no hacen el menor esfuerzo por mejorar.

Si únicamente tienen un brazo, el derecho y, por consiguiente, una sola mano, y si ésta está cerrada (como en la historia), les resulta imposible meterse un dedo en la nariz. ¿Qué hacen entonces? En vez de abrir la mano (¡cuánto esfuerzo!) para curar su nariz, soportan la molestia. Se aceptan tal como son.

Cortar el cuello al buda

En un monasterio, Isan se reunió con su maestro Gyosan, después de una sesión de meditación que se prolongó por cien días.

—No te he visto en estos últimos meses. ¿Qué has estado haciendo? —preguntó el maestro.

—Trabajar en un terrenito, del cual coseché una gran carretada de mijo.

—No has trabajado en vano —observó Gyosan.

—Y usted, maestro, ¿qué ha hecho en estos meses?

—Al mediodía, comer frugalmente y, a medianoche, dormir algunas horas.

—Veo que tampoco ha perdido su tiempo.

—Deberías aprender a respetarte —concluyó Gyosan.

Un maestro es una persona que se dedica a ayudar a su discípulo, con objeto de que éste pueda trabajar por sí mismo. No "trabaja" al discípulo como si se tratara de una escultura. Eso es obra de un pigmalión. No le da vida, pero lo guía constantemente para que se forme por sí mismo.

El maestro no tiene nada que dar. Su función es conducir el trabajo del alumno. Si el alumno no hace lo que debe, no tiene maestro.

—¡Deja de fumar!
—No puedo.
—Entonces, no soy tu maestro.

—¡Deja de drogarte!
—Me es imposible.

271

—Si me escoges como maestro, esfuérzate por lograrlo. Comienza por eso.

Un hombre a quien Gurdjieff había ordenado que dejara de fumar, logró hacerlo al cabo de siete años de esfuerzos. Cuando se lo anunció, Gurdjieff sacó una pipa de su bolsillo y, al tiempo que se la ofrecía, le dijo: "Ahora, fuma".

A René Daumal, le aconsejó que no hiciera el amor durante un año. A Luc Dietrich, otro poeta, le recomendó por el contrario, que hiciera el amor con una mujer diferente cada vez.

Resulta vano y fútil dudar de un maestro. El fin no es el maestro, sino nosotros mismos. La *Advajuta Gita* de Battatraya, traducida por Alexandra David-Neel, dice: "No pidas al barco que te ayudará a cruzar el río, que esté bien pintado". No hagamos caso de los defectos del maestro, si éste nos ayuda a cruzar nuestro río.

En el koan que nos ocupa, tenemos que habérnoslas con un discípulo muy orgulloso de su trabajo. Gyosan le pregunta: "¿Qué has hecho en estos meses? ¿Cómo va tu meditación?" Isan le responde: "He trabajado en un terrenito. He trabajado por mí mismo. Coseché mucho mijo: lo produje yo mismo. Me alimenté espiritualmente. Avancé".

Con lo anterior da a entender a su maestro que ya no lo necesita. "Y usted, ¿qué ha hecho?" Isan se coloca de igual a igual con el maestro. Ante tal pretensión, Gyosan contesta: "Simplemente he hecho lo acostumbrado. A mediodía, comer un poco y, a medianoche, dormir un poco". "Usted tampoco ha perdido su tiempo", comenta Isan, burlándose de Gyosan. En su interior el Maestro se ha caído.

En lugar de disgustarse, Gyosan le hace la observación siguiente: "Si me haces descender, tú desciendes: tú me escogiste ¡Yo no fui a buscarte, fuiste tú el que vino a mí! Te faltas al respeto. ¡Sé fiel a tus valores! El conocimiento y la iluminación no pueden ser objeto de una competencia. No estamos evaluando nuestros respectivos méritos o facultades. Lo importante es tu propia evolución espiritual".

Cuando se dice: "Si ves al buda, córtale el cuello", se trata de otra cosa. No es falta de respeto, ni burla. Elimino en mí una *imagen* fabricada por mi propia mente para realizar al buda en mí.

Un millón de cosas

Angustiado, Isan preguntó a su maestro Gyosan:

—Si un millón de objetos vienen hacia nosotros, ¿qué debemos hacer?

—Un objeto verde no es amarillo. Una cosa larga no es corta.

Satisfechos con este intercambio, Gyosan e Isan se saludan y se separan.

—Maestro, la vida me angustia. Estoy inundado por su multiplicidad. Millones de cosas vienen hacia mí. Todas me atraen. Me han invadido. Esto me desespera.

—No te preocupes. Sucede que tu percepción sólo puede captar una cosa a la vez. Por consiguiente, es inútil angustiarte por anticipado. Mira cada cosa en la medida en que se presente. Cuando un objeto verde se presenta, es único. No es todos los objetos. Acéptalo tal cual es y vívelo. No existen millones de instantes por vivir. Sólo existe el instante presente. Los demás vendrán después de éste. Se encuentran en camino de convertirse en el instante presente, pero si tú conservas la calma, la tranquilidad, sin hacer proyecciones y sin angustiarte demasiado, vendrán uno tras otro y tu vida se desarrollará muy bien.

La camisa de una libra

—Maestro, se dice que todo viene del Uno, pero ¿de dónde viene el Uno?

El maestro sonrió y respondió:

—Cuando vivía en Osaka, me hice confeccionar una camisa que pesaba una libra.

—Gracias, maestro, he comprendido.

La pregunta del discípulo es una pregunta metafísica, que no tiene respuesta. Hay cosas a las cuales no podemos responder. Ciertos datos mentales son ambiguos. Por ejemplo, los puntos cardinales no tienen una realidad tangible. Varían en función del lugar a partir del cual se les considere. En el centro del polo norte, resulta imposible caminar hacia el norte.

El maestro contesta: "Una camisa de una libra es muy pesada. Usarla sería una tortura. Deja de fabricar preguntas imposibles de cargar. Deja de trabajar inútilmente con tu intelecto. Tu pregunta no tiene respuesta. Se apoya en bases ambiguas. Ocúpate de cosas reales. ¿Qué es el Uno?... Eres tú, soy yo. Es mi concentración para confeccionar una camisa. ¡Entra en la realidad! ¡Actúa! ¡Haz las cosas con una concentración total!"

Romper la forma

—Maestro —dijo el discípulo—, se afirma que quien ha clarificado su vista puede ver todo. ¿Ve la forma?
—Rómpela en pedacitos —respondió el maestro.
—¿Cómo podemos romperla?
—Si utilizas la fuerza, ¡te saltará a la cara!

Encontré una antigua recopilación de koans de Joshu. Éste forma parte de ella. Joshu es un maestro que vivió 120 años.

En este koan, el discípulo pregunta si una persona que ha clarificado su vista y que, por tanto ve todo, puede ver también la forma. Yo pienso que si vemos todo, dejamos de ver la forma (el continente), porque el contenido rebasa la forma. El maestro responde: "Rómpela en pedacitos". Supongo que habla de la forma.

En la recopilación mencionada encontré también un pequeño poema:

Envuelto en millones de nubes,
no veo estas blancas nubes.
Absorto por el ruido del agua que corre,
no oigo el agua que corre.

Con base en este poema, disponemos del material necesario para interpretar el koan que nos ocupa.

Tenemos ahí a un monje que, intelectualmente, piensa que hay demasiadas formas en el mundo, demasiadas cosas llamadas imperfectas, superficiales, demasiadas atracciones... Está impresionado por la abundancia.

Yo, que soy un ser que busca la realización, me digo: "Si yo

275

viera todo, ¿vería todas estas clases de formas o vería solamente lo esencial? ¿Vería en el otro y en mí mismo el movimiento incesante de nuestro ego o sería capaz de ver nuestro núcleo esencial, nuestro Cristo, nuestro Buda, nuestro dios interior?"

En este monje viven las preguntas siguientes: "¿Cómo llegar a la Esencia? ¿Cómo un ser que ha clarificado su visión puede ver la Unidad? ¿Se puede realmente ver la Unidad? ¿Se puede ver lo esencial? ¿Existe la forma?"

Podemos decir que el discípulo no ha resuelto todavía nada, puesto que se plantea todas estas preguntas. Éste no es el caso del maestro al cual se dirige. Él responde: "Rompe el mundo en pedacitos. ¡En vez de querer unificarlo, déjalo ser tal cual es! Si se presenta con millones de facetas, déjalo con sus millones de facetas. No te esfuerces por intentar vivir esta Unidad". Esto mismo le aconsejé a un joven dibujante que se quejaba de no poderse centrar (se repartía en una multitud de cosas): "¡No hagas ningún esfuerzo!"

El monje contesta a Joshu: "¿Cómo aceptar la diversidad del mundo? ¿Cómo romperlo en pedazos?" Joshu precisa: "Si utilizas la fuerza, ésta te va a herir y destruir".

Utilizar la fuerza hiere y destruye, porque buscarse no significa oponerse al mundo. En la meditación, no nos oponemos a él. Tampoco tratamos de obtener algo. Nos adentramos profundamente en todo el proceso espiritual, mental... que habita en nosotros. Meditar es envolvernos en nubes, envolvernos en el sonido del agua y llegar a nosotros mismos en medio de la diversidad. Encontrar nuestro propio ser esencial, la unidad que somos. Nuestro ser participa de la Unidad.

La respuesta de Joshu equivale a decir: "¡Ya no te angusties buscándote! Quieres encontrar a cualquier precio una verdad. ¡No fuerces las cosas! ¡Déjalas venir! ¡Déjalas pasar! ¡Entra en tu joya! ¡Sé lo que eres!" La respuesta esencial de Jehová: "Yo soy el que soy".

Este koan atañe a muchas situaciones. Entre las personas que vienen a hablar conmigo, algunas hacen esfuerzos enormes para no ser lo que son, para no aceptar toda la riqueza de sus deseos.

En términos generales, el hombre "ordinario" (para utilizar esta terminología) es una persona que tamiza sus pensamientos. Se le ha prohibido pensar con absoluta libertad. Así, cada vez que le vienen pensamientos, selecciona y censura algunos de ellos. Selecciona y censura también las imágenes que le vienen a la cabeza, los sentimientos que aparecen en su plano emocional, los deseos que se abren paso en su sexualidad y las necesidades que expresa su cuerpo. Mental, emocional, sexual y corporalmente se limita, levantando barreras que lo protegen contra todo lo que es nuevo y que le llega de un modo constante. Se apropia de las barreras que le han sido implantadas.

Este koan nos aconseja dejar de forzarnos y aceptar todo lo que aparece en nosotros: tanto lo que es sucio como lo que es sublime.

Nos bañamos en el estado del hombre ordinario por miedo de captar todo aquello que es demasiado bajo o demasiado elevado en nosotros. Nos limitamos a lo que está permitido y rechazamos el resto, pensando que no nos corresponde. Sin embargo, eso nos pertenece totalmente y es eso lo que constituye nuestra riqueza.

Alguien "ordinario" es alguien que no cambia nunca a lo largo de su vida. No cambiar es su característica principal... a menos que tenga un accidente. El accidente es su dios privilegiado, su gran aventura. Lo busca. El incendio de su casa, la muerte de un pariente, la enfermedad... son todos ellos acontecimientos que salpican su cotidianeidad. No tiene otro horizonte.

¿Dónde estás tú?

El discípulo confió al maestro: "Estoy rebasado. Oscilo constantemente entre dos estados: me ahogo o floto. ¿Cuándo me liberaré de este mundo de sufrimiento? ¿Cuándo seré libre?"

El maestro nada respondió. Al cabo de unos minutos, el discípulo, sorprendido, intervino de nuevo:

—¡Maestro! ¿Acaso no estoy aquí, sentado enfrente de ti, planteándote una pregunta?

—¿Dónde estás ahora? —indagó el maestro—. ¿Estás flotando o ahogándote?

Para el maestro, no cabe la menor duda de que aquí y ahora, en el presente, estamos realizados. La realización aquí está.

Si entra en el presente con el maestro, el discípulo se realiza. Debido a que cree que está flotando o ahogándose, no vive el instante. En el fondo, se hace ilusiones. No está ni ahogándose ni flotando. Es un diamante al lado de otro diamante, un buda al lado de otro buda, una perfección al lado de otra perfección.

La diferencia entre los dos hombres es que el maestro ha realizado su perfección. El monje, no. La busca y cree que se ahoga o que flota. Se ha creado una enorme angustia por no haber entrado en el presente.

Por esta razón, el maestro no le responde. Si su discípulo le confía que está flotando o ahogándose, esto significa que no está ahí, en el instante. En el instante no hay nada que le permita ahogarse o flotar. No hay ni océano, ni agua, ni angustia. Es la paz.

El maestro no contesta a un discípulo ausente. Éste insiste: "¡Maestro, le estoy hablando!" El maestro pregunta: "Si me hablas, ¿dónde estás?"

Nosotros mismos, ¿dónde estamos? ¿En el presente? ¿Angustiados? ¿Dónde está el problema? Estamos vivos, bien alimentados, vestidos. ¿Dónde está el problema?

Dejemos venir las cosas sin que nos afecten. Ya vendrán. Estaremos en medio de ellas, pero estaremos centrados completamente en el presente. No nos ahogaremos ni en medio de las nubes ni en el ruido del agua. ¡Estaremos ahí!

Ser uno con el camino

—Maestro, ¿cómo es ser uno con el camino?

—No ser uno.

—¿Cómo es no ser uno?

—Tú debes ser capaz de comprenderlo, con base en lo que te he dicho.

"¿Qué es eso de ser uno con el camino?" Dicho en otras palabras: "¿Cómo es eso de ser a la vez el camino, la sabiduría y uno mismo?" El que plantea la pregunta es un intelectual que no ha vivido nada. Tiene ciertas creencias, pero no ha realizado ninguna. Es comparable a un conferencista que habla del orgasmo, a pesar de ser impotente.

—¿Qué es ser uno con el camino?

—No ser uno —responde Joshu.

Es decir: "¡Rompe tu intelecto! ¡Obra! ¡Arrójate a la existencia! ¡Sé tu mismo! ¡Vive tu vida!"

El discípulo agrega: "Si no somos uno, ¿qué somos?" No ha comprendido nada. Su máquina de hacer preguntas se embaló y le impide darse a sí mismo la respuesta esencial.

Joshu contesta: "Tú debes ser capaz de descubrirlo, con base en lo que te he dicho. En vez de hacerme más preguntas cuando te aconsejo detener tu intelecto, detenlo en verdad y toma conciencia de cómo te sientes".

He aquí un secreto de terapeuta: cuando una persona llega a consulta, cargada con todos sus problemas, la sentamos enfrente de nosotros, la miramos y le preguntamos: "¿Cómo te sientes?" En términos generales, habla de sus problemas y permanece en un plano anecdótico. En ese momento, la recentramos al volverle a preguntar: "¿Cómo te sientes? ¡Entra en ti misma y mira cómo te sientes!" Si insiste en lo anecdótico, la centramos de nuevo. Y hacemos esto tantas veces como sea necesario hasta que llegue a entrar profundamente en sí misma y pueda sentir el estado en que se encuentra.

Cuando llega ahí, pasamos a la siguiente etapa. Le preguntamos: "¿Qué deseas?" La ayudamos a entrar en ella misma y a descubrir lo que ella en verdad anhela.

En resumen, durante toda la sesión, dedicamos una atención total a la persona que consulta y la conducimos a descubrir cómo se siente en su nivel más profundo y qué es lo que en verdad desea. Eso es todo.

—Maestro, ¿qué es ser uno?

—No ser uno. ¡Detén tu intelecto!

—Maestro, ¿qué es detener el intelecto?

—¡Detenerlo!

La naturaleza del perro

—Maestro, ¿el perro tiene también la naturaleza del buda? —preguntó el discípulo a Joshu.

—*Mu**—contestó Joshu.

¿Por qué Joshu respondió "*mu*" al monje? No le dio ninguna respuesta. No sabemos si el perro tiene o no la naturaleza del buda.

Este koan es uno de los más famosos. Es como la puerta de entrada al budismo zen. El que lo resuelve, se ilumina.

La pregunta que plantea el monje no es esencial. Tener o no tener (la naturaleza del buda) carece de importancia.

¿Qué es la naturaleza del buda?

¿Qué es Buda?

¿De qué hablamos?

Joshu contesta a su discípulo: "¡Detén tus elucubraciones intelectuales! *Mu*". Lo cual significa: "¡Haz el vacío, concéntrate en ti y detén tu mente!"

* En japonés, *mu* significa "nada".

La flecha de Nansen

Joshu llegó a la casa de un maestro, el cual lo recibió con estas palabras:

—He aquí que viene la flecha de Nansen.

—¡Mira la flecha! —observó Joshu.

—¡Fallaste! —respondió el maestro.

—¡Acerté! —replicó Joshu.

En este koan, Joshu, quien había sido discípulo de Nansen, va a visitar a un maestro, el cual está lleno de conocimientos, lleno de enseñanzas por transmitir. Joshu, por su parte, no tiene conocimientos. Es él mismo.

En cuanto ve a Joshu, el maestro dice: "He aquí la flecha de Nansen, el alumno de Nansen. Este gurú me envía a su discípulo para desafiarme".

"¡Mira la flecha!" es una respuesta maravillosa. Significa: "¡No mires la flecha de Nansen! ¡Mira quién soy yo! ¡Sal de tu cabeza, de tus ideas preconcebidas, de tu conocimiento, de tu juicio! ¡No veas a Nansen a través de mí! ¡Deja de pensar en el conocimiento en términos de competencia! Si alguien se presenta ante ti, ¡no lo juzgues! ¡Míralo tal cual es! ¡Mira la esencia de tu visitante!"

Al responder "¡Mira la flecha!", digamos que Joshu toma la flecha y la hunde en el corazón del maestro. Éste se defiende señalando: "¡Fallaste!" Es decir: "La flecha no alcanzó su objetivo". Y Joshu le contesta: "¡Acerté!"

Joshu es a tal grado puro, que no entra en el juego competitivo del otro. Le dice:

—¡Mira la flecha! ¡Mírame!

—¡Fallaste! No has podido entrar en mí.

—Acerté, porque no quiero entrar en ti. No tengo el menor deseo de ser tu maestro y tampoco quiero que me aplaudas. No vine a desafiarte ni a darte una lección. Yo soy yo y tú eres tú. Si vibramos al unísono, tanto mejor. No deseo influir en ti, porque creo que cuando respetamos la realización del otro, no buscamos influir en él.

Jozu y los pájaros

Jozu era un ermitaño. Vivía en las montañas y buscaba la iluminación. Los pájaros iban a depositar flores a sus pies. Tiempo después, entró a trabajar con un verdadero maestro, Doshin. Se iluminó y, a partir de ese instante, los pájaros jamás volvieron a depositar flores a sus pies.

Esta historia es la introducción necesaria al koan que sigue:

—Antes de que Jozu trabajara con Doshin, los pájaros depositaban flores a sus pies. ¿Por qué dejaron de hacerlo? —preguntó el discípulo.
—Estar apegado a los placeres del mundo. No estar apegado a los placeres del mundo —respondió Jozu.

"Cuando el discípulo se esforzaba por iluminarse, los pájaros le ofrecían flores. ¿Por qué maestro? ¿Y por qué dejaron de hacerlo después de que se iluminó?"
Jozu no responde: "Estar o no estar apegado a la materialidad, a los placeres del mundo". Emplea dos frases: "Estar apegado. No estar apegado".
Cuando este hombre buscaba la iluminación, estaba aún apegado al mundo. Hacía tantos esfuerzos en su búsqueda, que su vida se hallaba plena de maravillas. Se afanaba por encontrar alguna cosa, pero sin saber qué buscaba. Este esfuerzo le atrajo a los pájaros que depositaban flores a sus pies.
Igualmente, muchos gurús atraen a sus pies a muchachas cubiertas de collares de flores y reciben mil muestras de veneración. Cuando alcanzan su verdadera realización, ya no tienen

necesidad de todo este teatro. Ya no les interesan los aplausos y reverencias. Se vuelven invisibles.

Un maestro verdadero es invisible. Para él, no hay necesidad ni de disfraces ni de lisonjas. La realidad es tal como es. Cuando nos exhibimos como santos, nos forjamos ilusiones. Nada hemos realizado. La tentación de profetizar, de querer ser maestro, de querer enseñar a los demás, es grande. Es una tentación increíble.

El monje, el puente y el río

El monje caminaba sobre el puente. El río corría bajo el puente.
El monje no caminaba sobre el puente. El río no corría bajo
el puente.

—El monje camina sobre el puente.
—Sí.
—El río corre bajo el puente.
—Sí.
—El monje no camina sobre el puente.
—No.
—El río no corre bajo el puente.
—No.
Si yo digo que el monje camina sobre el puente, él marcha
por arriba; pero si digo que no camina sobre el puente, no ca-
mina por arriba. Y lo mismo vale para el agua que corre bajo
el puente. Cuando digo que corre, ella corre, y cuando digo
que no corre, no corre. No debo unir una frase con la otra.
Son situaciones completamente diferentes. Cuando se me pro-
ponen dos frases, una detrás de la otra, no debo ligarlas para
sacar de ello una conclusión.

¿Quién ha dicho que tengo que sacarla? Nuestro pensamiento. Es éste el que quiere obtener un resultado ahí donde no es
necesario.

El espíritu al centro

—Maestro, ¿qué quiere decir el espíritu directo al centro?
  —¡Alto! ¡Alto! No hay necesidad de explicarlo. Mi enseñanza es sutil y difícil de comprender.

—Maestro, ¿qué es eso de dirigir nuestro espíritu directamente al centro?
  —¡Alto! ¡Alto!
  Joshu da a entender: "¡Deja de preguntar! ¡Deja de pensar! ¡Deja! Si tú quieres ir directamente al centro, no tendrás necesidad de orientaciones ni de explicaciones".

  "Mi enseñanza es sutil." Se trata de una enseñanza que no descansa ni sobre palabras ni sobre conceptos.

  "Es difícil de comprender." No se comprende nada con la cabeza. ¡Sé tú mismo! Ir directamente al centro es ir directamente hacia ti mismo. Deja de querer instruirte a la manera de los escolares. Conocer un fárrago de conceptos inútiles es una cosa y otra muy distinta es tener una respuesta interior.

Caer en el pozo

—En términos totalmente claros, ¿qué es una pequeña suciedad?
—Es caer en el pozo.
—Pero, ¿dónde está la falta?
—Fuiste tú quien empujó al hombre dentro del pozo.

Un poema dice: "Un grano de arena en el cielo azul del mediodía y el cielo está sucio". Si una persona perfecta, iluminada, posee el menor deseo oscuro, es porque su ser no es todavía perfecto, a menos que reconozca su deseo y lo purifique.

"En términos totalmente claros, ¿qué es una pequeña suciedad?" El discípulo que plantea esta pregunta no conoce la respuesta. No ha conocido jamás la alegría inconmensurable de verse como ser viviente. Interroga: "¿Qué es vivir sin la menor suciedad?" Joshu contesta: "Es caer en el pozo".

Con esta respuesta, Joshu quiere decir: "Tu intelecto te traiciona. En lugar de realizar todas las preguntas que planteas, en lugar de abrirte como una flor, buscas respuestas conceptuales. Por ello, has caído en un pozo, has caído en la oscuridad del intelecto seco".

El discípulo insiste:
—¿Dónde está el error?
—Fuiste tú quien empujó al hombre dentro del pozo.
—Has empujado a toda tu humanidad dentro del pozo de la pregunta intelectual. Quieres obtener respuestas a problemas, a pesar de que ya las tienes.

Una persona me consultó con objeto de saber si debía o no tener un hijo. Me pareció excesivo que se me consultara al respecto. Es a la persona misma a quien le toca responder, a

289

quien le corresponde resolver el problema intelectual: "¿Debo hacerlo? ¿No debo hacerlo?" ¡Ella debe entrar en sí misma y no en el pozo de los consejos! ¡Penetrar profundamente en su anhelo!

En cuanto sabemos lo que queremos, en seguida podemos escoger realizarlo o no.

El intendente dormido

Tangen era intendente en la casa del maestro Echu. Una noche, éste lo llamó. Tangen se levantó, se dirigió a la habitación de Echu y le dijo a través de la puerta: "Aquí estoy, maestro. ¿Qué quiere usted?" No obtuvo ninguna respuesta. El cuarto de Echu permaneció sumido en el silencio. Creyendo que se había equivocado, Tangen regresó a su cama.

Instantes después, cuando empezaba a hundirse en el sueño, escuchó de repente el grito de su maestro: "¡Oye, intendente!"

Una vez más se precipitó a la habitación de Echu y le dijo a través de la puerta: "¿Sí, maestro? ¿Qué puedo hacer por usted?"

Al igual que en la primera ocasión, su pregunta no fue contestada. Insistió un poco, pero en vano. Perplejo, regresó a su cuarto. No bien se había acostado, cuando escuchó:

—¡Oye, intendente! —gritó el maestro.

—Maestro, me ha llamado usted tres veces, aquí estoy —dijo, de nuevo a través de la puerta, el intendente.

—¡Entra! —ordenó Echu quien, sentado en su lecho, lo observó entrar y le comentó—: Hace ya mucho tiempo que estudias conmigo y jamás te has iluminado. Tenía vergüenza. Estaba seguro de que era un mal maestro. Ahora, sé que no soy culpable. Pensaba que debía disculparme contigo, pero eres tú quien debe disculparse conmigo.

Cuando nos cuentan una historia parecida, lo usual es que nos quedemos boquiabiertos. Nos preguntamos: "¿Se ha requerido todo este tiempo para narrarnos eso? ¿Qué significa?"

Retomemos el koan.

En esta historia hay un maestro... maestro de meditación, de curación... un maestro. Yo, que soy su discípulo, lo escogí. Si yo lo escogí, debo otorgarle confianza. A él le toca encontrar el método y a mí seguirlo.

Ahora soy su intendente. Lo ayudo. Durante el día estoy constantemente con él. De noche, duermo en el cuarto vecino. En plena noche, me llama. Me levanto y digo para mis adentros: "¿Qué le pasará? ¿Qué puedo hacer por él?"

Le ofrezco mis servicios. No responde. Al cabo de un momento regreso a mi cuarto, pero poco después me vuelve a llamar. Me precipito a la puerta de su habitación... silencio, no me dice nada. Regreso a mi cuarto y me llama por tercera vez. Acudo a su llamada por tercera vez, pero en esta ocasión dice que entre y luego me censura. Afirma que se sentía mal por mi causa, que pensaba que era responsable del hecho de que yo no me haya iluminado, que por todo ello se consideraba un mal maestro. Ahora, se da cuenta de que soy yo quien le debe excusas y no él quien me las debe. No comprendo nada... absolutamente nada.

La primera vez que leí esta historia, me pregunté qué quería decir y compadecí a este pobre discípulo. Ahí está, al pie del cañón. Siempre que su maestro lo llama, acude de inmediato. ¿Por qué este anciano lo critica?

Sin embargo, vista desde otro ángulo, esta historia puede tomar un sentido muy diferente.

"¡Oye, intendente! ¡Recuerda quién eres! ¡Recuérdalo!" Cuando estoy lleno de sueño y de distracción, me recuerdo a mí mismo.

Estoy en la mariguana... "¡Oye, recuerda quién eres!"

Estoy en la seducción... "¡Oye, recuerda quién eres!"

Yo escogí un maestro para que me despertara, para que me hiciera alcanzar un nivel espiritual más elevado y ahora, hago proyecciones sobre él. Deslizo la imagen de mi padre sobre su imagen y la agredo.

"¡Oye, intendente! Detén este juego. Aquí estamos, aquí y ahora. No hay nada más bello que el trabajo espiritual. Llegar al máximo de uno mismo. ¡Recuerda quién eres!"

"¡Oye, intendente! Estás participando en una sesión. No has venido aquí a seducir a los participantes. Detén este juego. Has venido aquí a encontrar el despertar, a encontrarte a ti mismo."

Cuando Tangen oye el llamado de Echu, imagina que éste tiene necesidad de él. Sin embargo, Echu no tiene necesidad de nada. Simplemente quiere dar un ejemplo a Tangen. Le dice: "¡Dirígete, entra en ti mismo, despiértate a ti mismo!"

Tangen no comprende el mensaje. Ofrece sus servicios. Echu se dice: "Es duro del oído". No responde nada, a fin de darle a entender: "No tengo necesidad de ti. No es por esa razón que te llamo. Lo hago para recordarte que debes hacer tu trabajo interior".

Tangen se retira a acostarse pensando que lo llamaron para nada, que Echu no lo necesita. ¿Qué quiere Tangen? Quiere que el maestro lo tenga en cuenta. Proyecta a su padre sobre Echu. El maestro se ha convertido en el padre ideal hacia el cual acude cuando lo llama.

Tangen comete un error. El aprendizaje no consiste en encontrar a un padre ideal a cuya sombra fingimos buscarnos. El aprendizaje consiste en encontrarnos a nosotros mismos. Un maestro ayuda a sus discípulos a que se encuentren a sí mismos.

Por esta razón, cuando Tangen comienza a dormirse, Echu le dice: "¡Oye, intendente! ¡Entra en ti!" Lo llama tres veces seguidas, en espera de que termine por comprender. Piensa: "Estoy diciéndole que se escuche a sí mismo, que penetre profundamente en sí mismo, que haga su trabajo. Mientras él no se ponga a su servicio en lugar de servirme a mí, no se encontrará jamás".

La tercera vez, el intendente no ha comprendido y dice:

—Maestro, me ha llamado usted tres veces.

—Yo no te he llamado tres veces. Te he dicho tres veces que te encuentres a ti mismo. Creí que no sabía dirigirte, pero veo que esto no ha sido culpa mía. Tienes los oídos tapados. Dependes de tu pequeña personalidad superficial. Cuando te llamo tres veces sin darte razón alguna, entras en crisis. ¡Entra en ti mismo! ¡Compréndete a ti mismo! Y, además ¡ofrece tus excusas!

Gurdjieff llamó a esto "el llamamiento a uno mismo". Recordarnos a nosotros mismos. No entrar en relaciones que no nos corresponden, que nada tienen que ver con nosotros, que son el fruto de proyecciones alimentadas con nuestro pasado.

La permanente impermanencia

—Maestro, ¿qué es lo permanente?
　—Lo no permanente.
　—¿Por qué lo permanente es lo no permanente?
　—¡La vida! ¡La vida!

El discípulo está totalmente en el intelecto. Pregunta: "¿Qué es lo permanente?" El maestro responde: "Lo permanente es lo no permanente". Todo cambia y, como todo cambia, lo único que se mantiene permanente es el cambio.

Se trata sin duda de una bella respuesta, pero el discípulo agrega: "¿Por qué lo permanente es no permanente? ¿Por qué el cambio continuo?"

Su pregunta sigue siendo intelectual. El maestro contesta: "¡La vida! ¡La vida!"

"No comienza y no termina, ¿qué es esto?" Es la vida y resulta que la vida no es definible. Nada encontramos cuando buscamos comprenderla a partir de palabras.

Las mil manos del buda
de la compasión

Muyokû se acercó a su maestro Rinzaï y le dijo:

—Avalokiteshvara,* el bodhisattva de la compasión, tiene mil manos y en cada una de ellas hay un ojo. ¿Cuál es el ojo verdadero?

Sin darle tiempo para pensar, Rinzaï retomó rápidamente la pregunta de su discípulo:

—El bodhisattva de la compasión tiene mil manos y un ojo en cada una de ellas. ¿Cuál es el ojo verdadero? ¡Responde sin tardanza!

Muyokû sacó a Rinzaï de su asiento y se instaló en él. De pie, Rinzaï le dijo a Muyokû: "¿Por qué?"

Luego, emitió un gran rugido, que brotó de lo más profundo de su ser, provocando que el discípulo abandonara su sitio. Volvió a sentarse. Muyokû lo saludó y se fue.

Veamos este koan. Un maestro está sentado. Bien sentado, lleno de calma. Llega un monje con una pregunta: "El bodhisattva de la compasión tiene mil manos y en cada una de ellas hay un ojo. ¿Cuál es el ojo verdadero?"

En vez de responderle, el maestro le revira la pregunta, rápidamente y en los mismos términos.

Digamos que yo soy Rinzaï, que estoy aquí, tranquilo, contento, sin dudas. No me pongo en tela de juicio. Soy el que soy.

No me parezco a esas personas que vienen a preguntarme:

* Avalokiteshvara: personaje celeste, especie de divinidad reverenciada en los cultos populares budistas.

295

—Hago pareja con este muchacho. ¿Es el hombre de mi vida?

—¿Me preguntas a mí? Si tienes dudas, es porque no lo amas.

—¿Soy poeta?

—¿De qué sirve querer una respuesta? ¡Escribe! ¡No dudes!

Rinzaï no duda. Está en unión con el mundo. En cambio, Muyokû se aparece llevando en la cabeza diez mil pensamientos: "Y el budismo... y esto... y aquello... y el buda de la compasión. ¿Qué es la compasión? Tiene mil manos y un ojo en cada mano... todos son falsos... pero debe tener al menos uno o dos verdaderos... ¿dónde se encuentran?"

Llega con la cabeza llena. En el interior, ésta chisporrotea como un radio. El maestro, que escucha este chisporroteo mental, toma la pregunta y la devuelve.

Al repetir la pregunta de Muyokû, Rinzaï la retira de la boca. Tal como se cambia a un bebé limpiándole sus excrementos, del mismo modo el maestro limpia la mente de su discípulo. Le arranca su pregunta como si estuviese extirpando un tumor.

Agrega: "¡Responde sin tardanza!" Dicho de otro modo: "Cuando te quito la pregunta, te arranco el intelecto. Respóndeme ahora".

Rinzaï ha hecho en verdad una operación psíquica. El discípulo no lo ha comprendido. Su chisporroteo no ha cesado. Por toda respuesta, toma el lugar del maestro. "Debido a que no me respondes y a que, además, te apropias de mi pregunta, ¡yo me apropio de tu lugar!"

Rinzaï le pregunta: "¿Por qué?" En otras palabras: "No se trata de tomar el lugar del otro. De esa manera, entras en una competencia que no tiene nada que ver con la realidad. ¿Por qué quieres mi lugar? Toma el tuyo, el que te corresponde. Cuando tomas el mío, no eres tú mismo. ¿A qué juegas?"

En seguida emite un rugido y recupera su lugar. Esto es como si dijera: "Cada uno tiene su lugar, el que le corresponde, aquel en que es él mismo".

Muyokû saluda a su maestro Rinzaï y le da las gracias. Ha comprendido. La duda ha sido despejada. Ha entendido que todos juntos somos el buda de la compasión. Este buda tiene mil manos... las nuestras, y mil ojos... nuestras conciencias. ¿Cuál es la verdadera? ¿La tuya, la mía? Todas son verdaderas.

Mientras vivamos nuestra naturaleza verdadera, ningún ojo será falso. A partir de este momento, aparece la compasión. Todos nosotros formamos un buda de mil manos y mil ojos. Podemos coexistir sin competencia y obrar en conjunto.

¿Qué es la compasión? ¿Plantear preguntas intelectuales como lo hace el discípulo? ¿Creer que sólo hay una cosa verdadera, a pesar de que cada uno de nosotros es verdadero en cada momento? ¿Vamos a interpretar la realidad como si fuéramos los únicos en detentar la verdad? Cristo puede afirmar: "Yo soy la verdad. Yo soy el camino, la vía". Nosotros no podemos afirmarlo. Cada uno de nosotros es una de las manos, uno de los ojos de este cuerpo completo que es la compasión universal.

"¡Responde sin tardanza!" significa: "Arranca de tu espíritu estas preguntas que te separan del mundo. ¡Sé uno conmigo!"

Muyokû responde tomando el lugar de Rinzaï. Éste le dice: "¿Por qué crees tú que vas a realizarte en la competencia? Cuando tú tomas mi lugar, ¿tu conciencia es más verdadera y la mía menos? Estamos los dos en la conciencia, completamente, aquí y ahora. Dondequiera que tú estés, la conciencia estará ahí, y dondequiera que yo esté, ahí estará también. Ella está en cada uno de nosotros".

A continuación, lanza un grito. La vida se expresa. Muyokû saluda a Rinzaï y se va. Da las gracias al maestro. Ha comprendido la lección.

El corazón del maestro

—¿Está usted en su corazón? —preguntó un bonzo a su maestro.
—No, yo estoy en mi corazón —respondió el maestro.

Plantear una pregunta tan cretina a un maestro indica que el bonzo duda de ella. Sólo un discípulo puede plantear una pregunta semejante. Un maestro sabe al instante si su interlocutor está o no en su corazón. Esto se ve. Cuando una persona alcanza un cierto nivel de conciencia, ve este nivel en todo el mundo.

Según la leyenda, cuando Buda se iluminó, dijo en seguida: "Acabo de darme cuenta de que todo el mundo lleva al buda dentro de sí. Existe en todos". Tales fueron sus primeras palabras.

Nosotros vemos nuestro nivel de conciencia en cada uno. Todo el mundo lo posee. Por otra parte, todo el mundo posee todos los niveles. Podría decirse que cada ser humano es una perfección del Universo que no se autoconoce. La conciencia no agrega nada al ser, salvo la posibilidad de verse a sí mismo en su propio nivel. Cuanto más conscientes somos, más vemos. Un maestro sabe a la perfección si estamos o no dentro de nuestro corazón.

El discípulo le pregunta: "¿Está usted en su corazón?" El maestro responde: "No, yo estoy en mi corazón". Por medio de esta respuesta le da a entender: "No estoy en el corazón que tú imaginas, en el corazón que tú ves. ¿De qué corazón hablas? Tú sólo hablas del nivel que conoces, el tuyo. ¿Qué representa para ti "su corazón"? Yo no estoy en el corazón del que tú hablas. Estoy en el mío".

Así, el maestro borra de inmediato la proyección de su discípulo. No ha buscado existir en el deseo o en la expectativa del otro. Por tanto, no está en este mundo para responder a las expectativas de nadie.

En un libro sobre gestaltismo, Pearls escribió un poema que dice más o menos lo siguiente:

No he venido al mundo para llenar tus expectativas.
Y tú tampoco has venido al mundo para llenar las mías.
Si nos encontramos, es porque el Universo lo ha querido.
Así pues, caminemos juntos.
Si un día uno se separa, es porque no podía hacerlo de otro modo.

El maestro dice al discípulo: "No he venido al mundo para llenar tus expectativas. Yo estoy en mi corazón".

Diez mil

El maestro Ummon dijo un día a sus alumnos: "Si ustedes no ven a un hombre durante tres días y luego lo vuelven a ver, no tendrán la seguridad de que se trate del mismo hombre. ¿Y qué ocurre con ustedes?"

Nadie le respondió. El maestro agregó: "Diez mil". Después abandonó el lugar.

Este koan habla del cambio continuo. Al cabo de tres días, somos diferentes. Jamás somos idénticos a nosotros mismos.

Cuando el maestro dijo: "diez mil", dio a entender: "Acepto las diez mil facetas de mi diamante interior. Cada ser humano en mí es una de las múltiples facetas de ese diamante. Una personalidad petrificada en la repetición no permite la renovación. La novedad aparece cuando me veo tal cual soy en plena conciencia. Acepto el cambio constante. No me aferro a modelos limitados de mí mismo. Tengo la posibilidad de cambiar".

Gauguin jamás habría podido llegar a ser Gauguin, si no hubiera seguido este principio. Fue empleado de banco durante una gran parte de su vida, hasta el día en que decidió que era en verdad un pintor. Ese día, dejó el banco y se convirtió en un pintor genial.

Más fuerte que el Buda

—¿Hay algo que supere al Buda, que supere al patriarca? —preguntó el alumno a su maestro Ummon.
—Sí —respondió el maestro—: el panecillo de leche.

Me encanta esta respuesta porque está llena de realidad. Significa que el placer de lo real supera, ciertamente, a todo placer intelectual. Este discípulo, como todos los demás, está en pleno "viaje" intelectual.

—¿Cuál es su filosofía?
—Cuando como, como; cuando duermo, duermo.

Esta contestación es clásica. Indica que yo debo estar dentro de lo que soy. Estamos encerrados en múltiples caparazones psicológicos y la llave para abrirlos es: "¿qué siento?" o "¿cómo es que me siento en lo profundo?" Se trata de una llave muy sencilla.

"Intelectualmente, dejando fuera las palabras, ¿cómo me siento, aquí y ahora, en mi intelecto? Emocionalmente, ¿cómo me siento, aquí y ahora, en mi plano emocional? ¿Cómo me siento en tanto que ser?"

El interior y el exterior

Manjusri, el bodhisattva de la sabiduría, se encontraba en el exterior de un templo.

—¡Oye, Manjusri! ¿Por qué no entras? —lo llamó, desde el interior, Buda.

—¿Por qué entrar? No tengo la impresión de estar afuera —respondió Manjusri.

El mejor pedazo de carne

Cierto día, cuando deambulaba en un mercado, el monje Banzan escuchó frente a una tabla de un carnicero, que un cliente pedía el mejor pedazo de carne. Entonces el carnicero respondió: "En mi tienda, cada pedazo de carne es el mejor. Usted no podría encontrar uno solo que no lo fuera". La respuesta del carnicero iluminó a Banzan.

Decimos que buda simboliza mi perfección interior. En consecuencia, mi sabiduría, que es una parte de esta perfección, no puede estar fuera de mí. Dondequiera que esté, se halla dentro de mí. Cuando un ser ama, ya no existen ni el interior ni el exterior. Todo es el centro. Todo está unido. Mi mano no está fuera de mi cuerpo.

Manjusri responde: "¿Por qué debería entrar, si no siento que esté afuera? La puerta del templo es una barrera ilusoria. Es simbólica. Yo siempre estoy contigo. Para mí, no hay exterior ni interior".

"Oh, Buenos Aires, he viajado por el mundo, pero jamás me separé de ti", dijo el poeta argentino Jorge Luis Borges. Por su parte, santo Tomás señaló: "Una amistad que puede tener fin jamás fue verdadera".

En el segundo koan, Banzan se ilumina porque ha comprendido que ninguna cosa es mejor que otra. Todas nuestras partes, ya sea nuestra sexualidad, nuestro plano emocional, nuestro intelecto o nuestro centro material, constituyen lo mejor de nosotros mismos. Nada de lo nuestro puede ser calificado como menos bueno.

Para llegar a la iluminación, el ser humano reconoce que todo lo que hay en él es de lo mejor que existe.

A semejanza del Universo, poseemos una parte oscura y una parte luminosa. La parte oscura no es, sin embargo, nuestro peor lado. Como decía Gurdjieff: "Un bastón tiene siempre dos extremos". Igualmente, las dos caras de una moneda son inseparables.

Nuestra raíz oscura está poblada de infinidad de "cosas", tales como el incesto, los deslices arquetipales, los núcleos homosexuales, los celos, el deseo de posesión, el canibalismo, el sadomasoquismo, etc. A partir del momento en que reconocemos esta raíz y trabajamos en ella, ésta avanza, evoluciona y produce un diamante. Produce lo mejor de nosotros mismos: nuestra conciencia.

No se trata de "la conciencia de", sino de nuestra luz. Si la aceptamos, vivimos en el mejor nivel de nosotros mismos.

Nuestra sociedad nos enseña a limitarnos a una fase de nosotros mismos relativamente mediocre. Nos impulsa a vivir en la nada, en la nada que habita en nosotros. Conozco personas que se avergüenzan de abrigar sentimientos elevados.

Es bueno saber que, en todos los niveles de la sociedad, se nos prohíbe la belleza. Claro que es bello brillar en un plano industrial, cultural, educativo, etc., pero esta belleza es una belleza exterior al templo. Se le da mucha importancia, en tanto que sentimos vergüenza de afirmar nuestra belleza central: esta belleza inconmensurable que representa lo mejor de nosotros mismos.

Algunos de nuestros pensamientos son en verdad maravillosos. No hay por qué imitar la belleza de otros, cuando debe bastarnos con aceptar la nuestra. Eso fue lo que le dije a un joven dibujante que me presentó su libro: "¿De qué te sirve hacer estas proezas técnicas, si no eres tú mismo? En tus dibujos no se te encuentra en ninguna parte. Es evidente que intentas satisfacer a los demás, no a ti mismo. Busca la belleza de tu ser. ¡Dibuja lo que amas! ¡Sé tú mismo! ¡No te pierdas esforzándote en demostrar una habilidad técnica, con riesgo de no ser tú mismo!"

No nos atrevemos o no podemos expresar nuestros mejores pensamientos. Mi optimismo ha hecho reaccionar a más de uno. Me dicen:

—¡Mira cómo va el mundo! ¿Cómo puedes pensar de esa manera?

—Comprendo tu reticencia, pero me gustaría hacerte notar que yo soy una parte del mundo. Si el mundo fuera totalmente imperfecto, sería perfecto. Todos seríamos seres oscuros y nadie se quejaría de ello ni sufriría por ello. Son los pedazos de perfección, las pequeñas luces de conciencia, lo que nos permite ver la imperfección. Es necesario desarrollarlos. También pertenecen al mundo. He ahí la razón por la cual hay que cultivar los bellos pensamientos que aparecen en nosotros.

Más vale no parecernos a alguno de los personajes femeninos de Dostoievski, que se dejaron hundir totalmente porque habían cometido una falta. Esto equivale a afirmar: "No valgo nada, porque mis pensamientos son feos". En cambio, podemos decir: "Probablemente tengo pensamientos feos, pero también tengo sueños maravillosos. En ocasiones, anhelos increíbles o pensamientos extraordinarios atraviesan por mi espíritu. No me permito expresarlos, porque en mi infancia me lo prohibieron, pero no hay la menor duda de la existencia de estos pensamientos o anhelos".

Y así como existen pensamientos bellos, existen también sentimientos que yo no llamaría superiores. Sería un error de definición. Son sentimientos normales. Los otros, los mediocres, son los sentimientos anormales.

Nuestro corazón está lleno de sentimientos extraordinarios. No están cerrados ni son malos. Asumamos nuestros sentimientos elevados, aunque a veces debamos enfrentar nuestros celos, nuestro deseo de posesión, nuestra falta de confianza en nosotros mismos, etcétera.

No nos definimos por nuestro lado oscuro, sino por nuestro lado luminoso (la joya que habita en nosotros). Si un carbón encierra un diamante, el valor del objeto no se basa en el carbón, sino en el diamante. Si nosotros tuviésemos un objeto semejante, lo guardaríamos como algo precioso, en espera de trabajarlo y quitarle el carbón.

Pienso que lo emocional es comparable con un carbón que encierra un diamante. Esto es así, porque hay que cuidarlo y respetarlo. De ninguna manera podemos despreciarlo como un carbón vulgar, sino que debemos darle el valor del diamante que contiene.

Abrigamos pensamientos, sentimientos y deseos superiores, pero también abrigamos y conocemos deseos oscuros. ¿Quién no ha soñado acostarse con la mujer de su jefe? ¿Quién no ha codiciado a la novia de su amigo o al novio de su amiga? ¿Quién no ha experimentado pensamientos perturbadores en sus sueños? ¿Dónde está la persona que no ha tenido jamás un sueño erótico? ¿Que no se ha acostado en sueños con su padre o con su madre? ¿Que no ha asesinado en sueños? Nosotros llevamos todo esto dentro de nosotros. En estos pantanos de deseos, existe sin embargo una aspiración a la luz que nos hace llegar a nuestro deseo natural, a ese deseo comparable con un diamante.

Cuando lo hayamos identificado, nos diremos: "Quiero seguir este deseo preciso, y no los muchos otros que lo acompañan". Conocí a una mujer casada que quería serle fiel a su marido. Me dijo: "Controlo mis deseos de un modo draconiano, porque si no lo hiciera, sería ninfómana. Todos los hombres me hacen temblar".

Debemos encontrar nuestro deseo primordial, y no dejarnos llevar por cualquier deseo. Así, crearemos en nosotros un camino que nos llevará a nuestros deseos de luz.

Esto mismo es aplicable a nuestros actos. Más vale no hacer cualquier cosa, puesto que toda acción es preciosa. Incluso un aleteo de mariposa. Los científicos sostienen que un aleteo de mariposa en Japón puede provocar un huracán en Estados Unidos.

La acción más pequeña tiene repercusiones. Avanzamos, por ejemplo, a lo largo de un camino y, de repente, nos desviamos un milímetro de nuestra ruta. Con el tiempo, esta desviación nos aleja más y más de nuestra ruta inicial, provocando cambios enormes. De esta suerte, llevamos a cabo cambios fundamentales debido a que en una ocasión, en el transcurso de un instante, hicimos una elección luminosa o una elección oscura.

En el segundo koan, Banzan se ilumina porque se da cuenta de que no tiene una parte mejor que otra dentro de sí mismo.

Intelectual, emocional, sexual-creativa y centro material, cada una de nuestras partes posee su significado, al igual que cada parte de la vaca posee la suya. No podemos decir que un pedazo de la vaca es menos bueno que otro, salvo que nuestros criterios de apreciación se limiten a la resistencia de nuestros dientes. La vaca no es ni dura ni tierna, ni blanda ni jugosa. Sólo nuestro aspecto caníbal puede expresarse de esa manera. La vaca, en sí misma, únicamente posee partes buenas. Ninguna es mala.

La parte más pequeña de nuestro cuerpo tiene su importancia, al igual que la parte más pequeña de nuestro ser tiene su significado.

Los tres mundos

Cierto día un monje preguntó al maestro Ganto:

—Cuando los tres mundos* me hostigan, agitan y perturban, ¿qué debo hacer?

—Cuando los tres mundos te hostiguen, ¡siéntate! —contestó Ganto.

—¡Pero no comprendo!

—¿Ves esa montaña? —replicó Ganto—. Agárrala y tráela; y entonces, te daré una respuesta.

El discípulo está angustiado por sus deseos, su mente, lo que le sucede, por el mundo, etc. De hecho, trata de escapar a todo esto. Le pregunta al maestro qué debe hacer y éste le responde "¡Siéntate!" Es decir: "¡Detente! ¡Medita!"

El discípulo expresa su incomprensión y Ganto agrega: "Tráeme la montaña".

Mover una montaña es imposible. En realidad, Ganto da a entender al discípulo: "Pides lo imposible. Tu mente estará siempre ahí, igualmente tus emociones y deseos. El mundo estará siempre ahí. Si tratas de detenerlo, lo único que lograrás será entrar en crisis, porque buscas lo imposible. La naturaleza es así. Lo único que puedes hacer es entrar en ti mismo, en tu verdadera naturaleza. Deja venir y deja pasar las manifestaciones de los tres mundos. Asiste a estos acontecimientos. Del mismo modo en que asistes a una tempestad, ¡asiste a tu cólera! ¡Quédate ahí! ¡Permanece presente sin hacer nada! ¡Deja de reaccionar ante lo que te sucede!"

* Para el zen, los tres mundos son: el de los deseos, el mental y el material.

¿Qué fue de los viejos maestros?

Cierto día, Kakou le dijo a su maestro Tokusan:

—Supongo que todos los viejos maestros que ya murieron fueron a dar a alguna parte. Dime maestro, ¿qué fue de ellos?

—No tengo la menor idea —respondió Tokusan.

—Yo esperaba la respuesta de un caballo al galope y recibo la de una tortuga —observó, con aspereza y frustración, Kakou.

Salió del cuarto, despreciativo. Tokusan lo vio partir, se encogió de hombros e impotente, elevó los ojos al cielo.

A la mañana siguiente, después de bañarse, Kakou ofreció un té a Tokusan, quien le preguntó:

—¿Has resuelto el koan que me planteaste ayer?

—Maestro, tu zen está hoy mucho mejor —contestó, sonriente y satisfecho, Kakou.

Una vez más, Tokusan se encogió de hombros e impotente, elevó los ojos al cielo.

Es importante que el discípulo no ponga en tela de juicio a su maestro, porque estaría desempeñando el papel de este último. El maestro se revela según lo que se espere de él. Cuanto más se confíe en él, más se aprenderá de él.

Esta noción de maestro me recuerda una frase búdica que dice: "Todo acontecimiento es una ocasión". Todo lo que sucede nos ofrece la ocasión de transformarnos, de desarrollarnos, de engrandecernos. A nosotros corresponde aprovechar o no esta oportunidad. Cada instante se convierte en un maestro, siempre que lo reconozcamos como tal y nos decidamos a aprender de él.

El hecho de que Kakou ponga en tela de juicio a Tokusan nos indica de entrada que el discípulo de este koan es un mal discípulo.

Una vez alguien me dijo: "Un verdadero maestro siempre anhela que su discípulo lo aventaje". Éste es un punto de vista discutible. Cabe pensar que un verdadero maestro no entra en el juego de la comparación. Además, no se le puede aventajar porque su realización sólo le pertenece a él mismo. El discípulo hallará su propia realización.

Un verdadero maestro desea fervientemente que el discípulo alcance su propia realización, sin por ello ponerse a competir. Es un instructor. Por el contrario, un maestro falso quiere que el discípulo le confíe su vida y sus riquezas.

Kakou pretende saber qué fue de los viejos maestros que ya murieron. Piensa en la reencarnación y en cosas similares. Lo cierto es que tiene miedo de morir. Este miedo le hace pensar en la reencarnación. Le gustaría estar tranquilo. Le encantaría escuchar: "Después de tu muerte, irás a dar al panteón de los maestros. Ahí los encontrarás y, como pequeños querubines, tendrán días y horas felices. Más adelante, reencarnarás. Serás mejor en cada reencarnación. Al final, serás bueno. Entonces te liberarás de este mundo y tendrás acceso al nirvana eterno. Estarás con la divinidad y te bañarás en las maravillas de un mundo únicamente espiritual. Serás ligerísimo. No tendrás ni cuerpo ni sexo. Serás muy feliz".

He aquí lo que Kakou quisiera oír. Pero Tokusan no le ofrece ninguna respuesta. No es su problema. Qué le importa lo que ha sido de los demás. Él es un maestro vivo. ¿Qué más quiere su discípulo? Podría contestarle: "Los tienes frente a ti".

Tokusan no pretende tranquilizar a su alumno. Se limita a decirle que ignora lo que ha sido de ellos. Cuando se le preguntaba qué había después de la muerte, un maestro respondía: "De eso no sé nada. Todavía no me muero".

Este maestro vivía en el presente. Cuando le llegara su hora, ya se preocuparía; pero, entretanto, qué objeto tenía que se atiborrara de preguntas inútiles. Mientras viviera, viviría. Cuando comiera, comería. Cuando agonizara, agonizaría. Cuando muriera, moriría.

Kakou no aprecia la respuesta de Tokusan y le hace saber: "Imaginaba que me ofrecerías una respuesta increíble, una especie de aspirina metafísica, algo que me diera tranquilidad, pero en lugar de ello, me dices que no sabes. ¡Es el colmo! ¡Eres un viejo inservible!"

Al día siguiente, Kakou sigue ahí. Está incómodo, porque insultó a Tokusan. Con todo, le lleva su té, como de costumbre. Si en verdad hubiera creído que su maestro era inservible porque no supo responderle, se habría largado de inmediato.

A partir del momento en que nos damos cuenta de que una persona no corresponde en lo absoluto a lo que esperamos de ella, no nos queda otro camino que cortar la relación. Por ejemplo, le escribiríamos una carta que diría más o menos lo siguiente:

Hemos trabajado juntos, pero no puedo continuar, porque el olor de tus pensamientos y de tus sentimientos se parece al del salchichón al ajo. Y como soy vegetariana, he decidido buscar un hermoso puerro en vez de seguir con el salchichón.

Rosa María

Independientemente del modo en que lo hagamos, interrumpimos la relación.

Algunas veces hay que saber romper con lo que nos obstaculiza. ¿Vamos a cortar nuestro viejo pasado familiar, que arrastramos como una cadena?, ¿o vamos a continuar pidiendo un poco de reconocimiento y de ternura a la familia que nos ha humillado, fastidiado, negado...?

Siempre conservamos la esperanza de llegar a ser vistos y reconocidos algún día. ¿Cuándo vamos a cortar todo eso? ¿Cuándo vamos a cortar nuestra petición, nuestra demanda de reconocimiento? ¿Cuándo vamos a dejar de participar en juegos de relaciones donde nos perdemos a nosotros mismos?

El discípulo no ha cortado. Parte rabiando y, al día siguiente, se presenta con el té como si no hubiera pasado nada. En su fuero interno debe sentirse indispuesto y, al servir el té, tiene que acechar el menor signo que le pueda indicar el humor de su maestro. ¿Cómo va a reaccionar Tokusan?

Al igual que todas las mañanas, el maestro bebe tranquilamente su taza de té, de excelente humor pregunta a Kakou si ha resuelto el koan que le planteó la víspera.

Está contento. Haber sido insultado el día anterior no lo ha perturbado en absoluto. Los estados de ánimo de su discípulo no lo tocan. Cuando Kakou le reprochó el no haber respondido a su pregunta, se encogió de hombros, impotente, y pensó: "Pues sí, no respondí. Tú me insultas... bueno, así están las cosas. ¿Cómo puede eso afectarme?"

Kakou, dándose cuenta de que Tokusan no está enfadado y de que incluso se halla de excelente humor, se tranquiliza. Expresa su alivio diciendo: "Tu zen se porta mucho mejor hoy".

Como su maestro lo ha recibido bien, Kakou recobra sus mejores sentimientos. Vuelve a amar a Tokusan. Este último, testigo del cambio de humor de su discípulo para con él, se encoge de hombros una vez más, en señal de indiferencia. De esta manera quiere decir: "¡Escucha, amigo mío, no me importan tus cóleras ni tus lisonjas! Yo soy el que soy. No serán tus humores los que cambien mi verdad interior. Esta verdad es que yo realizo al buda en mí. No vivo con la esperanza de saber tu opinión sobre mi manera de ser. Tus pensamientos no me rebajan ni me elevan, porque yo soy yo y no dependo en ningún modo de lo que tú pienses y creas. Por si fuera poco, hoy me siento muy bien. El té está excelente".

¡Hacemos tantas proyecciones! Deseamos muchísimo que el otro sea un astro como nuestro padre o nuestra madre. Nos ilusionamos. Pero cuando, después, nuestra ilusión se viene abajo, debido a que se revela diferente de nuestra expectativa, nos sentimos defraudados, traicionados y hasta en ocasiones desesperados. Todo esto es así porque somos nosotros quienes veneramos al ídolo y somos nosotros quienes lo derribamos. De esta forma, nos pasamos la vida derribando ídolos que habíamos puesto por las nubes.

El interés de este koan consiste en que subraya cuán importante es vivir y obrar según la inclinación de nuestro propio corazón, en vez de esforzarnos por responder a las expectativas del otro.

Una definición del zen

Tê-Chan, el mejor discípulo de Chouei-Ien, fue a ver un día a su maestro y le dijo: "Maestro, mucho he aprendido con usted, pero me parece indispensable ahora ir a recorrer la China para perfeccionar mis conocimientos sobre el budismo".

Con la bendición de Chouei-Ien, Tê-Chan abandonó el monasterio. Recorrió la China a lo largo y a lo ancho durante muchos años, hasta que un día regresó con Chouei-Ien.

—Así que has recorrido toda la China —le comentó, tras recibirlo.

—Sí, maestro.

—Resúmeme el budismo zen en pocas palabras.

Tê-Chan se concentró y, al cabo de un tiempo de reflexión, declaró: —Cuando las nubes se detienen en la cima de la montaña, la luz de la luna no puede atravesar las aguas del lago.

—¡Ah! —exclamó el maestro—. Tus cabellos se han encanecido, has perdido dientes y tu espalda está encorvada. Aunque has envejecido, ¿eso es todo lo que has podido aprender del zen? ¡Qué decepción!

Tê-Chan se puso a llorar. Y le pidió entonces a Chouei-Ien:

—Usted, maestro, deme su resumen del zen.

—De acuerdo, te voy a dar mi resumen: cuando las nubes se detienen en la cima de la montaña, la luz de la luna no puede atravesar la aguas del lago.

Transfigurado por esta respuesta, el discípulo recalcó: —¡Gracias, maestro! Ya estoy iluminado.

De la misma manera, el maestro de este koan podría preguntar al discípulo:

—¿Qué es la soledad?

A lo cual el discípulo respondería:

—La soledad es no saber estar con uno mismo.

—¡Idiota! Tu respuesta no es acertada.

— Pero entonces, maestro, ¿qué es la soledad?

—La soledad, mi querido amigo, es no saber estar con uno mismo.

—¡Gracias, maestro! Acaba usted de enseñarme una gran verdad.

Este koan, en realidad enigmático, me recuerda otro:

Dos monjes meditaban, cada uno en una cabaña. El maestro fue a visitarlos. Abrió la puerta de la primera cabaña y preguntó al discípulo cómo le iba. Éste respondió levantando una linterna encendida frente a su cara. Entonces el maestro le dio un manotazo y el monje se deshizo en excusas.

En seguida el maestro fue a ver al segundo discípulo, al cual le formuló la misma pregunta y el cual le dio la misma respuesta: levantó una linterna frente a su cara. Encantado, el maestro lo felicitó.

Yo no comprendía por qué el maestro tuvo dos reacciones diferentes ante la misma actitud. Aquí había algo que me parecía ilógico.

Volvamos al primer koan. Cuando decidimos trabajar con un maestro y depositamos toda nuestra confianza en él, no lo abandonamos hasta el momento en que nosotros mismos nos hayamos vuelto maestros. Si lo abandonamos antes, no habremos realizado el trabajo. En este caso, pasaremos de un maestro a otro sin recorrer más de un "kilomaestro". Iremos de pregunta en pregunta y recibiremos sólo respuestas.

Cuando planteamos una pregunta, únicamente recibimos una respuesta verbal. Pero, ¿de qué sirve este tipo de respuesta? ¿De qué sirve que nos digan las cosas?

Mientras Tê-Chan se encuentra junto a su maestro, la verdad está a su alcance. Sin embargo, prefiere partir. Recorre una gran distancia en busca de la verdad, y luego regresa con este mismo maestro, imaginando que sabe mucho. Lo cree así porque puede decir todo, explicar todo.

Cuando Chouei-Ien le pide un resumen del zen, Tê-Chan expresa una verdad profunda y hasta grave: la montaña (mi yo), yo soy la montaña (yo medito). Pero llegan las nubes, las cuales simbolizan los caparazones que cargo: caparazones intelectuales, emocionales y sexuales. Las nubes forman una especie de techo de pensamientos falsos, de sentimientos falsos y de deseos falsos que me aprisionan dentro de mi ego y me separan del Conocimiento.

La luna. Al iluminarse, un monje dijo: "¡Oh, luna brillante, brillante, brillante!" Había encontrado el éxtasis. La vida es éxtasis.

Jung preconizaba "el elevarse por la libre asociación de cualquier sueño hasta los pensamientos secretos que atormentan al individuo". Estos pensamientos secretos que nos atormentan son las nubes. Cuando las percibimos o, dicho de otra manera, cuando percibimos nuestro sufrimiento, caemos en el éxtasis que habita en nosotros. Estar vivos es vivir en éxtasis. Esto es lo que dice Tê-Chan.

Cuando la luna, es decir, la alegría existencial, atraviesa los pensamientos que me atormentan, cuando atraviesa mi inconsciente, cuando atraviesa las aguas del lago (mi vida), me vuelvo una "luna brillante, brillante, brillante". No hay ya diferencia entre la luna y yo. No tengo necesidad de reflejarla. Yo soy la luna. Estoy fuera del tiempo y del espacio. Estoy en la realidad misma.

He ahí lo que expresa Tê-Chan a su maestro a propósito del zen. Pero este último no se deja engañar por tal respuesta. Le dice: "Has contestado lo que es el zen. Lo piensas. Tal vez incluso des lecciones a los demás, pero tú no lo has realizado".

Cuando, en seguida, el maestro define el zen utilizando las mismas palabras que su discípulo, es la luna la que habla. El maestro expresa una experiencia que conoce y ha vivido a lo largo del tiempo.

Una verdad expresada por alguien que la haya realizado no se parece a esta misma verdad expresada por alguien que no posea de ella más que un conocimiento intelectual.

Cuando no hemos realizado la cosa, hablamos de ella. Cuando la hemos realizado, no hablamos de ella, la vivimos.

Luego podemos hablar de ella utilizando los mismos símbolos que los demás (la montaña, las nubes, la luna que atraviesa). La diferencia reside en que nosotros estamos profundamente presentes en nuestra definición, la cual se convierte en una verdad, porque es vivida.

Frente al desastre

—Maestro, frente al desastre, ¿qué haces para evitarlo? —preguntó un discípulo a Joshu.

—Así —respondió con una amplia sonrisa Joshu, luego de haber abierto los brazos e inspirado profundamente.

—Cuando se presenta un desastre, ¿cómo evitarlo? —interroga el discípulo.

—El desastre no existe —contesta el maestro.

El término mismo le da existencia; la conciencia de un desastre crea el desastre.

Cuando nos encontremos en una situación que nos parezca catastrófica, debemos darnos cuenta de que lo que nos sucede no es horrible. Como Joshu, podríamos decir que es "así". Cada cosa que nos sucede es una especie de maravilla. Estamos en medio de la "cosa" y es "así". No debemos llamarla "desastre". Debemos llamarla "la vida con sus contradicciones, sus crisis y sus múltiples facetas".

En medio de lo que llamamos desastre, estamos en ese "así". Me meten en un pleito, es "así". Nuestra pareja está en crisis, es "así".

Con semejante estado de ánimo, no evitamos la vida y sus duros golpes. Al contrario, nos colocamos en el centro de la catástrofe. Enfrentamos el acontecimiento diciendo "es así" y lo vivimos. En ese momento, el desastre deja de existir. Sólo nos resta la vida con todo lo que nos trae de evitable y de inevitable. Todo está mezclado.

Cuando Joshu responde "así", acepta el acontecimiento y, contento, no ofrece un consejo intelectual. Muestra que está

316

ahí. Muestra también que si debemos hablar de desastre, sólo hay uno: el discípulo y sus preguntas intelectuales.

Cuando las personas se quejan de su situación, a menudo me siento tentado de decirles: "Es así". Pero ellas están demasiado enredadas con su sufrimiento o problema para aceptarlo. No comprenden que se les pueda decir: "Escucha, lo que te está ocurriendo no es una catástrofe. ¡No trates de evitarla, vívela!"

—Mi padre acaba de volverse a casar. Su nueva mujer le prepara una fiesta sorpresa con motivo de su cumpleaños, pero no me ha invitado. Tampoco ha invitado a mis hermanos. Esto no es posible. He hablado con ellos para preguntarles si vamos o no. ¡Tú te das cuenta! ¡Nos impide ir al cumpleaños de nuestro padre!

—Tu padre tiene una nueva esposa. Es "así". Te invita, "es así". No te invita, "es así". ¿Por qué comparas este acontecimiento con un desastre? ¿Por qué lo ves de un modo negativo?

—Mi hijo nunca me telefonea. Me siento muy mal.

—Si tu hijo te quiere llamar, te llama. Es "así". Si no te quiere llamar, no te llama. Es también "así".

Resulta difícil hablar a las personas del desapego, porque en general están muy ligadas y no se pueden liberar.

Un místico es precisamente alguien que sabe liberarse de sus vínculos. Como el barco que va a anclar en un puerto, se ata, pero al abandonar el puerto, rompe los lazos que lo ligaban con el muelle.

Tchao-Tchéou prueba a una anciana

—¿Cuál es el camino para el monte T'aï?* —preguntó un monje del monasterio de Tchao-Tchéou a una anciana.

—Todo derecho —respondió ella.

En cuanto el hombre hubo dado algunos pasos, la mujer agregó: "¡Cuán estúpido es ir así!"**

El monje narró esta historia a Tchao-Tchéou, quien le dijo: "¡Escucha! Voy a probar por ti a esa anciana."

Al día siguiente, fue a buscarla para formularle la misma pregunta. La anciana le dio la misma contestación. De regreso al monasterio, Tchao-Tchéou comentó a los monjes: "He probado por ustedes a la anciana del monte T'aï".

Aunque no se precisa, resulta que la anciana es una monja. En aquellos días había monjas iluminadas que ponían a prueba a los monjes.

Ella da la misma respuesta al monje y al maestro. Es decir, aconseja a Tchao-Tchéou que vaya todo derecho y luego, cuando él ha dado ya algunos pasos, agrega: "¡Cuán estúpido es ir así!"

Y he aquí que el koan se detiene en este punto. El koan no parece lógico y sí inútil. Totalmente inútil. ¿De qué sirve una historia semejante? ¿Qué interés puede tener para nuestra vida? Los comentarios que la acompañan tampoco son comprensibles.

---

* El monte T'aï es una montaña que albergaba un templo donde se impartía enseñanza espiritual de gran calidad.

** De acuerdo con otra traducción, ella dijo: "¡Eres un monje vulgar como todos los demás!"

Glosa picaresca de Wou-Mên*

La anciana sabía trazar un plan de campaña, pero no vio al espía que la seguía. El viejo Tchao-Tchéou se introdujo en el campo del enemigo, amenazó la fortaleza, pero no mereció el título de gran hombre. A fin de cuentas, encuentro a ambos defectuosos. Dime, por favor, ¿por qué Tchao-Tchéou puso a prueba a la anciana?

A su comentario, Wou-Mên agrega un poema de cuatro líneas:

La pregunta fue la misma,
la respuesta también.
Cuando hay arena en el arroz cocido,
hay espinas en el lodo.

Un maestro que ha abierto un *ashram*, ¿qué pensaría del hecho de que uno de sus alumnos indagara con una monja, que se siente iluminada, cuál es el camino para ir a un templo donde uno se desarrolla? Diría que es un perfecto imbécil y reflexionaría: "¿Qué hace conmigo este muchachito que pregunta a una anciana cuál es su camino?"

Por principio de cuentas, lo que sería interesante es que él supiera ir ahí por sí solo. ¡Pero no! ¡No lo sabe!

Hay que mantenernos fieles a la enseñanza que tomemos en cualquier parte. Sobre todo, porque no existe ninguna enseñanza por recibir. Porque la enseñanza consiste en revelarnos nuestras propias cualidades, en mostrarnos lo que somos.

* Wou-Mên, maestro zen, comenta el koan anterior.

Por ello, no tenemos necesidad de aprender aquí y allá. Debemos confiar en alguien y, debido a que lo aceptamos como maestro, ha de ser para toda la vida... mientras no nos decepcione.

Tchao-Tchéou es un maestro. Así pues, ¿qué hace este monje haciendo preguntas a una anciana y buscando una montaña con un templo mítico para ahí ponerse en contacto con lo sagrado? ¿Por qué no busca primero que nada lo sagrado en sí mismo, ya que nosotros lo llevamos en nuestro interior?

Gurdjieff contaba que Dios, viendo que el hombre era tan destructor, decidió esconder la verdad en el propio corazón del hombre, a fin de protegerla. Ahí ha quedado al abrigo, puesto que el hombre no se preocupa por su corazón.

Esta historia es bella, pero no en un sentido negativo. Creo que nosotros mismos somos el monasterio, el templo.

En primer lugar, ¿por qué ir a preguntar a una anciana monja iluminada el camino para llegar al monte T'aï? Segundo, ¿por qué regresar, humilladísimo, a contar su derrota? ¡Él regresa humilladísimo! Regresa a gimotear a las faldas de su maestro. Con tono quejumbroso, le dice:

"Maestro, ¡esta monja me martirizó! Yo le pregunté humildemente, en verdad con mucha humildad, dónde estaba el templo. Ella me contestó: 'Todo derecho'. Le creí y caminé todo derecho, porque quería llegar al templo. Pero sucede, maestro, que ella se situó en otro nivel y se burló de mí, porque caminé todo derecho.

"¡No le pregunté cómo llegar a mi dios interior, a mi conciencia! No pregunté nada relacionado conmigo. ¡Quería ir al templo! Se burló de mí porque me dijo 'todo derecho'; me estaba diciendo que, para llegar a la iluminación, ¡es necesario ir todo derecho hacia nosotros mismos! Disparar la flecha hacia nuestro propio corazón.

"Así pues, ella se burló de mí. Es una extraña maestra. De alguna forma la admiro, porque me dio una ruda lección. Para ir a buscar el espíritu, debemos ir todo derecho hacia nosotros mismos, pero sin escalar una montaña".

Si tú me preguntaras: "¿Cómo voy a iluminarme?", yo te respondería: "¡Medita! ¡Camina hacia ti mismo! ¡Entra en tu propio tesoro!" Si me agradecieras y avanzaras todo derecho en ruta hacia el monte T'aï, yo pensaría que eres un cretino, porque viniste a preguntarme.

¡Medita! No hay otro camino para encontrarte. No existe otro. Sin embargo, hay personas que pueden ayudarte.

...preguntó un monje del monasterio de Tchao-Tchéou a una anciana.

Se trata de una mujer. Los budistas son fuertemente misóginos. Sostienen que si una mujer reencarna en un hombre, puede entonces iluminarse. Señalan también que para meditar en posición de loto, la mujer debe poner un talón delante de su sexo, con objeto de evitar que una serpiente lo penetre. En verdad, ¡no sé qué imagen tienen ellos del sexo de las mujeres!

Siempre desconfían de las mujeres. Buda abandonó a la suya. Tchao-Tchéou no tiene.

Aquí está una monja, una monja iluminada que humilla a un monje, el cual regresa a la escuela humillado.

Como si yo fuera un alumno de karate en una película de Hong Kong. Avanzo a lo largo de un camino en dirección al dojo. Encuentro a una anciana a quien le pregunto: "¿Dónde está este dojo en el que se enseñan artes marciales?" Por toda respuesta, la anciana me da un puñetazo en la nariz. Regreso vencido y sangrante a la casa del maestro y le digo: "¡Me rompieron las narices, maestro! De qué sirve su enseñanza, si no pude resolver lo que la anciana me dijo. ¡No comprendí! ¿De qué sirve su enseñanza?"

¿Qué responde el maestro? Completamente creído de sí mismo, contesta: "¡Voy a probarla! ¡Ya veremos lo que es bueno!" Y, seguro de sí mismo, va al encuentro de la anciana y le pregunta, desbordando suficiencia:

—Señora, ¿cuál es el camino para ir al monte T'aï?

—Todo derecho.

Parte en la dirección indicada y la anciana agrega: "¡Viejo cretino!" Con paso victorioso, él regresa en seguida al monasterio y anuncia orgullosamente a sus discípulos: "Amigos míos, he probado a la anciana". ¿Qué debemos pensar al respecto? Podría leerse de este modo. Es una lectura caricaturesca posible, pero yo no le doy crédito. Un maestro no puede ser así.

Lo primero que se nos ocurre es que el maestro va a ver a la anciana para dar una lección a sus alumnos. No lo hace para darle una lección a ella ni para vencerla. El alumno es ¡un alumno! Debe permanecer en la escuela de monjes. Cuando deje de ser alumno, será un maestro. Un alumno es un alumno y un maestro es un maestro.

Así pues, el maestro se acerca a la anciana. Se le acerca en su calidad de maestro pero, según la tradición y mi modo de pensar, va vestido como monje. No va vestido como maestro. Se viste como alumno, ya que se presenta ante ella como un alumno. Es decir que llega ahí siendo invisible, sin mostrar nada de sí.

Llega ante la anciana, la cual es una maestra visible porque está sentada ahí para fastidiar a los monjes y ponerlos a prueba. Él llega ante ella como un monje y, como monje, le dice: "¿Dónde está el camino para el monte T'aï?" No le pregunta por él, porque él sabe. No le pregunta nada sobre el conocimiento espiritual. Simplemente le pregunta una cosa práctica: "¿Por dónde se va a tal sitio?"

Ella no lo reconoce. Lo trata como un alumno. Le responde: "Todo derecho". La anciana funciona de un modo mecánico. Le da el mismo consejo.

Un maestro iluminaba a las personas mostrándoles su pulgar erguido. Un discípulo hizo el mismo gesto y el maestro le pidió:
—¡Muéstrame qué haces para iluminar a las personas!
—Hago lo mismo que usted, maestro, el mismo ademán —respondió el alumno al tiempo que erguía su pulgar. Entonces, el maestro le cortó el dedo de una estocada y, en ese momento, el discípulo comprendió.

Yo no sé qué comprendió, pero el caso es que comprendió. Ahora, en lugar de levantar el pulgar, alza el meñique.

Tchao-Tchéou llega, pues, ante la anciana y ésta no reconoce en él al maestro. Lo trata como alumno y le dice: "Todo derecho". Él sigue todo derecho y ella, llena de desprecio, agrega: "¡Eres como todos los demás!" El maestro sigue caminando. Ha probado a la anciana.

¿Por qué la ha probado? Porque ha demostrado que esta anciana no sabe reconocer a un maestro. Cuando pone a prueba

322

a los monjes, ella se vale de un mero mecanismo. No distingue a un discípulo de otro. Ve la forma, no el nivel. No hay necesidad de dar una lección espiritual a todo el mundo. Existen personas que tienen literalmente la necesidad de saber que el camino esté en determinada dirección. No todo es simbólico.

Él no lo dijo a la anciana. En consecuencia ella puede continuar mintiendo, actuando con pompa, haciendo su teatro. A él le importa un bledo. Se ocupa de sus alumnos.

—La he probado —comenta, en cuanto regresa, el maestro.

—¿Qué le dijo? —preguntan los alumnos.

—Le pregunté por el camino que conduce al monte T'aï.

—¿Qué le respondió?

—"Todo derecho."

—¿Y qué hizo usted?

—Caminé todo derecho.

—¿Y qué agregó ella?

—Agregó que yo soy un imbécil. La puse a prueba.

—Gracias, maestro.

Como ellos conocen a su maestro, se dan cuenta del error que cometió la mujer y deben preguntarse: "¿Cómo es posible que esta mujer haya osado decirle la misma cosa que a nosotros? ¿Estará ciega? ¿Sorda? ¡No comprende nada!"

Es ésta una historia de marcada misoginia. En ella se acaba de sentar en el banquillo de los acusados a la anciana. Ahora vamos a sentar en dicho banquillo al maestro.

He aquí la glosa picaresca de Wou-Mên:

La anciana sabía trazar un plan de campaña...

Ella sabe formular preguntas muy precisas. Con base en: "¿Adónde vas?" y "Todo derecho", cuenta con un buen plan de campaña.

...pero no vio al espía que la seguía.

Es decir, la anciana no se da cuenta de que el maestro no llega como víctima (debido a que un plan de campaña sirve para vencer), sino que llega a verla a ella, tal cual es. La mujer puede trazar un buen plan de campaña, pero no puede estar en verdad a la altura del plan del recién llegado.

323

El viejo Tchao-Tchéou se introdujo en el campo del enemigo...

Él se introduce disfrazado. El espía está disfrazado de alumno.

...amenazó la fortaleza, pero no mereció el título de gran hombre.

Vamos a ver por qué no lo merece.

A fin de cuentas, encuentro a ambos muy defectuosos. Dime, por favor, ¿por qué Tchao-Tchéou puso a prueba a la anciana?

¿Qué necesidad tiene él de someterla a prueba, de demostrar a sus alumnos cualquier cosa y de probar a la anciana su poco valor? ¿Y qué necesidad tiene de demostrárselo a sí mismo y a los demás? ¿Qué necesidad tiene de ponerse en campaña, de convertirse en espía y de estar en competencia, en combate? ¿Qué necesidad tiene de hacer todo esto? ¡Ninguna! Esto quiere decir que ha expresado su mala voluntad hacia las monjas. Eso es lo que ha expresado. Se pone a combatir con un ser que no estaba a su nivel. Lo somete a prueba. ¿De qué sirve esto? ¡De nada! Es por eso que él está defectuoso. En el camino del espíritu, no tenemos que demostrar nuestros valores.

El maestro no tiene necesidad de irse a medir con nadie, ni de demostrar que el otro no sabe nada. Aunque el otro sea rebajable, no tenemos necesidad de rebajarlo para valorar lo que somos. No tenemos ninguna necesidad de hacerlo. ¿Por qué? *Una luz ilumina a toda una ciudad.* Dice el zen: "Cuando una flor se abre, es primavera en todo el mundo". Cuando tú realizas un acto positivo verdadero, toda la civilización se pone a temblar. Son las cosas poderosas y verdaderas en su época las que han cambiado al mundo. Las cosas negativas no lo han cambiado. Lo han destruido.

Cuando un ser se pone en verdad a pensar como es debido, semeja a un clavicémbalo bien afinado. Éste suena como es debido. No tenemos necesidad de demostrar lo que somos. El maestro tampoco tiene necesidad de demostrarlo. Sólo tiene necesidad de serlo, y con eso basta.

Con base en lo anterior comprendemos el poema, el cual se presenta más claro que el agua.

La pregunta fue la misma,
la respuesta también.

La pregunta fue la misma. ¿Pero quién plantea la pregunta? Lo que importa no es la pregunta, sino quién la plantea. Cuando un imbécil dice: "No comienza, no termina, ¿qué es?", se trata de una pregunta imbécil. Pero cuando un ser que ha llegado a la cúspide de su espiritualidad dice: "No comienza y no termina, ¿qué es?", se trata de una pregunta por completo diferente. La pregunta cambia en función del nivel espiritual de quien la plantea.

La respuesta fue la misma. Si respondemos de la misma manera a una misma pregunta es porque no somos perceptivos. Veamos otra versión de la historia del maestro que va a ver a los monjes que se hallan meditando en sus respectivas cabañas.

Abrió la puerta del primero y éste levantó una lámpara frente al rostro del maestro, el cual le dio un manotazo. Abrió la segunda celda, el monje levantó una lámpara frente al rostro del maestro y éste le dijo: "Muy bien".

Ambos monjes han hecho exactamente la misma cosa, con la salvedad de que el maestro vio la diferencia. La misma respuesta dada por dos personas es diferente. Las palabras pronunciadas por personas de distintos niveles son diferentes.

La anciana, por su parte, responde igual. ¿Qué vamos a pensar de una persona que no ve el nivel espiritual de sus interlocutores? Es como si un *judoka* no diferenciara a un cinta blanca de un cinta negra. Su vida estaría en peligro. Hay que saber diferenciar. En el dominio del espíritu existen también grados.

Las personas creen que por el hecho de que piensan y existen, detentan la verdad y son la medida de todas las cosas. Esto es falso. Hay niveles. Hay trabajo por hacer, y hay personas que han hecho su trabajo y otras que no lo han hecho. Con los años, estas últimas pagan. Sí, pagan.

Y he aquí dos frases misteriosas:

Cuando hay arena en el arroz cocido,
hay espinas en el lodo.

Cuando hay arena en el arroz cocido. Hay arena en el arroz de la anciana. Esto quiere decir que ella tiene defectos, pues funciona de manera mecánica. Su iluminación no es perfecta.

Hay espinas en el lodo. El maestro tiene espinas. Es decir, hay agresiones en él.

Cuando nos medimos con una persona que tiene arena en el arroz, lo hacemos porque tenemos espinas en el lodo que pisamos. Si el maestro no las tuviera, no iría a someter a prueba a la anciana. Haría su trabajo estando tranquilo dentro de su paz interior. Nada por demostrar. Nada por merecer. El trabajo espiritual es un trabajo que hacemos con nosotros mismos dentro de la paz profunda. Nada por enseñar.

No tenemos nada que enseñar. Podemos guiar, pero no enseñar. Nada por transmitir. Existen tantas pamplinas sobre la transmisión de la lámpara... ¡No transmitimos nada! La lámpara ya está transmitida.

Tú quieres que te entregue mi lámpara: eres un tonto. Tú quieres que sople sobre la tuya: no puedo. ¡Sopla tú mismo sobre tu propia lámpara! En cuanto lo hagas, te habré transmitido la lámpara. (Hablo en nombre de Tchao-Tchéou, no en el mío. Yo no soy un maestro. ¡No creas que hablo de mí!)

Así pues, te digo que soples sobre tu lámpara. Lo haces y tu llama comienza a brillar. De ese modo, te he transmitido la lámpara.

¿Qué lámpara te he transmitido?... "A quien tenga, le será dado, y a quien no tenga, incluso eso le será quitado." ¿Recuerdas esa frase del Evangelio? O esta frase zen: "Si tienes el bastón, te doy el bastón. Si no lo tienes, te lo quito".

Siempre es igual. Si tienes, te doy, te transmito la lámpara; pero si no haces tu trabajo, te la quito. Es decir, no te doy nada. Me importa un bledo. No me voy a mezclar con tu arroz lleno de arena.

Así es la transmisión de la lámpara. Es menester no engañarse. No hay nada que darte en propia mano. Ningún tesoro que darte. Ninguna indicación que hacerte, como aquélla de "La montaña está en esa dirección. Ve todo derecho".

Para mí, ir todo derecho significa seguir un camino sinuoso, como el del laberinto de la catedral de Chartres, porque yo soy complejo. ¿Por qué debo ir en línea recta como los demás? Tengo el derecho de avanzar como yo quiera, a condición de que avance, de que me sienta bien y de que haga mi trabajo de evolución.

Si hacemos una interpretación psicológica de este koan, podemos preguntarnos por qué la monja es mala. Lo es porque el monje también lo es. Son papá y mamá. La monja martiriza a los niños, porque no sabe ver al hombre en su marido, en su maestro. Ella ve a un niño. Ella niega su masculinidad. Para ella, él no es adulto. Ella le da lecciones. Ella se considera como la gran madre universal que da lecciones en todo momento.

Muchas mujeres que no han tenido padre caen en esta locura. Y lo mismo les sucede a muchos hombres que tampoco han tenido padre... Estas mujeres, como la monja, caen en esta situación porque, como no han tenido padre, no han introyectado su mitad masculina. En virtud de que no tuvieron relación con él, no pueden reconocer a un maestro masculino. Sin embargo, este maestro es ellas mismas, ya que todos tenemos un lado masculino y un lado femenino. Somos hombres y mujeres, yin y yang.

Así pues, la monja debe hacer descender a todos los hombres al nivel de niños. De esta manera, el hombre nunca existirá. Para este tipo de mujeres, sólo habrá madres universales... la gran diosa rodeada de todos sus hijitos.

Y lo inverso es válido para los hombres que no han reconocido a su madre. Llegan a ser grandes padres rodeados de niños.

El desconocimiento de la monja es lo que pone arena en el arroz y el desconocimiento del maestro es lo que pone espinas en el lodo. Si ambos se reconocieran en su nivel, no fastidiarían al monje, no fastidiarían a los niños.

Si los padres se reconocieran mutuamente, permitirían que sus hijos crecieran con tranquilidad. Y aunque no vivieran juntos, se las arreglarían para no hacerlos sufrir obligándolos a participar en batallas, en guerras de Vietnam que sólo conciernen a los adultos... a supuestos adultos que no son sino niños.

¿Cómo utilizo este koan? El no reconocimiento mutuo de estos dos seres provoca su falta de iluminación. Llega el momento en que es necesario reconocerse.

A partir de este koan, me he preguntado qué es un maestro. ¿Qué se siente ser maestro?

Digamos que el maestro (no nos referimos a Tchao-Tchéou, quien cometió un error) es reconocido. Se da cuenta de que no debe pelear más con su madre y de que no debe pelear más con su padre. ¡No! Dejamos de pelear con los arquetipos materno y paterno que están en nuestro interior. Esto quiere decir que aceptamos a la humanidad.

Una vez que hemos aceptado al padre y a la madre como principios universales... a pesar de todo lo que hayamos sufrido (la mayoría de nosotros hemos padecido una infancia que no dependió incluso de nuestros padres, sino de la sociedad, del momento histórico y de todo lo demás), terminamos por deshacernos de este caparazón, de este super yo, al absorberlo. En el momento en que lo absorbemos, dejamos de competir y de menospreciarnos. Tenemos una especie de pudor aprendido que consiste en no aceptar uno solo de nuestros valores.

Un maestro es una persona que acepta humildemente sus valores. ¿Quién decide qué es un valor y qué no lo es? Él mismo.

Se pregunta: "¿Cómo me siento? ¿Quién soy yo?" Ante todo responderá: "Yo soy el que soy". Al igual que en la Biblia. Resulta en verdad genial poder decir: "Yo soy el que soy".

A partir de ese instante, el teatro ha terminado. En el intelecto, yo soy el que soy con el poder que puedo tener. En lo emocional, yo soy el que soy. En lo sexual... en todo mi ser, "yo soy el que soy".

¿Basta con esto? No. Se pude agregar: "Yo era el que fui. Yo seré el que seré. Yo soy el que era y soy el que seré".

He ahí al maestro. Acepta incondicionalmente su pasado, su presente y su futuro. En este momento, él es todo lo que fue de vidas y de vidas eternas y todo lo que será de vidas y de vidas eternas, hasta el punto en que llegue a la sensación de ser la globalidad. Un ser que se sienta global.

El ser humano accede a estados similares: a sentirse una globalidad. Al mismo tiempo, puede sentirse miserable.

El maestro se siente miserable. Siente que la vida transcurre en un abrir y cerrar de ojos. ¿Por qué preocuparnos del hecho de que vamos a morir mañana o dentro de cien años, si de todos modos moriremos? De nada sirve preocuparnos porque, aunque sea a largo plazo, siempre será corto... en un abrir y cerrar de ojos.

Dado que el maestro no puede influir en la duración de su vida, se ocupa de la intensidad del momento que pasa. Incluso, puede alargar su vida un mínimo al abrirse a la intensidad de su momento vital.

Se abre a la intensidad de lo mental. No de lo mental loco, sino de lo mental que se abre. Se abre a la intensidad de lo emocional, a la intensidad de la creatividad (sea sexual o artística) y a la intensidad de la materia en la cual habita. Ésta es intensa, muy intensa. Conlleva dificultades y envejece, pero es intensa. Él vive, pues, dentro de la intensidad de la fuerza universal.

He ahí como debió ser el maestro Tchao Tchéou y cómo debió ser Wou-Mên.

Las lágrimas de Arakuine

El monje Arakuine lloraba.

—¿Por qué lloras? —le preguntó su amigo, quien era también monje.

—¡Pregúntale al maestro! —respondió.

El amigo fue a ver al maestro.

—¿Por qué llora Arakuine? —interrogó.

—¡Pregúntale a él! —contestó el maestro.

El amigo regresó con Arakuine y lo encontró muerto de risa.

—¿Cómo está esto? Antes llorabas y ahora ríes. ¿Por qué? —le preguntó.

—¡Porque antes lloraba y ahora río! —respondió Arakuine.

Si tengo ganas de llorar, lloro. ¿Por qué contenerme? El cielo está azul, sobreviene una tormenta, llega la lluvia; pero después, la lluvia se va. Se me pregunta: "¿Por qué lloras?" Respondo: "¡Pregúntale al maestro! A tu maestro. ¡Pregúntate a ti mismo! Entras en ti y te ves llorar. ¡Cuando llores, llora! ¡Cuando comas, come! ¡Cuando te enfurezcas, enfurécete! ¡No reprimas tu cólera! ¡Déjala salir! ¡Pregúntate a ti mismo! Sé un cielo azul transparente. Y cuando tengas ganas de llorar, llora y si después tienes ganas de reír, ríe. Ha pasado la tormenta y los pájaros cantan. Dejas venir y dejas pasar con un placer inmenso".

¡Qué gran placer hay en encolerizarse! Es una energía. ¡Qué maravilla! ¿Y caer en una depresión? ¡Qué maravilla! De hecho, sabemos que no somos eso. ¿Y el dolor? ¿Y la enfermedad? ¡Qué maravillas! No somos eso... ¡en absoluto! Somos el cielo azul y no nos identificamos con esos estados. ¡Basta! En seguida dejamos entrar la luz en nuestra cabeza. Dentro de la luz hay sombras y otras cosas; pero de todos modos, es la luz. ¡Ningún esfuerzo! ¡Ningún esfuerzo mental! ¡Nada! ¡Tranquilidad! ¡Ninguna imagen que dar!

La iluminación

Un maestro dijo a su discípulo: "Nadie jamás ha alcanzado la iluminación". De inmediato el alumno se iluminó.

Nadie jamás alcanza la iluminación, simplemente porque todos estamos iluminados. No alcanzamos la iluminación. Estamos iluminados. Trabajamos y trabajamos para llegar a la iluminación pero no llegamos a ella, puesto que estamos iluminados. En esto consiste la iluminación. Todos los seres humanos están iluminados. Todo el mundo es perfecto.

La vela

Un monje pasó el día con un viejo maestro. Al caer la noche se preparó para regresar a su casa, pero estaba muy oscuro.

—Debido a la oscuridad, no voy a poder regresar a mi casa —dijo el monje.

—Espera, te voy a dar una vela —repuso el maestro.

El maestro tomó una vela encendida; pero en el momento de entregarla al monje, la apagó. Entonces el alumno se iluminó.

Al apagar la vela, el maestro dice: "Tú eres la vela. Tú eres la luz. No vengas a pedirme luz. Todos nosotros estamos en la oscuridad. La oscuridad es la luz. Nosotros estamos iluminados. La realidad es la misma para todos nosotros".

—¿Cuál es el ruido que produce un árbol al caer en el bosque, si nadie lo escucha? —me preguntó un muchacho.

—¡Braoum! —respondí.

Parece un contrasentido decir "¡braoum!", si nadie lo oye. Pero no se trata de un árbol, se trata de nosotros mismos. Esto quiere decir: "¡Realiza el fenómeno tú mismo! Que nadie te cuente historias. ¡Que nadie haga las cosas por ti! ¡Escúchate a ti mismo! No tiene ninguna importancia que los demás te escuchen o no te escuchen. ¡Realiza el fenómeno tú mismo! Para ello, ¡acéptate! Acepta de una vez por todas que no tienes necesidad de papá. Éste te apaga la vela y dice: "¡Camina en la oscuridad. Encuéntrate a ti mismo!"

Los agradecimientos del maestro

De acuerdo con la costumbre, un discípulo se presenta ante un gran maestro zen llevando una ofrenda. El maestro recibe la ofrenda y, como muestra de agradecimiento, propina cinco bastonazos al discípulo. Éste, magullado y sorprendido, pregunta: "¿Pero por qué me golpea?"

Sin mediar palabra, el maestro le propina cinco bastonazos adicionales y lo expulsa. El discípulo parte avergonzado, porque no ha comprendido nada. Va a ver a su propio maestro, le cuenta lo ocurrido y le pregunta por qué lo golpeó el gran maestro. Sin decir nada, su maestro le propina otros cinco bastonazos.

El discípulo se encuentra con quince chichones en la cabeza, mientras que nosotros nos preguntamos por qué estos japoneses suelen propinar bastonazos... ¡Sus hábitos tan predecibles!

Yo relaciono este koan con el de los dos monjes que meditaban en sus cabañas y que levantaron una lámpara frente a su rostro cuando el maestro fue a visitarlos. Lo recibieron de la misma manera, pero este último reprendió al primero y felicitó al segundo.

El discípulo llega con una ofrenda. Según la historia, se presenta de un modo mecánico. Entonces, el maestro lo reencauza hacia sí mismo por la vía del dolor. Lo pone en conflicto. Lo golpea cinco veces.

El discípulo, que no comprende, le pregunta: "¿Por qué?" Entonces el maestro le propina otros cinco bastonazos. Esto significa: "Deja de dar vueltas a tu alrededor. ¡Entra en ti mismo!"

El discípulo pide explicaciones, en tanto que el maestro se ha consagrado al trabajo de pegarle, de mezclarse con él. Sin embargo, no se mete en camisa de once varas. El asunto no le concierne. Al golpearlo de nuevo y expulsarlo, le está expresando: "¡Vete! No puedes comprender nada..."

El discípulo va entonces a ver a su propio maestro y éste le indica de nuevo: "Pides que se te explique y que se te explique... ¡entra en ti mismo!"

El único modo en que podrás entrar en ti mismo es a través del dolor. No podrás entrar de otra manera.

El primer monje levanta su lámpara frente al maestro, pero en su interior no ocurre nada. Merece cinco bastonazos. El segundo hace exactamente lo mismo, se trata de un símbolo, pero es un símbolo que es en verdad sentido.

Todo esto es muy sencillo. O hacemos los actos entrando profundamente en nuestro interior, o bien no los hacemos y nos quedamos en la superficie. Sólo alguien que nos mire profundamente desde el exterior, podrá saber si aún no hemos liberado lo que debemos liberar.

Haikus

Mono izawu
Kyaku to teishu to
Shiragiku to

Son sin palabras,
El anfitrión, el invitado
Y el crisantemo blanco

Quienes buscan la verdad no siguen un camino. En realidad,
todos los caminos llevan a la verdad pero se quiere "acceder",
se quiere "tener las cosas", cuando la verdad está aquí. Buscar
la verdad no es otra cosa que un llamado a "vivirse".

Por esta razón buscamos nuestra realización a través de
maestros, de personas que admiramos, que nos dan amor. Son
muchos los caminos que llevan a "obtener" la verdad, pero el
poema dice: "La verdad está aquí. Sólo hay verdad en ti. A partir de esta verdad, tú eres tú y tú eres también el otro".

¿Por qué el otro no aparece en mi vida? Porque yo no aparezco en mi propia vida. Y si yo no aparezco en mi propia
vida, ¿cómo podrá aparecer el otro? Si yo soy un caparazón vacío, ¿cómo encontrar al otro? Dos caparazones vacíos se acercan diciéndose: "¡Ámame, por favor! ¡Ámame!" ¿Quién va a
poder amar al otro, si ambos están totalmente vacíos?

La leyenda cuenta que millones de pequeños budas se reunie-
ron en la cima de una montaña. Ahí se encontraba el gran
Buda, quien debía pronunciar un discurso. Todos los monjes
aguzaron el oído, pero él no dijo nada. Se limitó a mostrar una
flor. Uno solo de sus discípulos sonrió y fue él quien continuó
y prolongó el denominado "sermón de la flor".

Todo el zen está basado en las personas que comprenden
cuando se les muestra una flor.

Son sin palabras,
El anfitrión, el invitado
Y el crisantemo blanco

¿Acaso no es hermoso? Vienes a verme porque yo soy el anfitrión y tú eres el invitado. Yo he preparado un lugar precisamente para nuestro encuentro, para que éste transcurra sin preocupaciones, sin tribulaciones emocionales, sin pasados dolorosos, sin nuestro nombre, sin nuestros éxitos, sin nuestros deseos de poder, sin nuestras angustias corporales. Todo esto es la ceremonia del té.

Hay una pequeña puerta ante la que te inclinas para entrar y, al mismo tiempo, para salir de la visión tan antigua que tienes de ti mismo. Te inclinas ahí, entras y te encuentras conmigo. ¿Qué tenemos que decirnos tú y yo? Lo único que podríamos decir (y no necesitamos decirlo) es: "estamos frente a frente, tú y yo, con el placer inmenso de encontrarnos en un universo carente de tensiones, en calma, con tu belleza y la mía. Hemos dejado de tener prejuicios y de no creer en nosotros mismos. Estamos en plena belleza. No en la belleza seductora para acceder a algo, sino en esta belleza del estar vivos, porque estamos vivos".

Estamos juntos, tú y yo, y ¿qué es lo que yo he hecho? He puesto un adorno. Se trata de un adorno que es un compañero. Me refiero al crisantemo blanco, que yo mismo corté en el jardín.

Si no te corto, sufro. Si te corto, sufro. ¡Oh, crisantemo!

Hay una historia sobre un general que amaba los crisantemos blancos y un maestro de té que tenía un enorme jardín de esas flores. El gran general se dijo: "Le voy a hacer una visita para ver sus crisantemos blancos". Abandonó el campo de batalla y, al frente de todos sus soldados, fue a ver al maestro del té para admirar su jardín. Pero cuando llegó, no había un solo crisantemo. ¡Todos habían sido cortados! Furibundo, el general ni siquiera quería inclinarse para atravesar la puerta. ¿Y qué oyó al entrar? "En un jarrón —le dijo el maestro— he conservado el más bello para usted." ¡El general comprendió! Es una obra poética increíble. El maestro había sacrificado todo su jardín para otorgar un solo crisantemo blanco, el más bello.

Yo he sacrificado todos los pensamientos de mi cabeza por

una sola palabra que se llama un *mantra*. De todos mis pensamientos parásitos, sólo me queda uno. He sacrificado todos los demás, con objeto de dejar únicamente mi amor por ti, mi aceptación de ti.

Así pues, el crisantemo blanco es silencioso. Inspira silencio. Es blanco, es puro, es único, es lo que es. ¿Soy yo, por mi parte, el que soy? ¿Eres tú, por tu parte, el que eres? En este momento, guiados por el crisantemo blanco, empezamos a abandonar el programa de destrucción que nos han dado, todas las críticas de nosotros mismos, todas las falsas esperanzas, todas las búsquedas neuróticas destinadas a responder a la eterna pregunta: "¿Quiénes somos?"

Estamos aquí. Nos sentimos vivir con tranquilidad, relajados, entramos en nuestro silencio, que no es un silencio. Es la vida misma que está aquí. Es una conciencia frente a otra conciencia. Somos dos espejos frente a frente. Hemos comprendido la lección del crisantemo blanco y formamos una atmósfera maravillosa donde reina el silencio, y donde el ego no se disuelve, sino que poco a poco se hace transparente. Tú y yo somos transparentes, estamos tranquilos. Nos damos un recreo con respecto a todas nuestras desgracias, a todas nuestras disputas. Aquí estamos, tranquilos.

Nos aceptamos. Nuestro cuerpo vive su propia vida. El tiempo vive su propio ritmo. Entramos en una paz increíble: el instante de beber una taza de té. Ésta no es importante en sí misma. Lo importante es poder llegar a este estado.

Lo anterior quiere decir que tú eres el crisantemo blanco. Que tu cuerpo, tu ser, es completamente puro, blanco. Es lo que es. No estamos habituados a vivir en un cuerpo puro.

¿Quién ha vencido el rencor, la angustia, la duda? ¿Dónde está el crisantemo blanco? Cuando estamos llenos de culpabilidad, resulta muy difícil comprender el silencio del crisantemo blanco. Y de repente:

Mono izawu
Kyaku to teishu to
Shiragiku to

¿Qué quiere decir esto?

Son sin palabras: *Mono izawu*.

El anfitrión: *Kyaku;* el invitado: *Teishu;* el crisantemo blanco: *Shiragiku*. Pero el silencio está aquí: ¡*Kyaku to! ¡Teishu to! ¡Shiragiku to! ¡Ku to!*

Entonces, si yo soy el crisantemo blanco, ¡mi cuerpo llega al estado de *to*, de silencio! Yo soy el invitado, ¡el ego y mi ego dicen *to*! Yo soy el ser esencial, ¡el anfitrión! ¡El ego y el ser esencial dicen *to*! El ser esencial nos busca. No nos deja tranquilos. Hay un haiku que dice: "La nube permite al monje descansar de mirar la luna". ¡Déjenme tranquilo, déjenme tranquilo, ya basta! Estoy harto. Tú estás en todas partes. ¡Al menos déjame un rinconcito! ¡Pero no! Antes de que yo naciera, tú ya estabas aquí. Cuando yo muera, tú seguirás aquí. ¡Tú estás conmigo todo el tiempo! Ni siquiera puedo interponer una pequeña distancia. ¡Maravilla continua! ¡Esta actividad que no cesa! Entonces, ¡deja de buscarte! Ya no tienes miedo de tu intensidad, de tu eternidad, de tu infinito. Echas por la borda a tu padre que te torturó, a tu madre que no te atendió, a la sociedad que te aplastó, a todas las personas que te engañaron, a las mujeres que te pusieron los cuernos, a los hombres que te abandonaron con un bebé en los brazos. Dejas todo eso. Entras en tu maravilla. Dejas de creer que eres un vacío por destruir.

La larga noche
El ruido del agua
Dice lo que pienso

Así es. Cuando el poeta dice "la larga noche", es necesario pensar que él está en medio de un placer pleno, que está vivo, que está gozando la aventura de una noche en vela. Que se halla completamente solo con la noche.

Desde que el sol empieza a desaparecer, comienzo a percibir la llegada de la noche y los cambios que ocurren en mi interior.

Luego, empiezo a seguir la noche y a vivirla. ¿De qué habla la noche? ¡De la ausencia total de luz! No me refiero a la aparición de la luna. No me refiero a la luna sino a la noche y, en parte, yo soy la noche. Hay en mí una oscuridad misteriosa que ha vivido constantemente en mi interior desde que nací. A partir de entonces y durante toda mi vida, ha habido esta parte oscura de mí, que siempre me ha dado miedo pero que siempre ha estado ahí.

Cuando has vivido tu noche de una vez por todas, no tienes más pesadillas porque ya nada te detiene en el interior de ti mismo.

Comienzo a entrar en la noche y el río fluye, fluye, fluye. No se detiene. Avanza. Continúa. ¡El ruido del agua!

Nagaki yoya
Omou koto iu
Miso no oto

La larga noche
El ruido del agua
Dice lo que pienso

Es bello, ¿no es cierto? En su versión original, se repiten tres veces cinco sílabas: ta ta ta ta ta, ta ta ta ta ta, ta ta ta ta ta. Proposición: ta ta ta ta ta. Desarrollo: ta ta ta ta ta. Resolución, similar a la proposición: ta ta ta ta ta. La respuesta está contenida en la proposición. No hay nada que buscar, ¡nada! Yo vivo: ta-ta-ta-ta-ta. Yo muero: ta-ta-ta-ta-ta. ¡Ahí está! Todo es muy sencillo, muy parecido: nacimiento, río continuo, larga noche que no se detiene jamás... Nada se detiene jamás, ¡belleza!

¡Ah! ¡Mi bien amada, mi alma! Entra en mi larga noche... el ruido del agua te dirá lo que pienso. ¡Tú eres el ruido del agua!

Es el viento de la primavera
Dicen amo y criado
Caminemos juntos

Cuando el viento sopla o cuando el Espíritu divino sopla, tu ego y tu ser esencial son una y misma cosa. Los quimonos del amo y del criado se echan a volar del mismo modo. Ante el empuje del viento divino, ¿qué diferencia hay entre mi maestro y yo? ¡Ninguna! No hay diferencia. Somos iguales.

Cortarla, ¡qué lástima!
Dejarla, ¡qué lástima!
¡Ah! ¡Esta violeta!

Debo abandonar el deseo de conservar mi vida y debo abandonar también la idea de no conservarla. Es necesario simplemente que la viva. Lo importante es la violeta, no mi deseo de utilizarla. Hay que vivir en el mundo sin el deseo de utilizarlo, estar alegres con nosotros mismos como lo está la violeta, la humilde violeta.

Entré furioso
Ofendido
El sauce en el jardín

¿Qué puede hacer la planta en relación con mi cólera y mi catástrofe emocional? Ella está ahí. Yo soy tonto, porque me dejo llevar por estas preocupaciones mínimas, por estas pequeñas neurosis, por estos movimientos de cólera. En cambio, si me alejo para tener perspectivas y veo venir mi cólera y mi tristeza como bellas plantas, en ese momento puedo vivirlas de otro modo, al darme cuenta de que sus sentimientos son hermosos, de que están ahí para embellecer mi vida y no para afearla. Entonces, veo a solas mi crisis de celos y no digo nada.

El gatito
Que pesamos en la balanza
Prosigue sus juegos

El gatito sigue siendo el mismo, independientemente de que lo pesemos. No le preocupa en absoluto que esté bien o mal, gordo o delgado. ¡Sigue jugando! Como dice el refrán: "Ande yo caliente y ríase la gente". ¿Cómo me puede afectar que las personas se burlen de mí, si estoy bien y caliente? Tengo un abrigo ridículo, pero que me mantiene caliente; en consecuencia, nada puede importarme lo que la gente diga de mí. Sin embargo, adoptamos una actitud de culpabilidad. Queremos ser aceptados por los demás. Vivimos para ellos, en un cambio perpetuo de nosotros. No obstante, si nos sentimos bien, ¡qué importa lo demás!

La escoba
Guardada
En otro lugar

Después de haber vivido algunos años conmigo, mi mujer sale de repente a la calle: encuentro, contacto directo de hormonas locas, telefonazo: "He hallado al hombre de mi vida. Me voy con él. ¡No puedo continuar aguantándote!" Cambio de programa... ella ya no me guisará, ya no limpiará mis camisas, ya no se ocupará de mí, mientras que yo me encontraré metido en mis propios sueños... esto se acabó.

Sobreviene entonces el cambio de acompañante: llega otra persona. Ésta hace lo mismo que hacía la mujer que partió. Estoy contento. Limpia mis camisas, barre, pero no guarda la escoba en el mismo lugar. Busca otro sitio donde ponerla...

Cada ser es diferente. Nadie guarda la escoba en el mismo lugar. Nada se repite. Nada volverá jamás a ser puesto como estaba; pero nos adaptamos a lo nuevo y esto nos produce una gran emoción. ¡Qué alegría adaptarnos!

Si la vida cambia, no debemos desplomarnos por ello. Todo lo que nos sucede es por nuestro bien. Si se produce un vacío en nuestra vida, tal vez creamos que nunca lo podremos llenar, lo cual en cierta forma es cierto. No lo llenaremos jamás de la misma manera, pero muchas otras cosas bellas nos ocurrirán, si nos adaptamos.

Las historias de
Mulla Nasrudin

Mulla Nasrudin

Se le llama Mulla Nasrudin, Môlla Nasrodine, Ch'ha, Joha, Toto, etcétera. Tiene todas las nacionalidades, sobre todo las orientales. Existe tanto en China como en los países del este.

A veces es idiota; otras es sublime. De una historia a otra, pasa sin problemas del estado de insignificante al de notable. Suele ser también maestro sufí.

Sus aventuras no son propiamente cómicas, pero sí populares o tradicionales. Han sido utilizadas por los maestros sufistas como apoyo iniciático al servicio de sus enseñanzas.

Para comodidad de los lectores, utilizaremos siempre el nombre de Mulla Nasrudin en las historias que vamos a presentar a continuación.

El turrón

Al pasar frente a una confitería, el Mulla sintió muchas ganas de comer un turrón. A pesar de que no tenía un solo centavo en el bolsillo, entró y se puso a comer. Al cabo de un momento, el confitero le presentó la cuenta, pero Nasrudin no le prestó la menor atención. El confitero sacó entonces un garrote y se puso a golpearlo sin parar. Ahora bien, al mismo tiempo que recibía los garrotazos, el Mulla continuaba atracándose. Sonriente, comentó: "¡Qué bondadosa ciudad! ¡Cuán afables son sus habitantes! ¡A golpes lo obligan a uno a seguir comiendo turrón!"

Nada desvía al Mulla de su objetivo. Lanza su flecha que va a dar sin fallar en el blanco... come turrón.

Si trasladamos esta historia al dominio de lo iniciático, podemos decir que el turrón es nuestra verdad, nuestro alimento esencial, y que los golpes de la vida nos acercan cada vez más a ella. Al igual que el Mulla, recibimos golpes pero, en lugar de enfadarnos, decimos: "¡Cuán bella es la vida! ¡Me nutre! Trabaja para que yo llegue a mi verdad esencial, a mi realización".

La vida nos envía pruebas para obligarnos a realizarnos. Si cobramos conciencia de ello, aceptaremos sus lecciones.

¿Nueve o diez?

Una noche, Mulla Nasrudin tuvo un sueño extraño: un hombre desconocido y acaudalado lo visitaba y le regalaba nueve dinares. Mulla le dijo entonces: "¿Y por qué sólo nueve? Deme uno más y eso hará una cifra redonda".

El hombre se negó. Mulla insistió, suplicó y forcejeó tanto, que finalmente se despertó. Al ver su mano vacía, maldijo su mal carácter, el cual le había hecho perder ese regalo inesperado. Acto seguido, poniéndose en posición de dormir, cerró los ojos, tendió la mano y se excusó: "Bueno, está bien, deme por lo menos los nueve dinares".

Una joven argelina, casada con un francés, fue a verme para que le leyera el tarot. Ella había realizado estudios de arquitectura y le encantaba esa profesión. Sin embargo, se dio cuenta de que no podía ejercerla en Francia.

—¿Sientes un amor tan grande que abandonaste tu país para vivir aquí con ese hombre? —le pregunté.

—Sí, lo amo muchísimo —respondió.

—Entonces, ¿te sacrificas?

—Sí, pero vivo mal.

El resumen de su tirada fue el arcano XVI, carta donde aparece una torre.

—¡Mira! Tu carta es la construcción. ¡Para ti, la arquitectura es importante! —le expliqué.

—Tal vez puedas hacer algo en el campo de la arquitectura de interiores —le sugirió mi asistente.

La joven tenía las manos manchadas, porque acababa de estampar seda. En seguida estuvo de acuerdo, reconociendo que tal cosa era factible.

—Atraviesas por una pequeña depresión —agregué—. Dejaste a tu familia para vivir con este hombre y ahora te encuentras en una paradoja emocional: sufres por haberte alejado de los tuyos, pero no puedes vivir sin tu marido. No estás bien ni aquí ni allá... En el fondo, no aceptas los nueve dinares. Y sin embargo, la vida te está dando un regalo formidable. Vives un gran amor en París y te hallas a sólo dos o tres horas de avión de tu familia. Me dices que buscas trabajo y que no te lo dan. ¡Cree en ti misma! ¡Deja de pedirlo! De hecho, lo pides para que te lo nieguen, para poder decir que estabas mejor allá, para poder expresar tu pena por haber cortado con tu madre. No obstante, tienes todo. Tienes nueve dinares. ¡Trabaja aquí con tus sedas y otras cosas! ¡Dedícate a la decoración de interiores! ¡Realiza tu vocación y visita a tu madre cada mes o dos meses! Con eso basta.

En virtud de que queremos los diez dinares, no disfrutamos lo que tenemos aquí y ahora. Queremos todo o nada.

En general, las personas se quejan de lo que tienen. Piensan que nunca tienen lo suficiente. Cuando se trata de pedir, la demanda es infinita. Con todo, no hay que olvidar lo que dice el Antiguo Testamento: "Dichoso el sabio, porque está satisfecho con su suerte".

Si estamos insatisfechos con lo que tenemos hoy, desearemos obtener más y permaneceremos siempre insatisfechos. ¡Aceptemos los nueve dinares! Aprendamos a aprovecharlos... lo poco que tenemos podría sernos retirado al despertar.

Las guindillas

En el curso de un viaje, Mulla Nasrudin llega a un pueblo. En la plaza se detiene frente a un puesto de frutas exóticas, que le parecen muy apetitosas.

—Estas frutas se ven excelentes. ¡Deme un kilo! —le dice al vendedor.

Parte muy contento con su compra. Un poco más adelante, muerde una de estas frutas encarnadas y, de inmediato, su boca está en llamas. Enrojece. Llora. Sin embargo, sigue comiendo. Un transeúnte que lo ha estado observando, lo aborda.

—Pero, ¿qué hace usted?

—Como creí que estas frutas eran muy sabrosas, pensé que una sola no me bastaría y compré todo un kilo.

—Lo entiendo, pero ¿por qué insiste en comerlas? Son guindillas, pimientos muy picantes.

—No son las guindillas lo que realmente estoy comiendo ahora —dice el Mulla, luego de eructar—, sino mi dinero.

Hacemos muchos esfuerzos para lograr una situación determinada, para construir una pareja o para conseguir cualquier otra cosa y, si nos equivocamos, insistimos: nos obstinamos en comer las guindillas. Aquí, éstas representan el esfuerzo que hemos hecho. No somos lo bastante humildes para reconocer que nos equivocamos. Seguimos invirtiendo todo lo que poseemos en las guindillas.

Si queremos cambiar, es necesario ser lo suficientemente humildes para decir: "Me equivoqué. Compré un kilo de guindillas que no puedo comer. Esto me hace daño. Lo doy por terminado y comenzaré otra cosa".

—He pasado treinta años con esta mujer, sobrellevando una vida carente de sentido —me dijo alguien.

—Tienes dos opciones: recomenzar tu vida, o bien no terminar tu relación sino reorganizarla —expliqué.

Cuando se han pasado muchos años con alguien, es necesario reajustar la relación de pareja y organizarla mejor, en lugar de continuar con una antigua relación que ya no corresponde a la realidad. Nos decimos: "En mi juventud me propuse un ideal para mi familia, pero han pasado los años y los intereses han cambiado. No puedo seguir viviendo así: debo reorganizarlo todo."

El clavo de Mulla

Luego de sufrir algunos reveses, Mulla Nasrudin se ve obligado a vender la casa que heredó de su padre. Aprovechándose de la situación, un hombre sin escrúpulos le ofrece una suma irrisoria. Nasrudin se da perfecta cuenta de que está tratando con un ladrón, pero acepta con una pequeña condición.

—¿Cuál? —indaga el sujeto.

—Como usted podrá ver, en este muro hay un clavo... Este clavo fue puesto por mi padre y es el único recuerdo que me queda de él. Le vendo esta casa, pero deseo seguir siendo el propietario del clavo. Si usted acepta esta condición, yo acepto su oferta... En cuanto al clavo, evidentemente tendré el derecho de colgar ahí todo lo que me plazca.

El comprador se tranquiliza al pensar que un clavo en una casa no es gran cosa.

—¿Vendrá usted muy seguido? —pregunta el hombre.

—No, no muy seguido —responde Mulla.

El comprador acepta la cláusula. Luego firman ante las autoridades el contrato de compraventa, en donde se precisa que Mulla Nasrudin sigue siendo el propietario del clavo y que puede hacer todo lo que le venga en gana con él. El nuevo propietario toma posesión del lugar instalándose con toda su familia. Cierto día, se presenta Nasrudin.

—¿Puedo ver mi clavo?

—¡Por supuesto, pase usted! —contesta cordialmente el propietario.

Mulla entra, se ensimisma frente al clavo y se marcha.

Unos días más tarde, regresa con un cuadro pequeño, que contiene la foto de su padre.

—¿Puedo ver mi clavo?

El propietario lo deja entrar y Nasrudin cuelga el cuadro (gracias a un derecho debidamente estipulado en la cláusula).

La siguiente ocasión llega con un gabán y una túnica.

—Son prendas que pertenecieron a mi padre. Quiero colgarlas en el clavo —expone Nasrudin al propietario, quien se muestra un poco impaciente.

No pasa mucho tiempo antes de que el Mulla se presente cargando el cadáver de una vaca.

—¿Qué va a hacer aquí con ese cadáver? —interroga, estupefacto, el propietario.

—¡La verdad es que vengo a colgarlo en mi clavo!

Lo hace en seguida, sordo a las súplicas del sorprendido propietario. La policía acude al lugar del litigio y, con base en el contrato, da la razón a Nasrudin. El cadáver empieza a podrirse, con el consiguiente perjuicio para el impotente propietario. Al cabo de cierto tiempo, Nasrudin se presenta con otro cadáver, que de inmediato cuelga en el mismo clavo. La hediondez es tal, que el propietario se ve precisado a abandonar el lugar. Y así es como Nasrudin recupera su casa.

De esta historia se pueden hacer dos interpretaciones: una positiva y otra negativa. Comencemos por la positiva.

Consideremos la casa como un símbolo del ego. El clavo, en este caso, sería el punto de partida del trabajo espiritual. A partir de este punto y por medio de un estudio progresivo, puedo llegar a ser el maestro de mi casa.

Una persona a la cual le leí el tarot, me preguntó:

—En esencia, ¿quién soy yo?

—¡Tú no eres otra cosa que Dios! —le susurré al oído.

—Es no es posible. No lo comprendo —replicó y se fue.

Esta persona no quiso colgar a Dios en su clavo. Para ella, tal cosa era imposible. Debía vivir en una casa vacía, sin clavo y sin ser esencial.

Con frecuencia nos hallamos en el mismo caso y malbaratamos nuestra "casa" a un precio irrisorio. Esto significa que sacrificamos nuestro ser por poca cosa.

Posteriormente, le dije a esa persona:

—Tú no fuiste deseada. Si viniste al mundo, fue porque...

—¡Porque yo lo quise! —me interrumpió.

—¡No! ¡Fue porque el universo así lo quiso y únicamente por esa razón!

Hay tantas cosas que se oponen a nuestro nacimiento y a nuestro desarrollo, que si podemos reconocer sin esfuerzo que estamos aquí y ahora, es porque respondemos a un designio del universo que se nos escapa totalmente.

Ahora, veamos la otra interpretación posible. Esta historia nos brinda una advertencia. Nos aconseja que permanezcamos vigilantes, con objeto de evitar que alguien venga a poner un clavo en nuestro mundo personal. Aceptar un clavo, aunque sea muy pequeño, significa correr el riesgo de perderlo todo.

Hace poco, un periodista que asiste a mis conferencias me pidió una entrevista. En general no las doy, salvo cuando se trata de promover mi trabajo artístico. El Jodorowsky que dicta conferencias y lee el tarot no tiene necesidad de publicidad. Excepcionalmente, acepté. Esto resultó bien para él. ¿Y para mí? Tal vez.

Me pidió autorización para enviar a un fotógrafo. De nuevo acepté, pero con la condición de que tomara las fotos en el café, antes de la conferencia. Cuando el fotógrafo llegó, me dijo de inmediato: "Pero es que no puedo fotografiarlo aquí. Hay muchísima gente. Es necesario que lo fotografíe en su casa, en su intimidad. Deme una cita".

Este hombre tenía una idea de la fotografía a la cual yo debía adaptarme. Me negué.

—En verdad es una lástima. Usted va a salir perdiendo. Podríamos tomar fotos muy bellas... —insistió.

—Por lo que a mí toca, no tengo nada que perder —le respondí—. Una buena foto mía no me interesa. Yo no quiero entrar en ese mundo. Si usted quiere una foto, ¡tómela aquí! ¡Lo toma o lo deja!

Posar es una concesión que me niego a hacer. Si yo dejara entrar este clavo, el cadáver de la vaca no tardaría en llegar: aparecería en la televisión desempeñando el papel del Señor Sol o, más bien del Señor Luna, el compadre de la Señora Sol.

La concesión más pequeña se convierte en un clavo en nuestra propia casa. Es aquí donde el intelecto nos ayuda. Su función es velar con una atención constante, a fin de que nadie penetre en nuestro universo para poner clavos que no nos corresponden.

Yo no estoy en contra de quienes fuman, pero siento pena al

Cada cosa o experiencia que aceptamos y que no nos corresponde, equivale a dejar entrar el cadáver de la vaca en nuestra casa.

Hay un experimento científico que con frecuencia menciono. Si calentamos poco a poco el agua en que se encuentra una rana, el animalito no siente en absoluto el aumento de la temperatura y termina cociéndose sin haber esbozado siquiera el menor gesto para escapar a su muerte.

Del mismo modo, las cosas se descomponen gradualmente. Por eso es necesario deshacerse de ellas antes de que se instalen. Hay que impedir de inmediato que el clavo sea puesto.

Si me doy cuenta de que el agua hierve, no voy a esperar al día siguiente para saltar fuera de ella. Cuando tomo conciencia de que algo no funciona en mi vida, tomo medidas en ese momento. Al respecto, es muy útil aprender a decir "no", llegar a plantear: "No, no haré lo que usted me pide". Sin duda, si me colocan el cañón de una pistola en la sien para que obedezca, lo haría sin mostrar la menor oposición. Por el contrario, si tengo el derecho de decir lo que pienso, entonces utilizaría ese derecho siempre que me pareciera necesario hacerlo.

No procedería como esa pobre mujer a la que siempre pescaban y le ocurrían incidentes sexuales inverosímiles, porque era incapaz de decir "¡no!" Aunque detestaba las situaciones en las cuales se encontraba, no osaba negarse. Nadie le había enseñado a negarse y, por si fuera poco, se le había culpabilizado cuando había intentado hacerlo.

Ahora bien, cuando aprendemos a decir "no", decir "sí" tiene un sabor completamente diferente.

¿Dónde está tu oreja, Mulla?

—¿Dónde está tu oreja izquierda? —le preguntan a Mulla.

—¡Hela aquí! —responde, luego de pasar el brazo derecho por encima de la cabeza y tocarse la oreja.

—¿Por qué haces eso? ¿No sería mucho más fácil tocarte con la mano izquierda la oreja que está del mismo lado?

—Ciertamente sería más fácil, pero si lo hiciera como todo el mundo, dejaría de ser Mulla Nasrudin.

Dicho de otro modo, para ser yo mismo (o para sentirme yo mismo), debo tocar mi oreja de este excéntrico modo.

Pregunté a mi hijo, adolescente, qué pensaba al respecto. Me respondió: "Todos estamos condicionados a tocarnos la oreja de una manera idéntica, estereotipada. ¿Y por qué yo, artista, no puedo tocarla del modo que me plazca, como yo lo sienta?"

He aquí un punto de vista interesante.

Podemos descubrir en la forma de actuar de Mulla Nasrudin el deseo de singularizarse por medio de actos extravagantes, los cuales llaman la atención. En ese caso, en lugar de identificarme con mi ser esencial, me identifico con cosas teatrales. No lo hago para "ser", sino más bien, para "ser diferente" y creo que al serlo, soy yo mismo.

En mi opinión, éste no es el camino. Ser significa ser diferente de manera natural. Por consiguiente, ¿para qué buscar hacer más con el único fin de distinguirnos?

Un hombre avisado

—¿Cómo procedes cuando vas a hacer tus abluciones al borde del río? —preguntó el Mulla a un campesino.

—Bueno, me desnudo y me echo al agua.

—¿No te olvidas de que aun dentro del agua, debes dirigirte hacia la Meca?

—Hacia la Meca, sí, claro... pero lo más importante es que no dejo de mirar de reojo hacia el sitio donde he dejado mi ropa, desde la vez en que un ladrón me la robó.

En cierta ocasión, le pregunté a mi maestro zen Ejo Takata: "¿Por qué te atas la cintura de ese modo?" Él me respondió: "Para que no se me caigan los pantalones". Recibí una buena lección: una lección zen. Las cosas tienen una utilidad. Cuando es necesario cerrar la puerta, la cerramos. No hay que olvidar jamás tener un espíritu práctico. Prestar atención a lo real. Cuando dejamos de prestar atención a lo real, nos alejamos. La religión no nos debe sacar de la realidad. Un verdadero monje o verdadero creyente no se sale nunca de la realidad. Protege sus bienes y vigila constantemente todo lo que pasa a su alrededor.

En nuestra familia, cada vez que alguien tira una botella, vuelca un vaso o se resbala, los demás le decimos: "¡Samurai!" El interpelado se ruboriza de despecho, porque lo hemos cogido en falta. Jugamos a esto, debido a que los samurais no deben equivocarse. No pueden ni tropezarse ni romper un vaso.

Es preciso estar siempre alertas, so pena de no ser un verdadero místico.

Hace tiempo, fui a ver a Óscar Ichazo, el creador de la Enseñanza Arica. Como yo debía desempeñar el papel de maestro en la película *La montaña sagrada*, quería que me enseñara a interpretar dicho papel. Vino a mi casa para iniciarme. Nos instalamos en mi biblioteca. Estábamos solos. Me mostró un polvo rojo, indicándome que era LSD; después, preparó un cigarrillo de mariguana. A pesar de que yo ya tenía 40 años, jamás había probado ni el uno ni el otro.

—Te voy a iniciar. Esto es la base —me dijo.

Diluyó el LSD en jugo de naranja y me invitó a beberlo. Luego de ingerirlo, comenté:

—Por razón de mi trabajo, tengo la necesidad absoluta de conservar intacta mi cabeza. Espero que no me la vayas a reventar.

—Por supuesto que no. ¡Tenme confianza!

Al cabo de una media hora, me aconsejó que fumara el cigarrillo de mariguana, para acelerar los efectos del LSD. Lo fumé y el resultado no se hizo esperar. De inmediato empecé a sentir los efectos... percibía cosas bellas. A través de la ventana vi un Van Gogh, luego un Rubens, etc. Fue algo en verdad magnífico. Me emocioné porque fue la primera vez que tuve alucinaciones. Con todo, también tuve conciencia de la naturaleza de éstas.

—Lo que me has hecho hacer no vale gran cosa —le solté a Ichazo.

—¿Ah sí? ¿Por qué lo dices?

—Si un ladrón o un criminal me atacaran en este momento, sería incapaz de defenderme.

De inmediato me ordenó salir de mi estado, con objeto de evitar que me angustiara. Sin embargo, yo no estaba para nada angustiado. Simplemente estaba juzgando el método y, al mismo tiempo, disfrutando el paraíso. Empero, había descubierto que ese paraíso no era bueno, porque ya no tenía los medios para defenderme en caso de necesidad.

Un maestro zen iluminado se defiende. Reacciona ante el menor peligro. Si alguna cosa se le viene encima, salta a un lado para protegerse. Mantiene su instinto de conservación intacto y alerta, puesto que la vida es sagrada y su defensa también.

Cuando perdemos los medios para defender nuestra vida, andamos en un mal camino. Esta idea es totalmente zen.

Los discípulos de Ramakrishna opinarán probablemente que estoy equivocado, sin tener en cuenta que cuando este asceta permaneció en trance durante seis meses, hubo que alimentarlo a cucharaditas. ¿De qué le sirvió que estuviera en trance?... Tal vez de algo, pero ese algo no me aportó nada.

A mí no me gustaría caer en trance durante seis meses, porque tengo una familia que atender. Es verdad que si yo fuera un parásito de mis discípulos, podría hacerlo, pero se sobreentiende que durante ese tiempo ellos deberían trabajar por mí.

El sueño

El hijo de Mulla Nasrudin va a ver a su padre y le dice:

—Anoche soñé que me dabas cien afghanis.

—Bueno —señala el Mulla—, como tú eres un muchacho sabio, estos cien afghanis que te di en el sueño no te los voy a quitar. Puedes guardarlos y comprarte con ellos lo que te plazca.

Mulla Nasrudin sabe, como un buen maestro, que es necesario distinguir la ilusión de la realidad.

Si tú sueñas que yo soy importante para ti, no voy a desengañarte. Aprovecha tu sueño, pero no olvides que éste no tiene nada que ver conmigo. Si tienes ilusiones, toma conciencia de su naturaleza.

El Mulla le está diciendo a su hijo: "Si tú crees en la existencia de esta ilusión, ¡vívela! Veamos qué puedes sacar de ella y qué puedes comprar con ella". Nasrudin provoca una conmoción en el joven y éste se da cuenta de la naturaleza ilusoria de su sueño.

En realidad, el Mulla le está expresando: "La verdad que buscas, ¡búscala en ti mismo! ¿Cómo vas a encontrarla? ¡Elimina tus sueños! ¡Con eso basta!"

—Este hombre no te ama. Todo terminó. ¡Deja de soñar! O bien: "Esta mujer no te ama. Deja de pedirle conmiseración. Estás ciego. ¡Ella no tiene nada que darte! Todo terminó. ¡Ahora, vive!"

Una verdad pequeña vale más que una mentira inmensa.

Imagina que has estado casado durante 50 años y que, en el momento de tu muerte, el otro viene a escupir sobre tu tumba. Antes, te sonreía en espera de tu herencia y ahora, te deposita en un rincón de la cripta familiar. Tú ya no significas nada. Es terrible haber vivido un sueño insensato y jamás haber afrontado la realidad.

La sopa de pato

Cierto día, un campesino fue a visitar a Nasrudin, atraído por la gran fama de éste y deseoso de ver de cerca al hombre más ilustre del país. Le llevó como regalo un magnífico pato. Mulla Nasrudin, muy honrado, invitó al hombre a cenar y pernoctar en su casa. A la mañana siguiente, el campesino regresó a su campiña, feliz de haber pasado algunas horas con un personaje tan importante.

Algunos días más tarde, los hijos de este campesino fueron a la ciudad y a su regreso pasaron con Nasrudin. Se presentaron: "Somos los hijos del hombre que le regaló un pato".

Fueron bien recibidos y bien tratados. Charlaron muy contentos.

Una semana después, dos jóvenes y llamaron a la puerta de Nasrudin.

—¿Quiénes son ustedes?

—Somos los vecinos del hombre que le regaló un pato.

Mulla empezó a lamentar el haber aceptado un regalo tan embarazoso como aquel pato. Sin embargo, puso al mal tiempo buena cara e invitó a sus huéspedes a comer.

A los ocho días, una familia completa, compuesta de padres e hijos, pidió hospitalidad al Mulla.

—¿Quiénes son ustedes? —les preguntó, entre asustado e irritado por la invasión.

—Somos los vecinos de los vecinos del hombre que le regaló un pato.

Entonces el Mulla hizo como si se alegrara, invitó a pasar a todos y los instaló en el comedor. Al cabo de unos minutos, apareció con una enorme sopera llena de agua caliente. Llenó concienzudamente con este líquido los tazones de los convidados. Uno de ellos se hizo eco del sentir general y preguntó:

—¿Qué es esto, noble señor Mulla? ¡Por Alá que nunca habíamos visto una sopa parecida!

—Éste es el caldo del caldo del caldo de pato que con gusto les ofrezco a ustedes, los vecinos de los vecinos del hombre que me regaló ese maldito pato —le respondió, con toda calma, Nasrudin.

El vecino del vecino del vecino que llega a comer el caldo del caldo del caldo. Esta historia es muy conocida en los medios populares de Medio Oriente. Me hace pensar en la sabiduría iniciática.

En un momento dado, existe una verdad. En seguida, todos la quieren conocer, pero reciben la versión de la versión de la versión de la verdad. Y en el fondo, no heredan nada de ella.

Ciertas verdades son el caldo en el cual ya no hay ni sombra del pato.

El asno perdido

El Mulla había perdido su asno. Se dirigió al bazar y suplicó a todos que le ayudaran a buscarlo. A quien lo encontrara, prometió que lo recompensaría no sólo con el propio asno, sino también con su albarda y todos sus arreos. Se le preguntó por qué se afanaba tanto en encontrar al animal, si estaba dispuesto a entregarlo como recompensa. Entonces Nasrudin explicó: "¿Acaso no conocen ustedes el placer que produce encontrar algo que habíamos perdido?"

Busco mi ser esencial, mi dios interior, porque lo he perdido. En alguna parte, nuestra civilización lo ha extraviado. (Si a ustedes no les gusta el término de "dios interior", llámenlo el alma, el inconsciente, la naturaleza interior, la esencia, como ustedes quieran...) Toda mi vida he luchado por encontrarlo. Sé que en algún lugar hay algo, una luz dentro de mí. Cuando la descubra, tendré el placer de recuperar algo que sé que poseía y, entonces, estaré obligado a darlo y a disolverme en el mundo.

Todo el trabajo espiritual nos lleva al don de uno mismo. No existe ningún ser realizado que no se haya dado al mundo, al universo.

Amar significa obtener para compartir. Cuando yo amo, busco el amor. Cuando lo encuentro, lo comparto de inmediato. No lo comparto solamente con mi pareja, sino también con su familia, con la familia que juntos formamos, con los amigos, etcétera.

El amor no compartido es algo que no existe. Se trata de una neurosis, de un egoísmo o de una locura. Busco el amor de pareja para compartirlo y volverme entonces una luz en el mundo.

Intentaba simplemente formar una pareja y he aquí que ahora me encuentro con cinco hijos. ¡Qué sorpresa tener y ser una familia! No me arrepiento en lo absoluto, porque cada hijo me ha abierto el corazón un poco más, me ha conducido al trabajo y a la angustia, al psicodrama de perdonar a mis padres, etc. Me ha llevado a descubrir el amor y a amar a todos.

Cada ser que aparece en nuestra vida es una bendición. Un gato, una planta, un amigo, ¡todo! Un colaborador, un empleado, un maestro... ¡Qué alegría!

El Mulla hace los mandados

La mujer de Nasrudin le pidió a éste que fuera a comprar una docena de alfileres. Mulla se hizo acompañar de su asno para transportar la carga. Compró la docena de alfileres y los ensartó en la silla de montar. Al verlo venir, su mujer, atónita, le dijo:

—¿Por qué llevaste el asno para transportar una docena de alfileres? ¿De qué te sirve tu chilaba? ¡Los hubieras ensartado en tu propia túnica!

A la mañana siguiente ella le pidió:

—¡Ve a comprar leños para encender el fuego!

Mulla partió de inmediato a comprarlos. Más tarde, regresó con pedazos de leña ensartados en su chilaba, la cual estaba hecha jirones.

—¿Qué te pasó? —preguntó furibunda su mujer—. ¡Mira en qué estado se halla tu ropa! ¿Por qué hiciste semejante cosa?

—¿No me dijiste que mi chilaba servía para transportar los mandados? Seguí tu consejo.

Esta historia me hace pensar en el modo en que se entiende una verdad o un consejo.

Con cierta frecuencia, cuando las personas vienen a pedirme consejo, les propongo que realicen actos de psicomagia.* Nunca lo hago sin que antes las haya hecho hablar sobre su vida y su árbol genealógico. Y es que sólo a partir del momento en

---

* La psicomagia es una práctica terapéutica inventada por A. Jodorowsky e inspirada en prácticas chamánicas primitivas. Utiliza un lenguaje simbólico del sueño para solucionar problemas específicos. El interesado, consciente de la naturaleza "surrealista" de sus actos y gestos, se presta a ello, a sabiendas de que actuará sobre su inconsciente.

que tengo una buena percepción de sus dificultades y del terreno en el cual se encuentran, les asigno un acto consciente por ejecutar.

Alguien que me había escuchado recomendar actos de psicomagia en varias ocasiones, se instaló como terapeuta. En virtud de que tiene poca imaginación, elaboró una lista de consejos típicos que ella aplica sin discernimiento. Por ejemplo, aconseja a todas las mujeres que envíen un gran par de tijeras a su madre, para cortar el cordón umbilical que las une. Asimismo, recomienda a todos sus clientes que compren una muñeca, la carguen con sus pensamientos negativos y luego la arrojen a la basura. Sus consejos no toman en cuenta la particularidad de cada quien. Están estandarizados y no producen ningún resultado, porque el consejo que es válido para una persona no resulta serlo forzosamente para todo el mundo. No se puede inaugurar un supermercado de la psicomagia.

Incluyo a continuación otra historia que habla de la manera en que se entiende un consejo o una verdad...

El lugar de la verdad

—Si encuentras la verdad, ¡agárrala y arrójala al fondo de un pozo!
—le dice un sabio a Mulla Nasrudin.

Más tarde, el Mulla se topa con una ciega, la cual pide que la ayude a cruzar la calle.

—¿Cómo se llama usted, señora? —inquiere el Mulla.

—Me llamo Verdad —responde la mujer.

De inmediato, Nasrudin la agarra y la arroja al fondo de un pozo.

Nasrudin ha interpretado literalmente las palabras del sabio.

Esta historia ilustra bien el hecho de que una verdad no es inmutable. Su veracidad depende de la persona a la cual se dirige, del individuo que la dice, del lugar y de la época en que es enunciada, así como de muchas otras condiciones. O sea, una verdad válida "aquí y ahora" tal vez resulte completamente errónea "en otra parte y mañana".

Del mismo modo, un acto de psicomagia produce efectos y no puede ser idéntico para todo el mundo.

Las armas de Mulla

Mulla Nasrudin inició un viaje hacia tierras lejanas, motivo por el cual se hizo de una cimitarra y de una lanza. En el camino, un bandido cuya única arma era un bastón, se le echó encima y lo despojó de sus pertenencias. Cuando llegó a la ciudad más próxima, el Mulla contó su desgracia a sus amigos, quienes le preguntaron cómo había sido posible que él, estando armado con una cimitarra y una lanza, no hubiera podido dominar a un ladrón armado con un modesto bastón.

Nasrudin les explicó: "El problema fue precisamente que yo tenía las dos manos ocupadas, una por la cimitarra y la otra por la lanza. ¿Cómo creen ustedes que hubiese podido salir airoso?"

La interpretación de esta historia se vuelve evidente al conocer aquella del gramático...

El gramático

Mulla Nasrudin es un barquero. Cierto día, el hombre que transporta en su barco resulta ser un gramático. Durante el trayecto, este último le pregunta:
—¿Conoce usted la gramática?
—No, en absoluto —responde, con firmeza, el Mulla.
—Bueno, ¡permítame decirle que ha perdido usted la mitad de su vida! —replica, con desdén, el erudito.
Poco después, el viento comienza a soplar y la barca es tragada por las olas. Justo antes de irse a pique, el Mulla pregunta a su pasajero:
—¿Sabe usted nadar?
—¡No! —contesta, aterrorizado, el gramático.
—Bueno, ¡permítame decirle que ha perdido usted toda su vida!

Esta segunda historia se relaciona directamente con la primera. Nos dice: "¿De qué sirve tener un conocimiento, si no sabemos aplicarlo a la realidad?" En otras palabras, ¿de qué sirve armarnos de un saber inútil?

Hay individuos que se saben de memoria el *Kamasutra*, pero que son incapaces de satisfacer a su pareja. A pesar de que conocen perfectamente ese gran tratado erótico, cuando llega la fase práctica son vencidos por el primer muchachito inexperto pero animoso.

Después de haber leído ambas historias, me pregunto: "¿Qué sé? ¿Qué técnicas poseo? ¿De qué hablo? ¿Es necesario instruirse?" Sí, es importante hacerlo, pero hay que indagar de qué sirve el conocimiento adquirido y saber deshacernos del que es inútil. Por mi parte, prefiero utilizar el conocimiento para desarrollar una técnica personal que conozca a fondo y aplique a la realidad, en vez de coleccionar miles de conocimientos que no aplicaré nunca. ¿De qué sirven todas las teorías sobre la sexualidad, el amor, el bien, la oración, etc., si jamás las aplico? Es como ocultarse atrás de este saber, para no hacer nada.

Nada es equiparable a la experiencia

El Mulla se cayó de una escalera y se lastimó mucho. A pesar de las cataplasmas y pociones, el dolor le hacía sufrir terriblemente. Sus amigos fueron a consolarlo:

—¡Pudo haber sido peor! —dijo uno.

—Después de todo, no te rompiste nada —opinó otro.

—Te vas a aliviar muy pronto —intervino un tercero.

Sin embargo, en el apogeo del dolor, Nasrudin les gritó:

—¡Váyanse todos! ¡Salgan de este cuarto en seguida! Mamá, ya no dejes entrar a nadie, a menos que se trate de alguien que se haya caído de una escalera.

La teoría no reemplaza a la experiencia. Para comprender a la otra persona, hay que ponerse en su lugar. Si una persona jamás ha sufrido, ¿cómo puede ponerse en el lugar de quienes sufren?

Los gurús, que son perfectos después de tres mil reencarnaciones, no son aptos para ayudar a los demás, porque no conocen el dolor humano.

En este orden de ideas, un terapeuta de sexo masculino no puede comprender y aconsejar a una mujer, si él no ha vivido profundamente en sí mismo la naturaleza femenina, si no se ha imaginado nunca con vagina, útero, ovarios, menstruaciones, etc. De la misma manera, una mujer que jamás se ha imaginado con pene, esperma y erecciones, no puede comprender a un hombre.

He meditado sobre este tema: que la mujer construya un hombre en el interior de sí misma y el hombre una mujer, lo cual les permitirá después comunicarse verdaderamente, esto es, con conocimiento de causa.

Saïd Baba, el gurú hindú, es hombre durante seis meses del año y mujer durante los otros seis. Se presenta ante sus discípulos vestido de mujer y nadie se asombra. Según la época, se dice que él está viviendo su Shaktti o su Shiva, su Yin o su Yang. Él los crea en sí mismo.

Un peso menos

Cierto día, Mulla Nasrudin fue a buscar leña al bosque. Después se puso los haces en la espalda, se montó en su asno y se dirigió a su morada.

—¿Por qué llevas tú los haces en la espalda, en lugar de ponerlos en el lomo del asno? —le preguntaron, entre risas, quienes se cruzaron con él en el camino.

—Hombres de poca fe, esta pobre bestia lleva a cuestas a mi persona, ¿y ustedes quieren que le ponga un peso adicional? ¡Es para no sobrecargarla que yo llevo los haces en la espalda!

Si el asno simboliza el cuerpo, la leña un problema y Mulla el intelecto, podríamos afirmar que hay personas que creen que se liberan del peso de un problema al comprenderlo, es decir, al intelectualizarlo.

"¡He comprendido todo!", dicen ellas, pero en realidad no han entendido nada. Siempre cargan el problema. No se deshacen de nada, porque se engañan a sí mismas. Imitan a quienes han comprendido todo, se las dan de ser ejemplares, pero no han solucionado nada.

El Mulla, su asno y sus alforjas

Nasrudin, montado en su asno, cargaba unas pesadas alforjas en la espalda.

—¿Por qué no pones las alforjas en el lomo de tu asno? —le sugirió un transeúnte.

—¡Estás loco! —le respondió el Mulla—. ¡Además de llevarme, tú quisieras que mi asno llevase mis alforjas!

Las personas que entran en relación contigo llevan a cuestas sus alforjas, es decir, su tristeza, su depresión, su agresión, etc., y tú las cargas con todo y sus alforjas. Te haces cargo de ellas y de su cubo de basura. ¡Respetemos al prójimo! ¡Limpiemos nuestro cubo de basura!

¡Todos asnos, menos yo!

El Mulla fue a comprar un asno. La feria de asnos estaba en su apogeo, colmada de multitud de campesinos. En medio del tumulto, Nasrudin escuchó a un fulano afirmar que ahí sólo había asnos y campesinos. Nada más.

—¿Tú eres campesino? —preguntó el Mulla al fulano.

—¿Yo? No...

—Entonces, ¡no me digas más! —ironizó Nasrudin.

Algunas personas juzgan al mundo como si no pertenecieran a él. Son los fuereños. Dicen: "El mundo no es yo. Yo lo juzgo. No formo parte de él." Sin embargo, ¿cómo no formar parte de él? Todo lo que ocurre en el mundo nos concierne. No podemos decir que el mundo está hecho solamente de campesinos y asnos.

Si a mí me importa todo lo que ocurre en el mundo, va a ser preciso que aprenda a manejar las informaciones que recibo y que sepa escoger entre lo que es verdad y lo que es falso.

Los periódicos se han adueñado del problema del ozono y de otros problemas del planeta al publicar artículos alarmistas donde no todos los datos son ciertos. Es bueno concientizar a la gente, a fin de que se tomen medidas para terminar realmente con la contaminación de nuestro planeta. Sin embargo, resulta lamentable el sensacionalismo angustioso cuyo único objetivo es aumentar el tiraje. Se trata de un comercio jugoso que juega con nuestro miedo y que no propone ninguna solución.

A propósito de soluciones, todos deberíamos exigir que ya sólo exista gasolina sin plomo. En Alemania, este combustible es menos caro que los otros, mientras que en Francia cada litro de gasolina sin plomo cuesta un franco más que los demás carburantes. Cada vez que llenamos el tanque de nuestro vehículo, ¡se nos castiga con cien o hasta ciento cincuenta francos por limpiar la atmósfera! ¿Acaso no sería mucho más lógico que este combustible se vendiera a menor precio, como ocurre en Alemania?

¿Por qué envenenar la atmósfera y agredir al mundo con nuestro automóvil? Quienes rechazan la gasolina sin plomo contribuyen a la asfixia del planeta, al cual imaginan que no pertenecen:

—El mundo no es yo, ¡que reviente!

—De acuerdo, que reviente. Pero tus hijos van a sufrir si eso ocurre.

El asno extraviado

El asno de Nasrudin se extravió. Sin duda se perdió en las colinas vecinas. Sin embargo, en lugar de ir a buscarlo, el Mulla recorre las calles del poblado gritando: "¡Alabado sea Alá! ¡Alabado sea Alá!"

En virtud de que los pobladores saben cuán vinculado está Nasrudin a su asno y el peligro que las bandas de lobos significan para el animal, exclaman con sorpresa:

—¡Cómo es posible, Nasrudin, que des gracias a Alá por haber perdido a tu asno! ¿No sería mejor que imploraras su ayuda?

—Decididamente, ustedes no comprenden nada. Doy gracias a Alá por no haber estado montado en mi asno cuando se perdió.

En el mismo orden de ideas, he aquí otra historia de la cual podemos sacar una interpretación similar...

El abrigo de Mulla

Al bajar de la terraza de su casa, donde acaba de dormir la siesta, Nasrudin falla un peldaño de la escalera y rueda hasta abajo.

—¿Qué te pasa? —le grita su mujer, quien desde la cocina escucha el estrépito de la caída.

—Nada importante —responde Nasrudin, poniéndose de pie con dificultad—. Mi abrigo se cayó en la escalera.

—¿Tu abrigo...? Pero, ¿el ruido?

—El ruido es porque yo estaba dentro.

Establezco un paralelismo entre el asno y el abrigo. En la primera historia, el Mulla ha perdido su asno y le agradece a Dios no haber estado montado en él. En la segunda, no es él quien se cae, sino el abrigo dentro del cual se encuentra.

En algún sitio, Nasrudin opera una disociación con una parte de sí mismo. Esta última podría ser su animalidad (supongamos que el abrigo sea de piel). El asno o el abrigo son los que actúan, no él.

Es como si hubiera una disociación entre mis actos, que no llamaría primitivos sino naturales, y que yo permaneciese como espectador de mí mismo. La disociación se concreta al decir:

—Yo hice eso, pero no era yo.

—Me emborraché ayer en la noche pero no era yo. Fue algo accidental. Jamás lo habría deseado.

—Hice una mala acción, pero no me siento responsable de ella. Fui arrastrado. Fue algo más fuerte que yo.

—Hago mis necesidades, pero tal cosa no me corresponde. Yo soy un ser muy espiritual y nunca podría hacer algo semejante. Una parte de mí es la que lo hace.

Como este gurú, en Nueva York, que embarazó a cuatro de sus discípulas al tiempo que predicaba la abstinencia.

Calor por delante

El Mulla calentaba miel en el fuego, cuando un amigo llegó de improviso. La miel comenzó a hervir y Nasrudin le convidó a su visitante. Le sirvió un tazón tan caliente, que el otro se quemó. Entonces el Mulla agarró un abanico y lo agitó por encima del traste, que seguía colocado sobre el fuego, a fin de enfriar la miel.

Psicológicamente, sucede lo mismo con cada uno de nosotros. Nuestra miel hierve, nos quema. Decimos que es necesario enfriarla, pero no la retiramos del fuego. No cambiamos en absoluto.

Alguien viene a vernos y nos dice: "¡Sufro, ayúdame, no puedo más!" Advertimos que el alcoholismo amenaza a esa persona. Es obvio que debe dejar de beber, para lo cual es menester que se aparte del fuego completamente. Pero no es así, queremos continuar pensando, comunicándonos, amando y haciendo todo lo que hemos tenido por costumbre hacer. La única cosa que deseamos es dejar de beber. Pero, ¿cómo? ¿Cómo podemos ayudar a alguien que se obstina en seguir por el mismo camino?

A propósito de una manta

Cierta noche, mientras dormía, el Mulla tuvo frío y se despertó. El clima era terrible. Llovía, granizaba y, entre el fragor de dos truenos, oyó el ruido de una disputa cercana a su casa.

Movido por la curiosidad, abandonó la cama, se cubrió con su manta de lana y salió para investigar la causa del escándalo. Vio entonces a una banda de ladrones. Al descubrirlo, éstos se le echaron encima, le quitaron su manta y huyeron.

Temblando de frío y de miedo, regresó a su casa, cerró la puerta y se fue a acostar con su mujer.

—¿Por qué tanto ruido? —le preguntó ella—. ¿Cuál era la razón de la disputa?

—Era una banda de granujas que se disputaban mi manta —respondió, con un tono indiferente, Nasrudin—. Al llevársela, se reconciliaron y luego siguieron tranquilamente su camino.

Es de este modo como Nasrudin explica el robo. Es también de esta manera como él se engaña a sí mismo. Cambia la realidad para justificarse. Se niega a enfrentar sus problemas. Rehúsa asimismo darlos a conocer a su mujer.

Cuando nos negamos a mostrarnos tal cual somos, no vivimos jamás nuestra verdad.

Una pareja que se ama se deja ver en toda su verdad. En ocasiones, encuentro parejas que viven en una farsa continua, porque sus miembros se entregan a desempeñar papeles. Jamás se muestran tal como son en realidad. Una relación amorosa verdadera implica el don de uno mismo.

¡Ni sí ni no!

Se cita a Mulla Nasrudin ante la justicia, porque su mujer lo acusa de haberla golpeado. Antes de comparecer ante el juez, el Mulla prepara sus respuestas. Se dice: "Si el juez me pregunta si le pegué, responderé que no, y si me pregunta si no le pegué, diré que sí. ¡Fácil!"

En el tribunal, el juez se dirige a él:

—Mulla, ¿ya dejó usted de golpear a su mujer?

—¡Nosíno! —farfulla, sorprendido, Mulla.

A veces hay que saber responder "nosíno". Si te preguntan: "¿Me amas?", un "nosíno" sería más juicioso. Tú no puedes saber si amas. Como dijo Lacan: "odioamor". En el amor hay también una buena porción de odio.

Es preferible responder "nosíno" en muchas situaciones, quedarnos sueltos, no dejarnos encerrar intelectualmente.

La vela en la oscuridad

Nasrudin conversaba tranquilamente con un amigo en la vivienda de éste, cuando fueron sorprendidos por la noche.

—Está oscuro —dijo el amigo—, ya casi no se ve. ¡Enciende una vela! Justamente hay una a tu izquierda.

—¿Cómo puedo distinguir mi izquierda de mi derecha en medio de la oscuridad? —replicó el Mulla.

Mulla Nasrudin no se conoce. Sus relaciones con el exterior le devuelven una "identidad", una imagen falsa de sí mismo. Cuando está hablando a plena luz del día, suelta una verborrea para realzarse en el plano de las relaciones, de las apariencias. En realidad, no se está viviendo a sí mismo.

Es como aquellas personas que hablan de Dios a toda hora, pero que dentro de su casa lo olvidan por completo. Jamás rezan. (Los sufistas hablan de una oración pública y de una oración secreta. Para ellos, si no se reza en secreto, hacerlo en público es inútil.)

Habría que preguntarse si esos grandes santos que se pasean por el mundo dictando conferencias, oran en secreto. Sus discursos, ¿tienen una existencia real en su propio corazón?

Cuando ustedes me leen, soy totalmente positivo, pero ¿lo soy en verdad cuando estoy fuera de mi discurso? Es a mí a quien corresponde decirlo. Lo que yo digo, ¿es también verdad para mí? Si no fuera ése el caso, no encontraría la vela en la oscuridad.

En el fondo, la vela de la historia que nos ocupa es mi sabiduría, mi lámpara, mi dios interior, la realidad, mi ser esencial, no mi apariencia. Si vivo en el plano de las apariencias, cuando me halle fuera de la presencia del otro, no sabré dónde está mi derecha y dónde está mi izquierda; no sabré quién soy.

Mudanza improvisada

Un ladrón se introduce en la casa de Mulla Nasrudin. En cuanto éste descubre al delincuente se esconde en un rincón. El ladrón se lleva todo. El Mulla atestigua el robo, sigue al malhechor hasta su propia casa y lo aborda cortésmente:

—Gracias te doy, extranjero, por haber mudado mis efectos personales y mis muebles. Tú los sacaste de mi sórdida vivienda, donde me pudría con mi familia. Ahora, vamos a poder vivir aquí. ¡Voy a traer a mi mujer y a mis hijos, para que disfruten de inmediato tu generosa hospitalidad!

El ladrón, angustiado ante la idea de heredar a ese mundo de gente, le responde enseguida:

—¡Llévate todo, pero quédate con tu familia y tus problemas!

Situaciones como ésta se presentan cuando estudiamos con ciertos gurús, profesores, terapeutas, etcétera...

Hay personas, de las cuales he conocido muchas, que entran en contacto con un maestro para robarle su saber. (Hablo aquí de maestros falsos, a los que yo llamo "centi-maestros".) Se introducen en la casa del "centi-maestro" y, aunque quieren robarle su conocimiento, se lo roban con todo y maestro, y éste termina instalándose en la casa de estas personas y adueñándose de su pareja, de sus hijos...

Los maestros de este tipo se quedan con todo. Se instalan en la casa del discípulo hasta que lo asfixian.

En Ginebra, una mujer me confió su secreto. Cuando sus padres salían en las noches, su hermano, mayor que ella (él tenía trece o catorce años y ella diez), la violaba todas las veces. Esto la hería profundamente, pero como los padres no eran para nada afectuosos con ella, la violación era la única "señal de afecto" que podía recibir. Gracias a un amigo, fue a visitar a un psicoanalista, muchos años más grande que ella. ¿Y qué hizo el psicoanalista? La violó. Por mi parte, le comencé a plantear interrogantes para averiguar de qué manera había ocurrido eso. Digamos que ella no estuvo de acuerdo, pero que no hizo nada para disuadirlo. Me preguntó entonces si debía abandonarlo.

—Eso depende —le respondí—. Aquí repites exactamente tu secreto y la situación que viviste con tu hermano.

—El psicoanalista acaba de pagar mis impuestos: siete mil francos suizos —agregó.

—¡Ah! ¡Has contraído una deuda!

—También pagó mi automóvil.

—¡Tienes otra pequeña deuda!

—Y desde hace dos años él paga la renta de mi departamento.

—Ah, comprendo. ¡Qué tipo tan malvado!

—Es casado.

En todo caso, lo cierto es que el maestro se instaló en la vida de su discípula con sus limitaciones y carencias. Para que ella saliera de esta situación, debía devolverle su bien.

—Háblale así —le recomendé—: ¡Llévate tu coche, tus siete mil francos y tus dos años de arrendamiento! Mi deuda está saldada. Retomo mi vida. Veo que estoy repitiendo un apego infantil y aquí lo detengo.

—¿Pero de dónde voy a sacar esa cantidad para reembolsarla? —indagó la mujer.

—¡Trabaja! Has vivido a costillas del maestro... Ahora, ¡trabaja!

El vaso con leche

Mulla Nasrudin se presenta en la lechería con un vaso pequeño.
—¡Ponme un litro de leche de vaca en este vaso! —le pide al lechero.
—¡No puedo ponerte ahí un litro de leche de vaca! —exclama, estupefacto, el lechero.
—De acuerdo. En ese caso, ¡ponme un litro de leche de oveja!

Esta historia me la contó alguien que la interpretó haciendo el comentario siguiente: "No podemos pedir a la realidad más de lo que el vasito puede contener. Por mi parte, puedo contener cierta cantidad, pero no más".
Todo lo cual me recuerda otra historia, que relato a continuación... Por cierto ésta puede dejarnos perplejos, pero resulta comprensible a la luz de la anterior.

El hombre más estúpido del mundo

Había una vez dos hermanos. Uno de ellos, a diferencia del otro, siempre tenía buena suerte. El que estaba desprovisto y vivía en la miseria fue a visitar a su afortunado hermano, quien moraba en un palacio. En la puerta, se topó con un gnomo azul.

—¿Quién eres tú? —le preguntó al gnomo.

—Soy la buena suerte de tu hermano —respondió el pequeño ser.

—¿Quieres ponerte a mi servicio? —imploró el desafortunado.

—Tal cosa me resulta imposible. Yo soy la buena suerte de tu hermano y en ningún caso podría ser la tuya.

—¿Y dónde se encuentra la mía?

—Es un gnomo pequeñito de color verde que vive en la cumbre de aquella montaña. ¡Ve a buscarlo! Él duerme, pero puedes despertarlo.

—¡Iré! —replicó el desventurado, emocionado ante la idea de encontrar finalmente la buena suerte.

Emprendió la marcha hacia la cima de la montaña pero, tras rodear una roca enorme, fue a dar de frente con un león amenazador.

—¡Leoncito, no me agredas! —dijo, con voz suplicante, el desafortunado—. Voy a despertar a mi buena suerte. Pregúntame lo que quieras y ella te responderá, porque está plena de sabiduría.

—Bueno, te voy a dejar pasar —contestó el león—. De todas maneras, estás obligado a regresar por aquí. Mi pregunta es: ¿por qué tengo hambre a todas horas y cuándo habré de saciarla?

Nuestro buen hombre se volvió a poner en camino y encontró en la cumbre de la montaña al gnomo verde dormido. Luego de despertarlo, le dijo:

—¡Mira! Antes de que me digas otra cosa, debo ir a hablar con el león. ¿Cuándo dejará de tener hambre?

—Dejará de tener hambre cuando devore el cerebro del hombre más estúpido del mundo —respondió el gnomo.

El joven, abandonando su buena suerte, descendió para ir a ver al felino.

—¡Tengo la respuesta! —exclamó—. Cuando devores el cerebro del hombre más estúpido del mundo quedarás al fin saciado.

—¡Muy bien! Te voy a devorar, ¡porque es de ti de quien se trata! —explicó el león, que se lanzó sobre el desafortunado y lo engulló en un instante.

Aquí nos encontramos ante un joven envidioso de su hermano, de su buena suerte. Pero como le dice el gnomo azul, a cada quien la suya.

En su caso, su buena suerte no le ha sido de ninguna utilidad. Es demasiado estúpido para aprovecharla. Un ser estúpido no debe intentar tener aquello que otro disfruta. Es mejor que se adapte a lo que posee. Si se compara, puede ser destruido; si acepta su destino, puede salir muy bien librado.

Si alguien recibe un premio y yo ninguno, no me molesto. ¡A cada uno la suerte que le corresponde! Si alguien tiene éxito y yo no, lo mismo.

Un mojón sagrado

Cierto día, un comerciante entró en un poblado con su caravana. En el momento en que pasaba frente al templo, sintió un retortijón tan fuerte que no pudo contenerse e hizo sus necesidades justamente ante la puerta del lugar sagrado. Sorprendido en flagrante delito, se le llevó ante Mulla, juez del lugar, para que compareciera.

—¿Tuvo usted la intención de insultarnos? —le preguntó Nasrudin.

—¡En absoluto! No pude evitar hacer lo que hice.

—¡Muy bien! ¿Qué prefiere usted, un castigo corporal o una multa?

—Prefiero una multa.

—Perfecto. Entonces tendrá que pagar al tribunal una moneda de oro de un denario.

El comerciante hurgó en sus bolsillos, de donde sacó una moneda.

—Tengo una moneda de dos denarios. ¡Córtela en dos y quédese con una mitad! —propuso el comerciante.

Mulla Nasrudin tomó la moneda, la examinó y respondió:

—No, esta moneda no debe ser cortada. Voy a quedarme con ella y mañana tendrá usted el derecho de defecar nuevamente frente al templo.

A mi entender Mulla Nasrudin representa aquí a uno de esos falsos maestros que, en el fondo, sólo ven en lo sagrado aquello que pueden aprovechar.

Yo pregunto siempre a los que entran en una escuela "espiritual": "¿Cuánto te cuesta tu iluminación?" En ocasiones, cuesta cara, en otras no tanto. Hay un precio. Éste debe ser, sin embargo, justo. Para acceder a la iluminación, un denario está bien, en tanto que dos quizá resulten demasiado. Puede ser, en este caso, que lo que busca el maestro no sea tu iluminación, sino tu denario. Es preciso tener cuidado con las escuelas donde entramos, porque a veces no son otra cosa que grandes almacenes de baratijas.

Un huevo problemático

Mulla Nasrudin pasea con su hijo y descubren un huevo que yace en el suelo.

—Papá, ¿cómo entran los pájaros en el huevo? —pregunta el niño.

El Mulla, desconcertado, responde:

—Me he preguntado toda la vida cómo salen los pájaros del huevo y ahora, ¡heme aquí con un problema adicional!

En general, nos preguntamos: "¿Cómo voy a salir de mis problemas, de mis limitaciones, de mis angustias?" Quizá la solución consista más bien en preguntarnos cómo entramos ahí.

El maestro plantea: "Dime de dónde vienes y te diré adónde vas".

¿Cómo entré en este problema para poder salir de él?

Un maestro dice a sus discípulos: "Imaginen que están atrapados por un bloque de piedra de seis toneladas. ¿Qué hacen para salir de ahí?"

Muchos alumnos encuentran soluciones increíbles. Por ejemplo, perforar, dinamitar, proyectarse en forma astral al exterior, etc. Un "idiota" responde: "así", al tiempo que da un paso hacia adelante, simulando que el bloque no existe en realidad.

El bloque de piedra es mental, inventado. Para salir de un bloque inventado, lo único que se necesita hacer es dar un paso hacia adelante.

La angustia y los fantasmas que cargamos no son reales. Son ilusiones. Cuando llegamos a la paz del "idiota", ya no hay bloque de piedra.

La paz del "idiota sagrado" es la paz del Loco del Tarot de Marsella. Carga toda su riqueza en su atado de ropa. Es rico en esencia y siempre está acompañado. Y, a la vez, también podemos ver a este personaje como un ser completamente pobre y siempre mordido. ¿Con cuál nos quedamos?

¿El Loco avanza o da vueltas alrededor de su bastón?

¿Queremos dar vueltas alrededor de nuestro bastón, ser mordidos en las nalgas y llevar cosas espantosas en nuestro atado? ¿O queremos ser ricos en esencia, estar siempre acompañados, y avanzar, cambiar y arder con el presente sin aferrarnos a nada?

Esta obra se terminó de imprimir
en abril de 2001, en
Litofasesa, S.A. de C.V.
Tlatenco núm. 35
Col. Santa Catarina
México, D.F.